KB075632

평균분석, 요인분석, ANOVA, PCA

SPSS 기초 통계 분석

진 하 수

SPSS 기초 통계 분석
평균분석, 요인분석, ANOVA, PCA

발 행 | 2024년 07월 12일
저 자 | 진하수
펴낸이 | 한건희
펴낸곳 | 주식회사 부크크
출판사등록 | 2014.07.15.(제2014-16호)
주 소 | 서울특별시 금천구 가산디지털1로 119 SK트윈타워 A동 305호
전 화 | 1670-8316
이메일 | info@bookk.co.kr

ISBN | 979-11-410-9477-5

www.bookk.co.kr
ⓒ 진하수 2024

평균분석, 요인분석, ANOVA, PCA

SPSS 기초 통계 분석

진 하 수

저자 소개

   다빈치논문컨설팅 대표박사, 한국디지털경제연구원 대표원장, 경제학 박사, 데이터통계처리(stata, spss, sci, kci), python과 R을 활용하는 빅데이터 처리 분석, 머신러닝과 딥러닝의 인공지능 분석 처리와 전문평가위원, 블록체인과 가상화폐 분석처리와 전문심사위원, 기후변화 및 ESG 전문위원, 여러대학의 박사/석사 과정의 강사로 활동하고 있다.

들어가는 말

현대 사회의 기반은 데이터이다. 우리 주변에는 끊임없이 데이터가 생성되고 축적되고 있으며, 이를 효과적으로 활용하는 능력은 개인과 조직의 성공에 필수적이다. 데이터 분석은 이러한 데이터의 의미를 파악하고 가치 있는 정보를 추출하는 데 필수적인 역할을 한다.

SPSS는 통계 분석을 위한 가장 유명하고 강력한 도구 중 하나이다. 다양한 기능을 제공하여 데이터를 탐색하고, 기초적인 통계 분석을 수행하고, 더 복잡한 통계 모델을 구축할 수 있다.

본 도서는 SPSS를 활용한 기초 통계 분석에 대한 포괄적인 가이드이다. 평균분석, 요인분석, ANOVA, PCA와 같은 주요 통계 분석 기법을 단계별로 안내하며, 각 기법의 개념, 활용 방법, 해석 방법을 깊이 있게 설명한다. 또한, 실제 데이터를 활용한 예제와 연습 문제를 통해 독자가 직접 SPSS를 사용하여 데이터 분석을 수행할 수 있도록 돕는다.

또한, SPSS 기초 통계 분석은 논문을 작성하고자 하는 초보 연구자들을 위한 도서이다. 데이터를 이해하고 통찰력을 얻는 실용 가이드로 통계에 적용된 결과를 논문에 적용하여 해석 또는 기술하는 도움을 주기위한 목적으로 만들어진 책이다.

본 서적의 특징은 다음과 같다.
1) 초보자를 위한 친절한 안내이다. 본 서적은 SPSS를 처음 사용하는 독자를 위해 기본적인 개념부터 단계별로 안내한다. 복잡한 수학적 용어보다는 직관적인 설명과 시각 자료를 활용하여 독자가 쉽게 이해할 수 있도록 했다.
2) 다양한 통계 분석 기법을 소개한다. 평균분석, 요인분석, ANOVA, PCA와 같은 주요 통계 분석 기법을 심층적으로 다루고 있다. 각 기법의 활용 범위와 해석 방법을 명확하게 설명하며, 실제 데이터 분석에 적용할 수 있도록 돕는다.
3) 실제 데이터 활용해서 실습과 해석에 주력을 두었다. 다양한 분야의 실제 데이터를 활용한 예제와 연습 문제를 통해 독자가 직접 SPSS를 사용하여 데이터 분석을 수행할 수 있도록 돕는다.
4) 명확하고 쉬운 설명을 하였다. 복잡한 내용을 명확하고 간결하게 설명하여 독자가 쉽게 이해할 수 있도록 했다. 또한, 중요한 내용은 반복하여 강조하였고, 도표와 그림을 활용하여 시각적으로 표현했다.

본 도서의 목표 독자로는 다음과 같다.
SPSS를 처음 사용하는 및 학위를 준비하는 학생 및 연구자

데이터 분석에 대한 기초 지식을 쌓고 싶은 현업 종사자
통계 분석 능력을 향상시키고 싶은 일반 독자

본 도서의 기대 효과로는 다음과 같다.
본 서적을 통해 독자는 SPSS를 활용하여 기초적인 통계 분석을 수행하는 방법을 익힐 수 있다.
또한, 다양한 데이터 분석 기법을 이해하고 실제 데이터에 적용할 수 있는 능력을 키울 수 있다.
이를 통해 데이터를 효과적으로 활용하여 문제를 해결하고 의사 결정을 내리는 데 필요한 통찰력을 얻을 수 있다.

본 서적은 SPSS 버전 23을 기준으로 작성되었다. 하지만, 이전 버전 또는 최신 버전을 사용하는 독자도 내용을 이해하는 데 큰 어려움이 없을 것이다.
SPSS 외에도 다양한 통계 분석 도구가 존재하지만, 본 서적은 SPSS의 기본적인 기능과 활용 방법에 초점을 맞추고 있다.
독자는 본 서적의 내용을 바탕으로 더 복잡한 통계 분석 기법과 모델을 학습하고, 다양한 데이터 분석 도구를 활용하는 데 필요한 지식을 쌓을 수 있다.
다른 분석 기법에 대한 심화 학습은 저자의 다른 도서를 참조하기를 바란다.

2024년 7월

<차례>

<표 차례>

<그림 차례>

1. 기술통계분석

1.1. 기술통계

여기에서는 기술통계를 얻는 방법을 보여 준다. 세부적인 결과물을 설명한다. 여기에서 사용한 데이터[1]는 200명의 고등학생을 대상으로 수집되었으며, 과학, 수학, 독해, 사회 연구(socst)를 포함한 다양한 시험 점수들이 포함되어 있다. 변수 여성은 학생이 여성이면 1, 남성이면 0으로 코딩된 이분형 변수이다.

1.1.1. SPSS 설정하기

1) 변수 선정

여기서는 SPSS에서 기술통계를 필요로 하는 변수를 모두 선정하여 이동한다. female, race, ses, type of school 등을 선정한다. 표준화 값을 변수로 저장할 경우는 체크를 하면 된다.

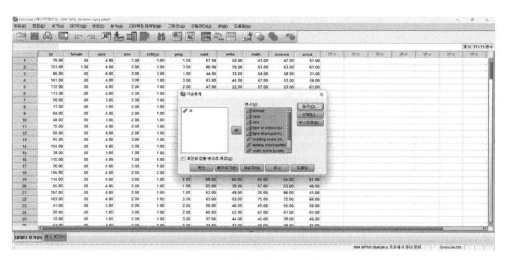

[그림 1] 기술통계 변수 설정

2) 기술통계 옵션 선정

기술통계 옵션 선정에서 먼저, 평균에 체크하고, 합계를 필요시 체크한다.

---

1) https://stats.oarc.ucla.edu/spss/output/descriptive-statistics/

산포도 박스에서 표준화 편차, 최소값, 분산, 최대값, 범위, S.E.평균에 필요
한 부분을 선택한다.

분포 박스에서 첨도와 왜도를 체크한다.

표시순서 박스에서는 변수목록, 문자순, 평균값 오름차순, 평균값 내림차순
등을 선정한다. 주로 변수 목록을 선정한다

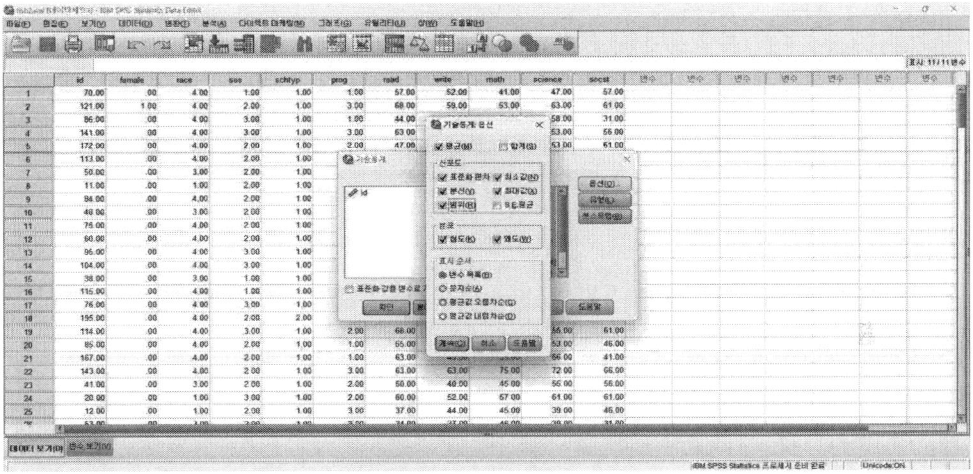

[그림 2] 기술통계 옵션

1.1.2. 기술통계 명령문

아래 구문에서는 get file 명령을 사용하여 SPSS에 데이터를 로드한다. 그렇
지 않으면, 메뉴의 파일에서 열기 - 데이터를 선택하여 불러올 수 있다. 명령에
를 사용할 경우는 따옴표 안에는 컴퓨터에서 데이터 파일이 있는 위치를 지정해
야 한다. .sav 확장자를 사용해야 하며 명령 및 모든 명령을 마침표로 끝내야
한다는 점을 기억해야 한다.

1) 데이터 불러오기

```
GET
FILE='D:\hsb2.sav'.
DATASET NAME 데이터세트1 WINDOW=FRONT.
DESCRIPTIVES VARIABLES=female race ses schtyp prog read write math
science socst
    /STATISTICS=MEAN STDDEV VARIANCE RANGE MIN MAX KURTOSIS SKEWNESS.
```

연속형 변수에 대한 기술통계를 얻는 데 사용할 수 있는 몇 가지 명령이 있

다. 즉, 두 가지, 즉 기술과 통계량을 보여준다. 이러한 각 명령에 몇 가지 옵션을 추가했으며, 구문을 최대한 짧고 이해하기 쉽게 만들기 위해 불필요한 하위 명령을 삭제했다.

검사명령은 항상 많은 출력을 생성한다는 것을 알 수 있다. 찾고 있는 것이 무엇인지 알고 있다면 매우 도움이 될 수 있지만, 익숙하지 않으면 부담스러울 수 있다. 몇 개의 숫자만 필요한 경우 descriptives 명령을 사용할 수 있다. 각각 아래와 같다.

우리의 예시에서 hsb2.sav 데이터 파일을 사용할 것이다. "c:Whsb2.sav" 파일을 불러온다.

2) write 기술통계

descriptives write
/statistics = mean stddev variance min max semean kurtosis skewness

기술통계량을 설명하면 다음과 같다. N (표본 크기) 200, 최소값 31.00, 최대값 67.00, 평균 52.7750, 표준오차 0.67024, 표준편차 9.47859, 분산 89.844, 왜도 -0.482로 데이터가 왼쪽으로 약간 치우쳐 있다. 첨도 -0.750로 데이터의 분포가 정규분포보다 약간 더 평평하였다. 이러한 통계량들은 주어진 데이터의 분포와 특성을 설명하고 있다.

[표 1] 기술통계량

기술통계량										
	N	최소값	최대값	평균		표준편차	분산	왜도		첨도	
	통계량	통계량	통계량	통계량	표준오차	통계량	통계량	통계량	표준오차	통계량	표준오차
writing score	200	31.00	67.00	52.775	.670	9.479	89.844	-.482	.172	-.750	.342
유효 N(목록별)	200										

위의 표의 항목을 각각 설명하면, 다음과 같다.

여기서 유효 N(목록별)은 누락되지 않은 값의 수다.

N은 변수에 대한 유효한 관찰 수다. 관찰의 총 수는 N과 누락된 값의 수의 합이다.

최소값은 변수의 최소값 또는 가장 작은 값이다.

최대값은 변수의 최대값 또는 가장 큰 값이다.

평균은 관찰치에 대한 산술 평균이다. 이것은 가장 널리 사용되는 중심 경향 측정이다. 이것은 일반적으로 평균이다. 평균은 매우 크거나 작은 값에 민감하다.

표준편차(Standard deviation)는 분산의 제곱근이다. 일련의 관측치의 확산을 측정한다. 표준편차가 클수록 관측치가 더 분산되어 있다.

분산(variance)은 변동성의 척도다. 이는 평균과 데이터 값의 거리 제곱의 합을 분산 제수로 나눈 값이다. 수정된 SS(Corrected SS)[2]는 평균에서 데이터 값까지의 거리 제곱의 합이다. 따라서 분산은 수정된 SS를 N-1로 나눈 값이다. 여기서 N-1은 자유도(degrees of freedom)를 고려한 것이며, 이는 표본 분산(sample variance)을 계산할 때 사용한다. 분산의 단위는 원래 데이터 값의 제곱 단위다. 즉, 일반적으로 분산은 제곱 단위이기 때문에 스프레드 지수로 사용하지 않다. 대신 표준편차를 사용한다. 표준편차는 원래 데이터와 동일한 단위를 가지며, 이는 분산보다 해석이 용이하다. 데이터의 변동성을 설명하는 데 있어 더 직관적이고 유용한 지표로 사용된다.

왜도는 비대칭 정도와 방향을 측정한다. 정규 분포와 같은 대칭 분포의 왜도는 0이고, 왼쪽으로 치우친 분포 예를 들면, 평균이 중앙값보다 작은 경우는 음의 왜도를 갖는다.

첨도는 분포에 이상치가 존재하거나 분포가 이상치를 생성하는 경향을 반영하는 꼬리 끝의 측정값이다.

1.1.3. write 데이터 기술통계

1) write 케이스 처리 요약

주어진 데이터를 요약하면 다음과 같다.

유효 케이스 (N) 200, 퍼센트 100.0%, 결측 케이스 (N) 0, 퍼센트 0.0%, 전체 케이스 (N) 200, 퍼센트 100.0%다. 즉, "writing score" 데이터는 총 200개의 케이스로 구성되어 있으며, 이 중 결측치(missing data)는 없고 모든 케이스가 유효하다.

```
examine write
 /plot boxplot stemleaf histogram
 /percentiles(5,10,25,50,75,90,95,99).
```

---

2) 제곱된 편차의 합계 계산 (Corrected SS) $SS = \sum_{i=1}^{N} (x_i - \bar{x})^2$

[표 2] 케이스 처리 요약

	케이스					
	유효		결측		전체	
	N	퍼센트	N	퍼센트	N	퍼센트
writing score	200	100.0%	0	0.0%	200	100.0%

유효 항은 누락되지 않은 사례를 나타낸다. 이 열에는 누락되지 않은 케이스의 수인 N이 제공된다. 누락되지 않은 케이스의 백분율인 백분율이 제공된다.

누락 항은 누락된 사례를 나타낸다. 이 열에는 누락된 케이스 수인 N이 제공된다. 누락된 케이스의 백분율인 백분율이 제공된다.

전체 항은 누락되지 않은 경우와 누락된 경우를 모두 포함한 총 사례 수를 나타낸다. 이 열에는 데이터 세트의 총 사례 수인 N이 제공된다. 그리고 데이터 세트에 있는 사례의 총 백분율인 백분율이 제공된다.

2) write 기술통계

이 요약은 데이터의 중심 경향, 분포의 퍼짐, 왜도, 첨도 등의 다양한 통계적 특성을 포함하여 전체 데이터를 보다 명확하게 이해하는 데 도움을 제공한다.

통계 항에 속한 항목을 설명하면 다음과 같다. 통계량을 기술통계치를 의미한다. 표준 오차 항은 이는 기술 통계에 대한 표준 오차다. 표준 오차는 통계에서 가능한 변동성에 대한 아이디어를 제공한다. 평균 항은 관측치 전체의 산술 평균이다. 중심경향을 측정하는데 가장 널리 사용되는 척도다. 흔히 평균이라고 한다. 평균은 매우 크거나 작은 값에 민감하다.

[표 3] 기술통계

기술통계			통계량	표준오차
writing score	평균		52.7750	.67024
	평균의 95% 신뢰구간	하한	51.4533	
		상한	54.0967	
	5% 절사평균		53.1389	
	중위수		54.0000	
	분산		89.844	
	표준편차		9.47859	
	최소값		31.00	
	최대값		67.00	
	범위		36.00	
	사분위수 범위		14.75	
	왜도		-.482	.172
	첨도		-.750	.342

평균 하한에 대한 95% 신뢰 구간은 평균에 대한 하한(95%) 신뢰 한계다. 만약

우리가 200명의 학생의 쓰기 시험 점수 샘플을 반복적으로 추출하고 각 샘플의 평균을 계산한다면, 그 중 95%가 하한과 상한 95% 신뢰 한계 사이에 있을 것으로 예상할 수 있다. 이것은 당신에게 진정한 모집단 평균 추정치의 변동성에 대한 아이디어를 제공한다. 평균 상한에 대한 95% 신뢰 구간은 평균에 대한 상한 (95%) 신뢰 한계다.

5% 트리밍 평균은 변수의 하위 5%와 상위 5% 값을 삭제한 경우 얻을 수 있는 평균이다. 5% 트리밍 평균 값이 평균과 매우 다르다면 일부 이상치가 있음을 나타낸다. 그러나 모든 이상치가 트리밍 평균에서 제거되었다고 가정할 수는 없다. 중앙값은 중앙값을 의미한다. 중앙값은 모든 값의 절반이 이 값 위에 있고 절반이 아래에 있도록 분포를 나눈다.

분산은 변동성의 척도다. 평균으로부터 데이터 값의 제곱 거리의 합을 분산 제수로 나눈 값이다. 수정된 SS는 평균으로부터 데이터 값의 제곱 거리의 합이다. 따라서 분산은 수정된 SS를 N-1로 나눈 값으로 일반적으로 분산은 제곱 단위이기 때문에 분산을 확산의 지표로 사용하지 않는다. 대신 표준 편차를 사용한다. 표준 편차는 분산의 제곱근이다. 일련의 관측치의 확산을 측정한다. 표준 편차가 클수록 관측치가 더 퍼지게 된다.

최소값은 변수의 최소값 또는 가장 작은 값이고, 최대값은 변수의 최대값 또는 가장 큰 값이다. 범위는 변수의 확산을 측정하는 것이다. 가장 큰 관측치와 가장 작은 관측치의 차이와 같다. 계산하기 쉽고 이해하기 쉽습니다. 그러나 변동성에 매우 둔감하다. 사분위간 범위는 상위 사분위수와 하위 사분위수 간의 차이다. 데이터 세트의 확산을 측정한다. 극단적인 관찰에도 견고하다.

왜도는 비대칭 정도와 방향을 측정하며, 정규 분포와 같은 대칭 분포의 왜도는 0이고, 왼쪽으로 치우친 분포 예를 들면, 평균이 중앙값보다 작은 경우는 음의 왜도를 갖는다. 첨도는 분포 꼬리의 무거움을 측정한 것이다. 정규 분포의 첨도는 0이다. 극도로 비정규 분포는 높은 양수 또는 음수 첨도 값을 가질 수 있는 반면, 거의 정규 분포는 0에 가까운 첨도 값을 갖는다. 정규 분포보다 꼬리가 "더 무겁고" 첨도는 양수다. 꼬리가 정규 분포보다 "가벼운" 경우 음수에 해당한다.

주어진 데이터를 분석하고 이러한 통계량을 확인하는 이유는 다음과 같다. 첫째, 데이터의 중심 경향 파악으로 평균과 중위수를 통해 데이터의 중심값을 확인할 수 있다. 이는 일반적인 데이터 값이 어느 정도인지 파악할 수 있다. 둘째, 데이터의 변동성 평가로 표준편차와 분산을 통해 데이터가 평균으로부터 얼마나 퍼져 있는지를 알 수 있다. 이는 데이터의 일관성 또는 변동성을 이해할 수 있다. 셋째, 데이터 범위 이해로 최소값, 최대값, 범위(Range), 사분위수 범위(IQR)를 통해 데이터 값들의 범위와 분포의 넓이를 평가할 수 있다. 이는 데이터의 분포를 시각화하는 데 유용하다. 넷째, 데이터의 분포 형태 분석으로 왜도와 첨도를 통해 데이터의 비대칭성과 분포 모양을 파악할 수 있다. 왜도는 데이터가 평균을 기준으로 얼마나 비대칭적인지를 나타내고, 첨도는 데이터 분포가 정규분포보다 뾰족하거나 평평한 정도를 나타낸다. 다섯째, 신뢰구간 확인으로 평균의 95% 신뢰구간을 통해 평균 추정치의 신뢰도를 평가할 수 있다. 이는 표본 데이터로부터 추정한 평균이 실제 평균과 얼마나 가까운지를 나타낸다. 여섯째, 데이터의 이상값 파악으로 최소값, 최대값, 사분위수 범위 등의 지표를 통해 데이터의 이상값(outliers)을 식별할 수 있다. 이는 데이터 정제와 분석의 정확성을 높이는 데 필요하다.

이러한 통계량을 확인하는 목적은 데이터의 전반적인 특성과 경향을 파악하여 요약 정보를 제공한다. 데이터 기반의 의사결정을 위한 정확한 정보를 제공한다. 통계적 가설 검정 및 심층 분석을 위한 기초 자료 제공한다. 데이터 분석을 통한 모델링 및 예측 정확성을 향상시킨다. 이를 통해 데이터 분석가는 데이터의 특성과 패턴을 명확히 이해하고, 이를 바탕으로 적절한 결정을 내리거나 추가 분석을 수행할 수 있다.

1.1.4. write 백분위수

백분위수(percentiles)와 Tukey의 Hinges는 데이터 분포를 더 잘 이해하고 요약하는 데 사용한다. 주어진 writing score 데이터에 대한 백분위수와 Tukey의 Hinges를 요약하면 다음과 같다.

[표 4] 백분위수

백분위수									
		백분위수							
		5	10	25	50	75	90	95	99
가중평균 (정의 1)	writing score	35.0500	39.0000	45.2500	54.0000	60.0000	65.0000	65.0000	67.0000
Tukey의 Hinges	writing score			45.5000	54.0000	60.0000			

가중 평균은 write 변수에 대한 백분위수다. 일부 값은 분수이며 이는 계산 방법에 따른 결과이다. 예를 들어 정확히 5번째 백분위수에 값이 없으면 값이 보간된다. 이러한 값을 계산하는 방법에는 여러 가지가 있으므로 SPSS는 "정의 1"[3]을 사용하고 있음을 표시하여 수행하는 작업을 명확하게 한다.

---

3) 백분위수에서 가중평균(Definition 1)은 SPSS에서 "가중평균 (Definition 1)"이란 백분위수를 계산할 때 사용되는 특정 방법을 의미한다. 일반적으로 백분위수를 계산하는 방법

Tukey's Hinges, 이들은 1, 2, 3 사분위수다. 이들은 Tukey가 상자 그림이라는 아이디어를 생각해 냈을 때 원래 제안했던 방식으로 계산한다. 값은 보간되지 않는다. 오히려 거의 계산 없이 얻을 수 있는 근사치다.

백분위수는 이 열은 다양한 백분위수의 변수 값을 제공한다. 이는 변수의 분포에 대해 알려준다. 백분위수는 변수 값을 가장 낮은 값에서 가장 높은 값 순으로 정렬한 다음 거기에 있는 변수 값을 확인하기 위해 백분율을 확인하여 결정한다. 예를 들어 5라는 열에서 write 변수의 값은 35다. 이는 가중 평균이므로 SPSS는 35라는 값이 여러 개 있다는 사실을 고려하므로 가중 평균이 35.05다.

25 항은 25% 백분위수이며 첫 번째 사분위수라고도 한다. 50 항은 50% 백분위수이며 중앙값이라고도 한다. 이는 중심 경향을 측정하는 것이다. 값을 오름차순(또는 내림차순)으로 배열했을 때 가운데에 있는 숫자다. 때로는 중앙값이 평균보다 중심 경향을 더 잘 측정하는 경우도 있다. 극단적인 관찰에 대해서는 평균보다 덜 민감하다. 75 항은 75% 백분위수이며 제3 사분위수라고도 한다.

위의 표를 해석하면, 다음과 같다.

백분위수는 데이터 분포의 특정 지점을 나타내며, 데이터가 어떤 값 이하에 위치하는지를 백분율로 표현한다. 예를 들어, 25번째 백분위수(P25)는 데이터의 하위 25%가 이 값 이하에 있음을 의미한다. 이를 통해 데이터의 분포를 상세하게 파악할 수 있다.

Tukey의 Hinges는 사분위수와 비슷하게 데이터를 세 부분으로 나누는 경계값이다. 하위 경첩(Lower Hinge)은 첫 번째 사분위수(25번째 백분위수)와 비슷하고, 상위 경첩(Upper Hinge)은 세 번째 사분위수(75번째 백분위수)와 비슷하다. 이는 데이터의 중간 50%의 범위를 나타내는 데 유용하다.

첫째, 데이터 분포를 이해할 수 있다. 백분위수와 경첩을 통해 데이터가 어떻게 분포되어 있는지, 특히 중간 50%가 어디에 위치하는지, 극단 값들이 어디에

에는 여러 가지가 있으며, SPSS는 이 중 몇 가지 방법을 제공한다. "Definition 1"은 그 중 하나로, 다음과 같은 특징을 갖는다. 1) 백분위수 위치 계산으로 먼저 백분위수의 위치를 계산한다. 위치는 전체 데이터 포인트 수에 백분위수 값을 곱하여 계산한다. 2) 위치에 해당하는 데이터 값으로 위치가 정수인 경우, 해당 위치의 데이터 값을 백분위수로 사용한다. 위치가 정수가 아닌 경우, 가장 가까운 두 데이터 값의 가중 평균을 사용한다. 목적은 백분위수는 데이터의 분포를 이해하는 데 도움을 준다. 특정 백분위수는 데이터가 그 값 이하에 위치하는 백분율을 나타낸다. 백분위수를 통해 데이터의 중앙 경향을 파악할 수 있다. 예를 들어, 50번째 백분위수는 중위수(Median)를 나타낸다. 상위 및 하위 백분위수를 통해 데이터의 변동성을 평가할 수 있다. 예를 들어, 25번째 백분위수와 75번째 백분위수의 차이는 사분위수 범위(IQR)로, 데이터의 중간 50% 범위를 나타낸다. 백분위수에서 가중평균(Definition 1)을 사용하는 이유는 데이터의 분포를 더 정확하고 상세하게 이해하기 위함이다. 이는 데이터 분석, 이상치 식별, 중앙 경향 파악 및 의사결정 지원에 중요한 역할을 한다.

있는지를 이해할 수 있다. 둘째, 이상값을 감지할 수 있다. 상위 및 하위 경첩을 통해 데이터의 이상값이나 특이값을 쉽게 감지할 수 있다. 셋째, 데이터를 요약할 수 있다. 전체 데이터 분포를 간결하게 요약하여 분석가가 데이터의 주요 특성을 빠르게 파악할 수 있다.

이러한 통계량은 데이터 분석에서 데이터의 중심 경향, 분산, 분포 형태 등을 더 명확히 이해하는 데 매우 중요하다.

1.1.5. write 줄기와 잎 그래프

아래의 도표를 설명하면, 다음과 같다. 각 줄기는 구매빈도의 정수 부분을 나타내며, 각 줄기는 동일한 첫 자리 값을 공유하는 데이터 포인트를 그룹화한 것이다. 각 잎은 해당 줄기에 속하는 데이터 포인트의 소수 부분을 나타내며, 실제 값을 좀 더 세분화하여 보여준 것이다. 케이스는 각 줄기 아래 나열된 데이터 포인트의 빈도를 나타낸다.

```
     빈도        Stem &  잎
     4.00         3 .  1111
     4.00         3 .  3333
     2.00         3 .  55
     5.00         3 .  66777
     6.00         3 .  899999
    13.00         4 .  0001111111111
     3.00         4 .  223
    13.00         4 .  4444444444445
    11.00         4 .  66666666677
    11.00         4 .  99999999999
     2.00         5 .  00
    16.00         5 .  2222222222222223
    20.00         5 .  44444444444444444555
    12.00         5 .  777777777777
    25.00         5 .  9999999999999999999999999
     8.00         6 .  00001111
    22.00         6 .  2222222222222222223333
    16.00         6 .  5555555555555555
     7.00         6 .  7777777
   줄기 너비:      10.00
   각 잎:          1 케이스
```

빈도는 나뭇잎의 빈도다. 줄기는 줄기를 의미한다. 변수 값의 10자리 숫자다. 예를 들어 첫 번째 줄에서 줄기는 3이고 잎은 1이다. 변수의 값은 31이다. 3이 10의 자리이므로 줄기다. 나뭇잎은 나뭇잎을 의미한다. 변수값의 1자리 숫자이다. 잎의 수는 변수에 이러한 숫자가 몇 개 있는지 알려준다. 예를 들어, 다섯 번째 줄에는 8이 1개 있고 9가 5개 있다. 따라서 빈도는 6이다. 이는 write 변수에 38이라는 값 1개와 39라는 값 5개가 있음을 의미한다.

이런 시각화의 목적은 다음과 같다. 첫째, 데이터 분포 시각화에 있다. 데이터를 시각적으로 요약하여 전체 분포를 쉽게 이해할 수 있다. 둘째, 중앙 경향과 변동성 파악할 수 있다. 데이터의 중앙 값과 변동성을 빠르게 파악할 수 있다. 셋째, 이상치를 감지할 수 있다. 데이터의 패턴을 통해 이상치나 특이점을 쉽게 식별할 수 있다.

이러한 Stem & Leaf 플롯은 데이터 분포의 세부 사항을 효과적으로 시각화하여 데이터 분석에 중요한 통찰을 제공한다.

1.1.6. write 히스토그램

주어진 히스토그램은 "writing score"의 분포를 시각적으로 보여준다. 이를 통해 데이터의 주요 특성을 파악할 수 있다.

히스토그램은 변수 값의 빈도를 보여준다. 히스토그램을 만들기 위해 examine 명령을 사용할 때 기본적으로 빈의 크기가 결정되지만, graph 또는 ggraph 명령을 사용하여 훨씬 더 많은 제어가 가능한 히스토그램을 만들 수 있다. 이 히스토그램에서 각 빈에는 두 개의 값이 포함된다. 예를 들어, 첫 번째 빈에는 값 30과 31이 포함되고 두 번째 빈에는 값 32와 33이 포함된다. 히스토그램은 위에 표시된 백분위 수의 그래픽 표현이다. 백분위 수와 마찬가지로 히스토그램의 목적은 변수의 분포에 대한 아이디어를 제공하는 것이다.

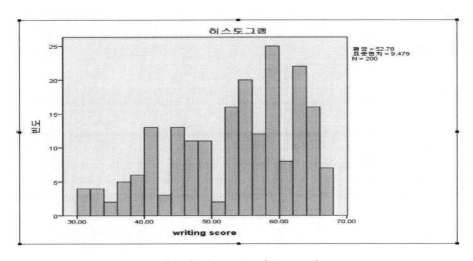

[그림 3] write 히스토그램

히스토그램 해석에서 먼저, 분포 형태를 파악한다. 히스토그램은 여러 개의 막대기로 구성되어 있으며, 각 막대기는 특정 구간의 점수 범위 내에 속하는 샘플의 빈도를 나타낸다. 히스토그램에서 볼 수 있듯이, 데이터는 약간의 비대칭성을 보이며, 왜도는 약간 왼쪽으로 치우쳐 있다. 평균보다 낮은 점수 구간에 더 많은 데이터가 존재한다.

둘째, 중앙 경향을 파악한다. 평균 점수는 52.78로, 데이터의 중앙 경향을 나타낸다. 데이터가 평균 주변에 모여 있음을 알 수 있다. 셋째, 변동성을 알 수 있다. 표준편차는 9.479로, 데이터 값들이 평균으로부터 얼마나 퍼져 있는지를 알 수 있다. 이는 데이터의 변동성이 어느 정도인지 보여준다. 넷째, 빈도(Frequency)를 파악할 수 있다. 특정 구간에서 데이터가 더 집중되어 있음을 알 수 있다. 예를 들어, 50-60 구간에서 데이터가 많이 분포되어 있다. 가장 높은 빈도는 60-65 구간에서 나타나며, 이 구간에 약 25개의 데이터 포인트가 있다.

그러므로, 히스토그램은 데이터의 분포를 한눈에 보여주는 강력한 도구이며, 이를 통해 데이터의 주요 특성을 파악하고, 데이터 기반의 의사결정을 내릴 수 있다.

1.1.7. write 박스플랏

주어진 박스플롯(Box Plot)은 "writing score" 데이터의 분포를 시각적으로 나타내고 있다. 박스플롯은 데이터의 다섯 가지 요약 통계량 예를 들면, 최소값, 1사분위 수, 중위수, 3 사분위 수, 최대값을 보여준다.

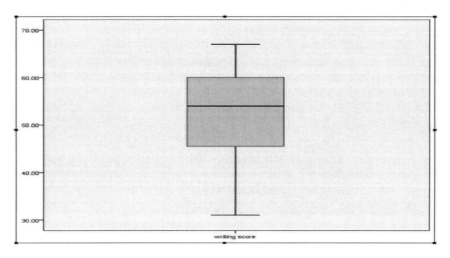

[그림 4] write boxplot

첫째, 이미지의 ┬ 부분은 Q3보다 높은 사분위 수 범위의 1.5배를 초과하는 값이 없는 한 이는 최대 점수다. 여기서는 3분위 수에 4분위 수 범위 즉, 1분위 수와 3분위 수 간 차이의 1.5배를 더한 값이다.

둘째, 박스 (상자)는 데이터의 1 사분위 수(Q1)와 3 사분위 수(Q3) 사이의 범위를 나타내며, 데이터의 중간 50%를 포함한다. ┐ 부분은 3 사분위 수(Q3)이며, 75번째 백분위 수라고도 한다. ┘ 부분은 25번째 백분위 수라고도 알려진 제1 사분위 수(Q1)다.

셋째, 중앙선 (내부선)은 박스 내부에 위치한 선은 데이터의 중위수(Median)를 나타낸다. ─ 부분은 중앙값(Q2)이며 50번째 백분위 수라고도 한다.

넷째, 수염 (Whiskers)은 박스 양쪽으로 뻗은 선은 데이터의 최소값과 최대값을 나타낸다. ┴ 부분은 Q1 아래에 사분위수 범위의 1.5배 미만인 값이 없는 한 최소 점수다. 이 경우 제1 사분위 수에서 사분위 수 범위의 1.5배를 뺀 값이다.

이상치 (Outliers)는 수염 바깥에 위치한 점들은 이상치를 나타낼 수 있으며, 박스플롯에서는 표시되지 않았다.

박스플롯을 사용하는 주요 목적과 이유는 다음과 같다. 첫째, 데이터 분포 이해다. 박스플롯은 데이터의 분포와 중심 경향을 한눈에 파악할 수 있다. 데이터의 대략적인 형태, 중심, 변동성 등을 시각적으로 나타낸다. 둘째, 이상치 감지다. 박스플롯은 데이터의 이상치를 쉽게 식별할 수 있다. 수염 바깥에 위치한 데이터 점들은 이상치로 간주한다. 셋째, 중앙 경향과 변동성 파악이다. 중위수와 사분위수를 통해 데이터의 중앙 경향과 변동성을 파악할 수 있다. 데이터의 대략적인 분포와 주요 특징을 이해할 수 있다. 넷째, 데이터 비교다. 여러 그룹 간의 데이터를 비교할 때 유용하다. 여러 박스플롯을 나란히 배치하여 그룹 간의 분포 차이를 시각적으로 비교할 수 있다.

< 기술 통계 분석 발견 에피소드의 예>

고객 리뷰의 단순함의 힘 - 마케팅 분석가는 기술 통계를 사용하여 고객 리뷰 데이터를 분석한다. 감정 분포(긍정적, 부정적, 중립적)와 단어 빈도를 조사함으로써 기술 통계는 고객 피드백의 예상치 못한 추세를 드러낼 수 있다. 예를 들어, 강한 감정을 표현하는 간단한 단어(사랑, 증오)의 빈도가 높으면 특히 영향력 있는 제품 경험, 긍정적이든 부정적이든 나타낼 수 있다.

질병의 불평등한 부담 - 공중 보건 연구자는 기술 통계를 사용하여 다양한 인구 집단의 질병 유병률 데이터를 분석한다. 사례 분포(연령, 성별, 민족)를 조사함으로써 기술 통계는 질병 부담의 예상치 못한 차이를 드러낼 수 있다. 이를 통해 이전에 알려지지 않은 위험 요소를 발견하거나 특정 인구에 대한 표적 공중 보건 개입의 필요성을 강조할 수 있다.

1.2. 기술통계량

주어진 데이터는 여러 변수에 대한 기술통계량을 나타내고 있다. 각 변수에 대해 중요한 통계량을 요약하면, 다음과 같다.

N 표본 크기 또는 모든 변수에 대해 N = 200이다. 범위는 최대값과 최소값의 차이, 최소값은 데이터의 최소값, 최대값은 데이터의 최대값, 평균은 데이터의 산술평균, 표준편차는 데이터의 분산 정도, 분산은 표준편차의 제곱, 왜도는 데이터의 비대칭 정도, 첨도는 데이터 분포의 뾰족한 정도이다.

변수별 분석에서 female (성별) 즉 성별 변수는 이진 변수로, 0과 1 사이의 값만 가진다. 평균값 0.545는 데이터의 54.5%가 여성임을 의미한다. 왜도와 첨도 값은 성별 변수의 분포가 거의 대칭적이고 평탄함을 나타낸다.

인종 변수는 1에서 4까지의 값을 가진다. 평균값 3.4300은 데이터가 주로 상위 범위에 집중되어 있음을 나타낸다. 왜도가 -1.588로 음수인 것은 데이터가 왼쪽으로 치우쳐 있음을 의미하며, 첨도가 0.941로 양수인 것은 분포가 뾰족함을 나타낸다.

사회경제적 상태 변수는 1에서 3까지의 값을 가진다. 평균값 2.0550은 데이터가 중간 값 근처에 집중되어 있음을 나타낸다. 왜도와 첨도 값은 데이터 분포가 거의 대칭적이고 평탄함을 나타낸다.

[표 5] 기술통계량

	N	범위	최소값	최대값	평균	표준편차	분산	왜도	첨도
	통계량	통계량	통계량	통계량	통계량	통계량	통계량	통계량	통계량
female	200	1.00	.00	1.00	.5450	.49922	.249	-.182	-1.987
race	200	3.00	1.00	4.00	3.4300	1.03947	1.081	-1.588	.941
ses	200	2.00	1.00	3.00	2.0550	.72429	.525	-.084	-1.080
type of school	200	1.00	1.00	2.00	1.1600	.36753	.135	1.869	1.508
type of program	200	2.00	1.00	3.00	2.0250	.69048	.477	-.033	-.884
reading score	200	48.00	28.00	76.00	52.2300	10.25294	105.123	.196	-.623
writing score	200	36.00	31.00	67.00	52.7750	9.47859	89.844	-.482	-.750
math score	200	42.00	33.00	75.00	52.6450	9.36845	87.768	.287	-.649
science score	200	48.00	26.00	74.00	51.8500	9.90089	98.028	-.189	-.556
social studies score	200	45.00	26.00	71.00	52.4050	10.73579	115.257	-.382	-.525
유효 N(목록별)	200								

학교 유형 변수는 1과 2의 값을 가진다. 평균값 1.1600은 대부분의 학생들이 유형 1의 학교에 다니고 있음을 나타낸다. 왜도가 1.869로 양수인 것은 데이터가 오른쪽으로 치우쳐 있음을 의미하며, 첨도가 1.508로 양수인 것은 분포가 뾰족함을 나타낸다.

프로그램 유형 변수는 1에서 3까지의 값을 가진다. 평균값 2.0250은 데이터가 중간 값 근처에 집중되어 있음을 나타낸다. 왜도와 첨도 값은 데이터 분포가 거의 대칭적이고 평탄함을 나타낸다.

읽기 점수의 평균값은 52.2300이다. 왜도가 0.196로 거의 대칭적이며, 첨도는 -0.623으로 분포가 약간 평평하다. 쓰기 점수의 평균값은 52.7750이다. 왜도가 -0.482로 약간 왼쪽으로 치우쳐 있으며, 첨도는 -0.750으로 분포가 약간 평평하다. 수학 점수의 평균값은 52.6450이다. 왜도가 0.287로 약간 오른쪽으로 치우쳐 있으며, 첨도는 -0.649로 분포가 약간 평평하다. 과학 점수의 평균값은 51.8500이다. 왜도가 -0.189로 거의 대칭적이며, 첨도는 -0.556으로 분포가 약간 평평하다. 사회과학 점수의 평균값은 52.4050이다. 왜도가 -0.382로 약간 왼쪽으로 치우쳐 있으며, 첨도는 -0.525로 분포가 약간 평평하다.

< 상관 관계 분석 발견 에피소드의 예>

커피 소비와 질병 위험 감소 - 커피 소비와 건강 간의 관계를 탐구하는 연구에서는 특정 질병과 부정적인 상관관계가 있는 것으로 나타났다. 연구에 따르면 적당한 양의 커피 소비는 파킨슨병, 알츠하이머병 및 특정 유형의 암 발병 위험을 낮추는 것과 관련이 있을 수 있다. 상관관계가 인과관계를 의미하지는 않지만, 이러한 발견은 커피와 그 생물학적 활성 성분의 잠재적 건강상의 이점에 대한 추가 연구를 촉진했다.

소셜 미디어 활동과 정신 건강 - 연구자들은 소셜 미디어 사용과 정신 건강 간의 상관 관계를 조사하고 있다. 연구에 따르면 과도한 소셜 미디어 사용과 우울증 및 불안 증상 증가 사이에 잠재적인 연관성이 있다. 이 상관 관계는 소셜 미디어와 정신 건강 간의 복잡한 관계를 이해하기 위한 추가 연구가 필요하다는 것을 강조한다.

수면의 질과 학업 성취도 - 연구에 따르면 수면의 질과 학업 성취도 사이에 긍정적인 상관관계가 있는 것으로 나타났다. 충분한 수면을 취하는 학생들은 기억력, 집중력, 인지 기능이 더 좋아져 학업 성취도가 향상되는 경향이 있다. 이 상관관계는 최적의 학습을 위해 수면을 우선시하는 것의 중요성을 강조한다.

2. 상관관계

2.1. 상관관계

상관관계 분석은 두 변수 간의 관계를 측정하여 얼마나 한 변수가 다른 변수와 함께 변화하는지를 확인하는 통계적 방법이다. 상관계수는 -1에서 1 사이의 값을 가지며, 이 값의 절대값이 클수록 두 변수 간의 상관관계가 강하다. 1은 완전한 양의 상관관계 또는 한 변수가 증가하면 다른 변수도 증가한다. -1은 완전한 음의 상관관계 또는 한 변수가 증가하면 다른 변수는 감소한다. 0은 상관관계 없음을 의미한다. 상관관계 분석을 통해 변수들 간의 관계를 이해하고, 이를 기반으로 데이터의 특성을 파악하거나, 예측 모델을 구축하는 데 유용하게 사용할 수 있다.

2.1.1. 상관관계 데이터

상관관계 데이터는 200명의 고등학생을 대상으로 수집되었으며 과학, 수학, 독해 및 사회 연구(socst)를 포함한 다양한 시험 점수다. 변수 여성은 학생이 여성이면 1, 남성이면 0으로 코딩된 이분형 변수다.

아래 명령 구문에서처럼 get file 명령을 사용하여 hsb2 데이터를 SPSS에 로드한다. 따옴표 안에는 컴퓨터에서 데이터 파일이 있는 위치를 지정해야 한다. .sav 확장자를 사용해야 하며 명령을 마침표로 끝내야 한다는 점을 기억해야 한다. 기본적으로 SPSS는 결측값을 쌍으로 삭제한다. 이는 상관의 두 변수가 케이스에 대해 유효한 값을 갖는 한 해당 케이스가 상관에 포함됨을 의미한다. /print 하위 명령은 통계적으로 유의미한 상관 관계를 표시하는 데 사용한다.

```
get file "c:₩hsb2.sav".
```

2.1.2. 상관관계 명령어

```
correlations
 /variables = read write math science female
 /print = nosig.
```

표를 설명하면, 피어슨 상관관계 항에서 이 숫자는 두 변수 간의 선형 관계의 강도와 방향을 측정한다. 상관 계수는 -1에서 +1까지이며, -1은 완벽한 음의 상관관계를 나타내고, +1은 완벽한 양의 상관관계를 나타내며, 0은 전혀 상관관계가 없음을 나타낸다. 자기 자신과 상관관계가 있는 변수는 항상 상관 계수가 1이다. 상관 계수는 한 변수의 값을 다른 변수의 값에서 추측할 수 있는 정도를 알려주는 것이다. 아래에서 읽고 쓰는 변수의 산점도에서, 점들이 왼쪽 아래에서 오른쪽 위로 가는 선을 따라가는 경향이 있음을 알 수 있는데, 이는 상관관계가 양수라는 것을 의미한다. .597은 점들이 가상 선 주위에 얼마나 밀접하게 위치하는지에 대한 수치적 설명이다. 상관관계가 높으면 점들이 선에 더 가까워지는 경향이 있고, 상관관계가 낮으면 점들이 선에서 더 멀어지는 경향이 있다. 또한 정의에 따라 자기 자신과 상관관계가 있는 모든 변수의 상관관계는 1이다.

유의수준(양측) 항에서 이는 상관관계와 관련된 p-값이다. 상관관계 표 아래의 각주는 단일 및 이중 별표가 무엇을 의미하는지 설명한다.

[표 6] 상관관계

상관관계		reading score	writing score	math score	science score	female
reading score	Pearson 상관	1	.597	.662	.630	-.053
	유의확률 (양측)		.000	.000	.000	.455
	N	200	200	200	200	200
writing score	Pearson 상관	.597	1	.617	.570	.256
	유의확률 (양측)	.000		.000	.000	.000
	N	200	200	200	200	200
math score	Pearson 상관	.662	.617	1	.631	-.029
	유의확률 (양측)	.000	.000		.000	.680
	N	200	200	200	200	200
science score	Pearson 상관	.630	.570	.631	1	-.128
	유의확률 (양측)	.000	.000	.000		.071
	N	200	200	200	200	200
female	Pearson 상관	-.053	.256	-.029	-.128	1
	유의확률 (양측)	.455	.000	.680	.071	
	N	200	200	200	200	200
. 상관관계가 0.01 수준에서 유의합니다(양측).						

N 항은 상관관계 분석에 사용된 사례 수다. 이 데이터 세트에는 누락된 데이터가 없기 때문에 모든 상관 관계는 데이터 세트의 200개 사례를 모두 기반으로 했다. 그러나 일부 변수에 결측값이 있는 경우 N은 상관관계에 따라 달라진다.

상관관계 분석 결과를 해석하면, 주어진 상관관계 매트릭스는 각 변수들 간의 Pearson 상관계수를 보여주며, 상관계수의 유의성을 평가하는 p-value도 포함되어 있다.

reading score와 다른 변수들 간의 상관관계에서 writing score 상관계수 0.597, p-value 0.000으로 유의수준 0.01에서 유의하였다. math score 상관계수 0.662, p-value 0.000으로 유의수준 0.01에서 유의하였다. science score 상관계수 0.630, p-value 0.000으로 유의수준 0.01에서 유의하였다. female 상관계수 -0.053, p-value 0.455로 유의하지 않았다.

해석시 유의할 부분은 유의한 상관관계로 여러 점수들 간의 상관관계가 대부분 유의수준 0.01에서 유의함을 보여준다. 예를 들어, reading score와 math score 간의 상관관계는 0.662로 강한 양의 상관관계를 가지며, 이는 p-value 0.000으로 매우 유의하였다. female과 writing score 간의 상관관계도 유의수준 0.01에서 유의하며, 상관계수는 0.256이다.

유의하지 않은 상관관계에서 female과 reading score, math score, science score 간의 상관관계는 유의하지 않았다. 이는 p-value가 0.01 수준에서 유의하지 않음을 의미한다.

상관관계 분석의 목적은 첫째, 변수 간 관계의 이해를 위해서다. 상관관계 분석을 통해 각 점수들 간의 관계를 이해하고, 특정 변수 간의 상호작용을 파악할 수 있다. 이는 교육 성과나 학생들의 학습 패턴을 분석하는 데 중요한 정보를 제공한다.

둘째, 데이터 패턴 식별이다. 상관관계를 분석함으로써 데이터 내에서 일관된 패턴을 식별할 수 있다. 예를 들어, reading score와 math score 간의 높은 상관관계는 읽기 능력이 수학 성적에 영향을 미칠 수 있음을 시사한다.

셋째, 예측 모델 구축이다. 상관관계가 높은 변수들을 사용하여 예측 모델을 구축할 수 있다. 예를 들어, reading score와 math score가 높은 상관관계를 보이므로, reading score를 통해 math score를 예측할 수 있는 모델을 만들 수 있다.

< 상관관계 분석 발견 에피소드의 예>

아이스크림 판매 및 익사율 - 상관관계의 전형적인 예는, 반드시 인과 관계는 아니지만, 아이스크림 판매와 익사율 사이의 관찰된 연관성이다. 비논리적으로 보일 수 있지만, 데이터 분석은 이러한 겉보기에 무관한 변수 사이에 양의 상관관계가 있음을 보여준다. 이 상관관계는 계절적 날씨 패턴의 영향을 반영하는 것 같다. 날씨가 더워지면 아이스크림 판매가 증가하고 더 많은 사람들이 수영을 하게 되어 잠재적으로 익사 위험이 증가한다.

2.2. 상관관계 시각화

2.2.1. 산점도

이 산점도는 writing score와 reading score 간의 관계를 보여준다. 이를 통해 두 변수 간의 상관관계를 시각적으로 확인할 수 있다.

```
graph
 /scatterplot(bivar) = write with read.
```

산점도 해석에서 양의 상관관계가 존재한다. 데이터 점들이 오른쪽 위로 향하는 경향이 있어 writing score와 reading score 간에 양의 상관관계가 있음을 시사한다. 즉, writing score가 높을수록 reading score도 높아지는 경향이 있다.

상관계수를 제공한다. 상관관계 표에서 확인한 바와 같이, writing score와 reading score 간의 Pearson 상관계수는 0.597로 강한 양의 상관관계를 보인다. 이 값은 0.01 수준에서 유의하며(p-value = 0.000), 이는 통계적으로 유의미한 상관관계를 나타낸다.

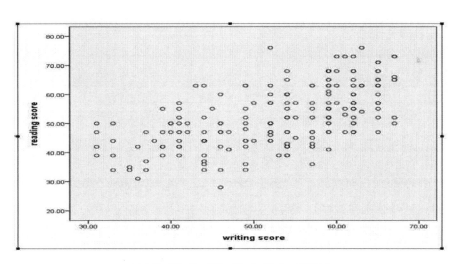

[그림 5] 쓰기와 읽기 점수 산점도

산점도 분석의 목적은 첫째, 변수 간 관계 파악이다. 산점도를 통해 두 변수 간의 관계를 시각적으로 이해할 수 있다. 이는 변수 간의 상관성을 직관적으로 파악하는 데 도움을 준다.

둘째, 데이터 패턴 확인이다. 데이터 포인트들이 특정 패턴을 보이는지 확인할 수 있다. 예를 들어, 이 산점도에서 점들이 대체로 오른쪽 위로 향하는 패턴을 보이며, 이는 두 변수 간의 긍정적인 관계를 나타낸다.

셋째, 모델 구축으로 상관관계가 높은 변수를 이용하여 예측 모델을 구축할 수 있다. 예를 들어, writing score를 이용해 reading score를 예측하는 회귀 모델을 만들 수 있다.

넷째, 데이터 탐색으로 데이터 분석 과정에서 변수 간의 관계를 탐색하고, 이를 바탕으로 추가 분석이나 가설 검정을 계획할 수 있다.

이 산점도와 상관관계 분석은 학생들의 성취도 간의 관계를 이해하고, 이를 바탕으로 효과적인 교육 전략을 수립하는 데 중요한 정보를 제공한다.

2.2.2. 누락된 데이터의 상관관계

아래 표의 상관관계는 위와 같은 방식으로 해석한다. 유일한 차이점은 누락된 값을 처리하는 방식이다. /missing = listwise 하위 명령을 사용하여 목록별 삭제를 수행할 때 사례에 /variables 하위 명령에 나열된 변수에 대한 누락된 값이 있으면, 해당 사례는 유효한 상관 관계가 있더라도 모든 상관 관계에서 제거한다.

```
correlations
 /variables = read write math science female
 /print = nosig
 /missing = listwise.
```

현재 상관관계의 두 변수에 대한 값이다. 예를 들어 read 변수에 누락된 값이 있는 경우 해당 사례는 write와 math간의 상관 관계 계산에서 제외한다.

쌍별 삭제 또는 목록별 삭제를 언제 사용해야 하는지 정의하는 규칙은 없다. 이는 목적과 모든 상관관계에서 정확히 동일한 사례를 사용하는 것이 중요한지 여부에 따라 달라진다. 누락된 데이터가 많은 경우 일부 상관관계는 다른 상관관계에 포함되지 않은 많은 사례를 기반으로 할 수 있다. 반면 목록별 삭제를 사용하는 경우 계산에 사용할 사례가 많지 않을 수 있다.

SPSS는 때때로 출력의 일부로 각주를 포함한다는 점에 유의해야 한다. 여기서 피어슨 상관관계 항은 이전과 동일하다. 이는 두 변수 또는 하나는 행에 나열되고 다른 하나는 열에 나열됨 간의 상관관계이다. 이는 이전 예의 상관 관계와 동일하게 해석한다. 유의확률(시그.)는 양측 검증으로 상관 관계와 연관된 p-값이다. 상관관계 표 아래의 각주는 단일 별표와 이중 별표가 의미하는 바를 설명한다.

[표 7] 누락된 데이터의 상관관계

상관관계b		reading score	writing score	math score	science score	female
reading score	Pearson 상관	1	.597	.662	.630	-.053
	유의확률 (양측)		.000	.000	.000	.455
writing score	Pearson 상관	.597	1	.617	.570	.256
	유의확률 (양측)	.000		.000	.000	.000
math score	Pearson 상관	.662	.617	1	.631	-.029
	유의확률 (양측)	.000	.000		.000	.680
science score	Pearson 상관	.630	.570	.631	1	-.128
	유의확률 (양측)	.000	.000	.000		.071
female	Pearson 상관	-.053	.256	-.029	-.128	1
	유의확률 (양측)	.455	.000	.680	.071	
. 상관관계가 0.01 수준에서 유의합니다(양측).						
b. 목록별 N=200						

특히, 유의할 부분은 이전의 결과와 동일하다. 먼저, 유의한 상관관계로는 여러 점수들 간의 상관관계가 대부분 유의수준 0.01에서 유의함을 보여준다. 예를 들어, reading score와 math score 간의 상관관계는 0.662로 강한 양의 상관관계를 가지며, 이는 p-value 0.000으로 매우 유의하였다. female과 writing score 간의 상관관계도 유의수준 0.01에서 유의하며, 상관계수는 0.256이다.

둘째, 유의하지 않은 상관관계에서 female과 reading score, math score, science score 간의 상관관계는 유의하지 않았다. 이는 p-value가 0.01 수준에서 유의하지 않음을 의미한다.

2.3. 이변량 상관분석

이변량 상관분석(Bivariate Correlation Analysis)은 두 변수 간의 선형 관계를 측정한다. 가장 일반적으로 사용되는 상관계수는 Pearson 상관계수로, 두 변수 간의 선형 관계의 강도와 방향을 나타낸다.

목적은 관계 파악으로 두 변수 간의 관계를 이해하고, 한 변수의 변화가 다른 변수에 어떻게 영향을 미치는지 파악할 수 있다. 기초 분석에서 데이터 탐색 과정에서 기본적인 관계를 이해하기 위해 사용한다. 모델 구축에서 두 변수 간의 관계를 이용해 예측 모델을 개발하는 데 기초 자료로 사용한다.

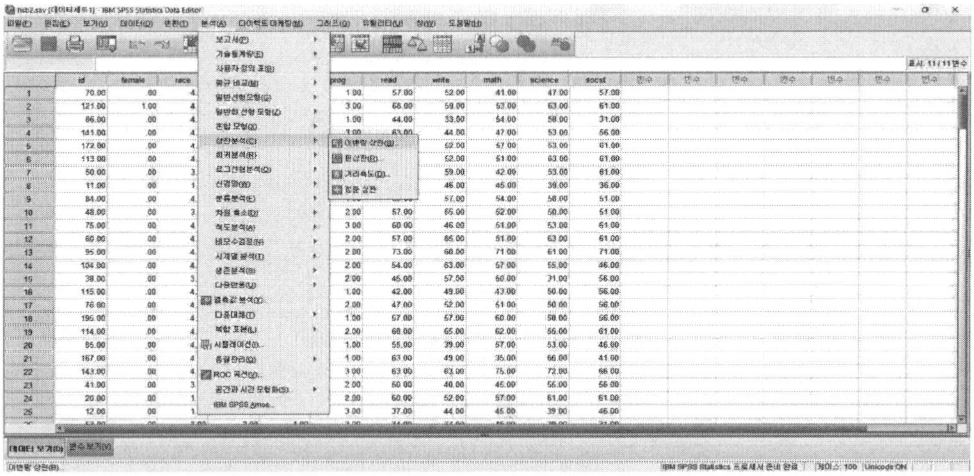

[그림 6] 이변량 상관 분석(1)

상관계수(r)은 -1과 1 사이의 값으로, 1에 가까울수록 강한 양의 상관관계, -1에 가까울수록 강한 음의 상관관계, 0에 가까울수록 상관관계가 없음을 의미한다. 유의확률 (p-value)은 상관관계의 유의성을 나타내며, 일반적으로 p < 0.05이면 유의한 상관관계로 간주한다.

분석 메뉴에서 상관분석 - 이변량 상관을 선택한다.

2.3.1. 이변량 상관분석 옵션

아래 그림과 같이 이변량 상관계수를 구하기 위해서는 변수 박스 쪽으로 변수를 선정하여야 한다. 상관계수는 Pearson Kendall의 타우-b, Spearman 중에 하나를 선정한다. 유의성 검증에는 양측 검증과 단측 검증이 있다. 유의한 상관계수 플래그박스도 선택한다.

먼저, 상관계수는 Pearson Kendall의 타우-b, Spearman 중에 하나를 선정한다. 대부분 피어슨 상관계수를 선택한다. Pearson 상관계수는 두 변수 간의 선형 관계를 측정할 때 가장 적합하며, 데이터가 연속형이고 정규 분포를 따르는 경우에 사용한다. Kendall의 타우-b 상관계수는 순위형 데이터나 데이터에 동일한 값이 많은 경우에 적합하며, 순위 기반의 상관관계를 측정한다. Spearman 상관계수는 비모수적 방법으로 순위형 데이터나 연속형 데이터의 순위 기반 상관관계를 측정하며, 정규 분포를 따르지 않는 데이터에 적합하다.

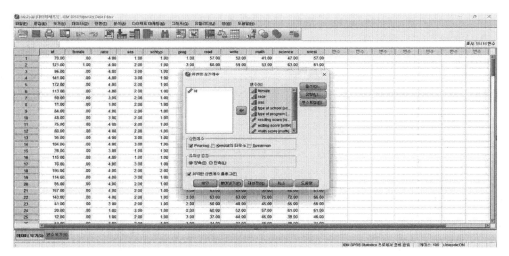

[그림 7] 이변량 상관 분석(2)

1) Pearson 상관계수

Pearson 상관계수는 두 변수 간의 선형 관계를 측정한다. 사용하기 적합한 경우로는 데이터가 연속형이고 정규 분포를 따르며, 두 변수 간의 선형 관계가 있는 경우에 적절하다. 다음은 구하는 공식이다.

$$r = \frac{\sum (x_i - \bar{x})(y_i - \bar{y})}{\sqrt{\sum (x_i - \bar{x})^2 \sum (y_i - \bar{y})^2}}$$

2) Kendall의 타우-b 상관계수

Kendall의 타우-b 상관계수를 보면, 두 변수 간의 순위 기반 관계를 측정한다. 적합한 경우로는 데이터가 순위형(ordinal)일 때, 데이터에 동일한 값이 많은 경우에 사용한다. 계산 방법으로

$$\tau = \frac{(C - D)}{\sqrt{(C + D + T)(C + D + U)}}$$

여기서 CCC는 일치 쌍(concordant pairs), DDD는 불일치 쌍(discordant pairs), TTT와 UUU는 각각 동일한 값이 있는 쌍(tied pairs)을 의미한다.

3) Spearman 상관계수

Spearman 상관계수는 두 변수 간의 비모수적 순위 기반 관계를 측정한다. 적

합한 경우로는 데이터가 순위형이거나, 연속형이지만 정규 분포를 따르지 않을 때 사용한다. 계산 방법은 다음과 같다.

$$\rho = 1 - \frac{6 \sum d_i^2}{n(n^2 - 1)}$$

여기서 d_i는 각 데이터 쌍의 순위 차이를 의미한다.

2.3.2. 이변량 상관분석 유의성 검증 종류

유의성 검증에는 양측 검증과 단측 검증이 있다. 양측 검증은 상관계수의 절대적 크기와 관계의 방향성을 모두 고려하는 일반적인 검증 방법이고, 단측 검증은 특정한 방향에 대한 가설을 검증할 때 사용하며, 더 명확한 방향성을 갖춘 연구 질문에 적합하다. 유의성 검증은 상관계수가 통계적으로 유의한지 여부를 판단하는 절차로 두 가지 주요 방법이 있다.

1) 양측 검증 (Two-tailed Test)
상관계수가 0이 아닌 경우, 양의 상관관계나 음의 상관관계 모두를 고려한다. 적합한 경우로 관계의 방향성에 대해 특정한 가설이 없을 때에 적합하다. 검증 방법으로 다음과 같다.

$H_0 : \rho = 0$ (상관관계가 없다)

$H_1 : \rho \neq 0$ (상관관계가 있다)

2. 단측 검증 (One-tailed Test)
상관계수가 특정 방향으로 0보다 큰지 즉, 양의 상관관계 또는 작은지 즉, 음의 상관관계를 검증한다. 적합한 경우로는 특정 방향성에 대한 가설이 있을 때 적합하다. 검증 방법으로 다음과 같다.

$H_0 : \rho \leq 0$ (상관관계가 없다 또는 음의 상관관계가 있다)

$H_A : \rho > 0$ (양의 상관관계가 있다)

또는 $H_0 : \rho \geq 0$ (상관관계가 없다 또는 양의 상관관계가 있다)

$H_A : \rho < 0$ (음의 상관관계가 있다)

이와 같은 분석은 변수 간의 관계를 이해하고, 데이터의 구조를 파악하며, 향후 연구나 데이터 모델링의 기초 자료로 활용하기 위해 중요하다.

2.3.3. 이변량 상관분석 유의성 검증

통계량 박스에서 평균과 표준편차는 체크하고, 필요한 경우는 교차곱 편차와 공분산을 체크한다. 결측값 박스에서 대응별 결측값 제외라 기본이며, 목록별 결측값 제외를 선택할 수 있다.

통계 분석에서 평균과 표준편차를 포함하는 것은 데이터의 중심 경향과 변동성을 이해하는 데 필수적이다. 또한, 교차곱 편차와 공분산은 변수 간의 관계를 평가할 때 유용하다. 결측값 처리 방법도 분석 결과에 큰 영향을 미칠 수 있으므로 신중한 선택이 필요하다.

교차곱 편차 (Cross-Product Deviation)는 두 변수 간의 편차의 곱의 합이다. 두 변수 간의 상관관계와 공분산을 계산하는 기본 자료로 사용한다.

공분산 (Covariance)은 두 변수 간의 공통 변동성을 나타내며, 두 변수의 교차곱 편차를 표본 수로 나눈 값이다. 두 변수 간의 선형 관계의 방향과 정도를 이해하는 데 사용한다.

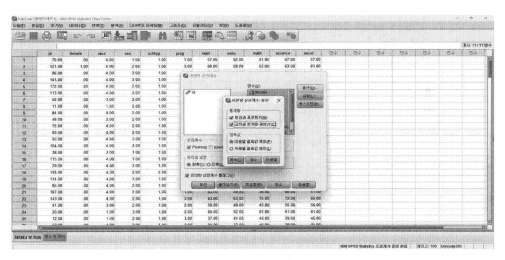

[그림 8] 이변량 상관 분석(3)

결측값 처리에서 대응별 결측값 제외 (Pairwise Deletion)는 상관계수나 공분산을 계산할 때, 각 쌍에 대해 결측값이 없는 경우에만 해당 쌍을 포함한다. 최대한 많은 데이터를 사용하면서 결측값의 영향을 최소화하기 위해 사용한다. 장점은 데이터 손실을 최소화하지만, 단점으로 계산 결과가 불안정할 수 있으며,

서로 다른 상관계수 또는 공분산 값이 서로 다른 데이터 쌍에 기반할 수 있다.

목록별 결측값 제외 (Listwise Deletion)은 모든 변수에 대해 결측값이 없는 경우에만 해당 사례를 포함한다. 일관된 데이터셋을 유지하기 위해 사용한다. 장점은 분석 결과가 더 일관되며 해석이 용이하지만, 단점으로 데이터 손실이 많을 수 있다.

평균과 표준편차는 데이터의 중심 경향과 변동성을 이해하는 데 필수적이므로 기본적으로 체크해야 하며, 교차곱 편차와 공분산은 변수 간의 관계를 평가할 때 필요하며, 상관 분석이나 회귀 분석 시 유용하다. 결측값 처리 방법은 분석 목적과 데이터 특성에 따라 신중하게 선택해야 한다. 대응별 결측값 제외는 데이터 손실을 최소화하지만, 목록별 결측값 제외는 더 일관된 분석 결과를 제공한다.

2.4. 편상관분석

편상관분석 (Partial Correlation Analysis)은 두 변수 간의 관계를 측정할 때, 다른 변수가 미치는 영향을 통제한 후의 상관관계를 측정한다. 즉, 두 변수 간의 순수한 관계를 이해할 수 있다.

목적은 첫째, 통제된 관계 파악이다. 다른 변수들의 영향을 배제하고 두 변수 간의 순수한 관계를 파악할 수 있다. 둘째, 복잡한 데이터 분석이다. 다변량 데이터에서 각 변수 간의 관계를 명확히 하기 위해 사용한다. 셋째, 심화 분석으로 사용한다. 두 변수 간의 관계를 더 깊이 이해하고, 제3 변수의 영향을 통제함으로써 더 정확한 분석을 수행할 수 있다.

2.4.1. 편상관계수

해석시 편상관계수는 두 변수 간의 상관계수에서 다른 변수들의 영향을 제거한 값이다. 유의확률 (p-value)은 통제된 조건 하에서 두 변수 간의 관계의 유의성을 나타낸다.

예시를 들어 비교하면, 이변량 상관분석은 writing score와 reading score 간의 이변량 상관분석 결과는 다음과 같다.

Pearson 상관계수: 0.597, p-value: 0.000로 유의수준 0.01에서 유의하였다.

편상관분석에서 writing score와 reading score 간의 편상관분석 결과를 보면, math score를 통제하였다.

편상관계수: 0.319, p-value: 0.000으로 유의수준 0.01에서 유의하였다.

이 예시에서 이변량 상관분석에서는 writing score와 reading score 간의 단순한 관계를 보여주며, 편상관분석에서는 math score의 영향을 통제한 후 두 변수 간의 순수한 관계를 보여준다.

[그림 9] 평상관계수

2.4.2. 편상관관계

이변량 상관분석은 초기 탐색으로 데이터 분석의 첫 단계로 두 변수 간의 관계를 이해하기 위해서이고, 다음으로 변수 간의 기본적인 관계를 확인하고, 데이터의 전반적인 패턴을 파악할 수 있다.

```
PARTIAL CORR
  /VARIABLES=read write BY math
  /SIGNIFICANCE=TWOTAIL
  /STATISTICS=DESCRIPTIVES CORR
  /MISSING=LISTWISE.
```

편상관분석은 정확한 관계 측정으로 다른 변수의 영향을 통제하여 두 변수 간의 순수한 관계를 측정할 수 있다. 다변량 데이터 분석에서 다변량 데이터에서 각 변수 간의 명확한 관계를 파악할 수 있다. 또한, 이변량 상관분석에서 발견된 관계를 더 깊이 이해하고, 제3 변수의 영향을 배제하기 위해서 사용한다.

그러므로 이변량 상관분석과 편상관분석은 데이터 간의 관계를 이해하는 데 중요한 도구이며, 이변량 상관분석은 두 변수 간의 기본적인 관계를 이해하는 데 사용되며, 편상관분석은 다른 변수의 영향을 통제하여 두 변수 간의 순수한 관계를 파악하는 데 사용한다. 이 두 분석을 함께 사용하면 데이터의 관계를 더 깊이 이해하고, 보다 정확한 결론을 도출할 수 있다.

[표 8] 편상관관계

상관관계			reading score	writing score	math score
-지정 않음-[a]	reading score	상관관계	1.000	.597	.662
		유의확률(양측)	.	.000	.000
		자유도	0	198	198
	writing score	상관관계	.597	1.000	.617
		유의확률(양측)	.000	.	.000
		자유도	198	0	198
	math score	상관관계	.662	.617	1.000
		유의확률(양측)	.000	.000	.
		자유도	198	198	0
math score	reading score	상관관계	1.000	.319	
		유의확률(양측)	.	.000	
		자유도	0	197	
	writing score	상관관계	.319	1.000	
		유의확률(양측)	.000	.	
		자유도	197	0	
a. 셀에 0차 (Pearson) 상관이 있습니다.					

reading score & writing score의 상관계수 0.597로 서로 양의 상관관계가 있으며, 통계적으로 유의미하다. 즉, reading score가 높을수록 writing score도 높아지는 경향이 있다.

reading score & math score의 상관계수 0.662로 서로 양의 상관관계가 있으며, 통계적으로 유의미하다. 즉, reading score가 높을수록 math score도 높아지는 경향이 있다.

writing score & math score의 상관계수 0.617로 서로 양의 상관관계가 있으며, 통계적으로 유의미하다. 즉, writing score가 높을수록 math score도 높아지는 경향이 있다.

0차 상관관계 즉, Pearson 상관관계가 존재한다. Pearson 상관관계는 두 변수 간의 선형적 관계를 나타내는 상관 지수다. -1에서 1 사이의 값을 가지며, 0에 가까울수록 상관관계가 없음을, 1에 가까울수록 강한 양의 상관관계, -1에 가까울수록 강한 음의 상관관계를 나타낸다.

위의 결과에서 0차 상관관계가 있다고 하였고, 'math score'와 'reading score' 간의 상관관계가 계산되지 않은 이유는 명시적으로 제시되어 있지 않았다.

3. 회귀 분석

3.1. 회귀분석 개념

통계 모델링에서 회귀분석(regression analysis)은 종속변수(dependent variable), 종종 결과 변수, 응답 변수 또는 머신 러닝 용어로 레이블(label)이라고 함과 하나 이상의 독립 변수(independent variables), 종종 예측 변수, 공변량, 설명 변수 또는 특징(features)이라고 함 간의 관계를 추정하기 위한 일련의 통계적 프로세스다. 가장 일반적인 형태의 회귀 분석은 선형 회귀(linear regression)로, 특정 수학적 기준에 따라 데이터에 가장 잘 맞는 선 또는 보다 복잡한 선형 조합을 찾는다.

예를 들어, 일반 최소 제곱법(ordinary least squares)은 실제 데이터와 해당 선 또는 초평면(hyperplane) 간의 제곱 차이의 합을 최소화하는 고유한 선 또는 초평면을 계산한다. 특정 수학적 이유로 인해 연구자는 독립 변수가 주어진 값 집합을 취할 때 종속 변수의 조건부 기대치(conditional expectation) 또는 모집단 평균 값(population average value)을 추정할 수 있다.

덜 일반적인 회귀 형태는 대체 위치 매개변수(alternative location parameters)를 추정하기 위해 약간 다른 절차를 사용한다. 예를 들면, 분위수 회귀(quantile regression) 또는 필요 조건 분석(Necessary Condition Analysis) 등이 있다. 또는 예를 들면, 비모수 회귀(nonparametric regression)와 같은 더 광범위한 비선형 모델 컬렉션에서 조건부 기대치를 추정한다.

회귀 분석은 주로 개념적으로 서로 다른 두 가지 목적으로 사용한다.

첫째, 회귀 분석은 예측 및 예측에 널리 사용되며 그 사용은 기계 학습분야와 상당한 중복이 있다.

둘째, 어떤 상황에서는 회귀분석을 사용하여 독립변수와 종속변수 간의 인과관계를 추론할 수 있다. 중요한 것은 회귀 자체가 종속 변수와 고정 데이터 세트의 독립 변수 모음 사이의 관계만 드러낸다는 것이다.

예측을 위해 회귀 분석을 사용하거나 인과 관계를 추론하려면 연구자는 왜 기존 관계가 새로운 맥락에 대해 예측력을 갖는지 또는 두 변수 간의 관계에 인과관계 해석이 있는 이유를 신중하게 정당화해야 한다. 후자는 연구자들이 관찰 데이터를 사용하여 인과 관계를 추정하려고 할 때 특히 중요하다.

3.1.1. 회귀 분석 기원

회귀 분석의 기원과 발전 과정을 이해하는 것은 통계 분석과 데이터 과학에서 매우 중요하다. 회귀 분석의 초기 형태와 그 발전 과정, 그리고 현대에 이르러 연구되고 있는 다양한 회귀 기법들에 대해 간략하게 요약하면 다음과 같다.

1) 최소 제곱법 (Least Squares Method)
1805년 Adrien-Marie Legendre와 1809년 Carl Friedrich Gauss에 의해 독립적으로 발표되었다. 이 방법은 천문 관측에서 태양 주위 천체의 궤도를 결정하는 문제에 사용되었다. Gauss는 1821년에 Gauss-Markov 정리를 포함한 최소 제곱 이론의 추가 발전을 발표했다.

2) 회귀 용어 기원
프란시스 골턴 (Francis Galton)은 19세기에 골턴은 생물학적 현상을 설명하기 위해 회귀라는 용어를 만들었다. 키가 큰 조상의 후손이 평균 키로 회귀하는 경향을 관찰했다. 즉, 평균으로의 회귀다. 골턴의 작업은 Udny Yule과 Karl Pearson에 의해 일반적인 통계적 맥락으로 확장되었다.

3) 회귀 분석 발전
가우스와 피셔의 기여가 있었다. 가우스 (1821년)는 응답 변수의 조건부 분포를 가우시안으로 가정했다. R.A. 피셔 (1922년, 1925년)는 응답 변수의 조건부 분포가 가우시안이지만 결합 분포는 가우시안일 필요가 없다고 가정했다.

4) 현대 회귀 분석
계산 도구의 발전으로 1950년대와 1960년대의 경제학자들은 전기기계식 데스크 계산기를 사용해 회귀 분석을 계산했다. 회귀 분석 결과를 받는 데 최대 24시간이 걸리기도 했다.
현대에는 컴퓨터의 발전으로 회귀 분석이 훨씬 빠르고 효율적으로 수행될 수 있게 되었다.

5) 새로운 회귀 방법들로는 강력한 회귀 (Robust Regression), 시계열 회귀 (Time Series Regression), 성장 곡선 회귀 (Growth Curve Regression), 복잡한 데이터 객체 회귀로 곡선, 이미지, 그래프 등을 포함 것도 있다. 누락 데이터를 수용하는 회귀, 비모수 회귀 (Non-parametric Regression), 베이지안 회귀 (Bayesian Regression), 오차를 포함하는 예측 변수 회귀, 예측 변수가 관찰보

다 많은 회귀, 인과 추론을 위한 회귀 방법 등이 있다.

회귀 분석은 데이터에서 변수들 간의 관계를 모델링하고 예측하는 데 사용한다. 이를 통해 다음과 같은 목적을 달성할 수 있다.

1) 예측 (Prediction) 할 수 있다. 미래의 데이터를 예측하거나 새로운 관찰에 대한 값을 추정한다.

2) 추정 (Estimation) 할 수 있다. 변수 간의 관계를 이해하고 추정한다.

3) 인과 추론 (Causal Inference) 할 수 있다. 변수 간의 인과 관계를 파악한다.

4) 변수 선택 (Variable Selection)에서 모델에서 중요한 변수를 식별한다.

5) 데이터 이해 (Data Understanding)에서 데이터의 구조와 관계를 시각화하고 이해한다.

회귀 분석의 다양한 기법과 접근법은 각기 다른 데이터 특성과 분석 목적에 맞추어 선택되고 활용된다. 이러한 회귀 분석의 발전과 응용은 데이터 과학과 통계학 분야에서 매우 중요한 역할을 하고 있다.

3.1.2. 회귀분석 기본 가정

회귀분석의 기본 가정은 회귀 모델이 신뢰할 수 있고 타당한 결과를 제공하기 위해 충족해야 하는 조건들이다. 이러한 가정들이 만족되지 않으면, 회귀 모델의 결과는 신뢰할 수 없게 되며, 잘못된 결론을 초래할 수 있다. 회귀분석의 주요 기본 가정은 다음과 같다.

1) 선형성 (Linearity)
독립 변수와 종속 변수 간의 관계는 선형적이어야 한다. 확인 방법은 잔차 플롯(Residual Plot)을 통해 잔차가 무작위로 분포하는지 확인한다.

2) 독립성 (Independence)
관측값들은 서로 독립적이어야 한다. 이는 주로 시간 종속 데이터에서 중요한 가정이다. 확인 방법은 Durbin-Watson 통계량을 사용하여 자기 상관(autocorrelation)을 검토한다.

3) 등분산성 (Homoscedasticity)
오차(잔차)의 분산은 모든 수준의 독립 변수에서 일정해야 한다. 확인 방법은 잔차 플롯에서 잔차가 일정한 분포를 가지는지 확인한다. 팬 형태나 다른 형태가 나타나면 이 가정이 위배된 것이다.

4) 정규성 (Normality)
오차 항의 분포는 정규분포를 따라야 한다. 확인 방법은 Q-Q 플롯 (Quantile-Quantile Plot)이나 히스토그램을 통해 잔차의 정규성을 시각적으로 검토하거나, Shapiro-Wilk 테스트와 같은 통계적 검정을 사용할 수 있다.

5) 다중공선성 (Multicollinearity)
독립 변수들 간의 높은 상관관계가 없어야 한다. 확인 방법은 VIF(Variance Inflation Factor) 값을 통해 다중공선성을 진단한다. 일반적으로 VIF 값이 10을 넘으면 다중공선성이 있다고 본다.

6) 오차의 독립성 (Independence of Errors)
오차 항들 간에는 자기 상관이 없어야 한다. 확인 방법은 Durbin-Watson 통계량으로 자기 상관을 검토한다. 일반적으로 1.5에서 2.5 사이의 값을 가지면 오차 항이 독립적이라고 본다.

7) 모형의 완전성 (Model Specification)
모든 관련 변수들이 포함되어 있어야 하며, 불필요한 변수들은 포함되지 않아야 한다. 확인 방법은 모형의 적합도를 검토하고, 주어진 데이터와 이론적 배경에 따라 필요한 변수를 선택한다.
이러한 기본 가정들은 회귀 분석의 결과를 신뢰할 수 있도록 보장한다. 회귀 분석을 수행하기 전에, 그리고 수행한 후에도 이러한 가정들이 충족되는지 검토하는 것이 중요하다. 만약 가정이 위배되는 경우, 적절한 조치를 취해 모형을 수정하거나 대체 분석 방법을 고려해야 한다.

< 회귀 분석 발견 에피소드의 예>
우리 세계의 다양한 측면을 밝혀주는 회귀 분석 발견 에피소드의 예로는 존 스노우(John Snow)와 콜레라 발병에 찾을 수 있다. 1854년 런던은 치명적인 콜레라 발병으로 황폐해졌다. 의사 존 스노는 지도에 콜레라 사망자 수를 물 공급원에 따라 표시하여 기본적인 회귀 분석 형식을 사용했다. 이 시각적 표현은 특정 물 펌프 주변에 명확한 사망자 군집을 보여주었다. 스노는 펌프의 손잡이를 제거하여 발병을 효과적으로 막고 오염된 물이 질병의 근원임을 확인했다.

3.2. 회귀분석

3.2.1. 회귀분석 데이터

이전 사용한 데이터를 사용한다. 이 데이터(hsb2)는 200명의 고등학생을 대상으로 수집되었으며 과학, 수학, 읽기 및 사회(socst)를 포함한 다양한 시험의 점수가 있다. 변수 여성은 학생이 여성인 경우 1, 남성인 경우 0으로 코딩된 이분형 변수다.

종속변수는 과학 점수이고, 독립변수로는 수학 점수, 여성, socst와 읽기 점수 등이다.

명령어로 로드한다. 즉, 아래 구문에서 get file 명령은 SPSS에 데이터를 로드하는 데 사용한다. 따옴표 안에는 컴퓨터에서 데이터 파일의 위치를 지정해야 한다. .sav 확장자를 사용해야 하며 명령을 마침표로 끝내야 한다.

get file "c:₩hsb2.sav".

regression 명령에서 statistics 하위 명령은 dependency 하위 명령 앞에 와야 한다. dependent를 dep로 줄일 수 있다. method 하위 명령에서 등호 뒤에 독립 변수를 나열한다. statistics 하위 명령은 회귀를 실행하는 데 필요하지 않지만, 출력에 포함하려는 옵션을 지정할 수 있다. 여기서는 confidence intervals의 약자인 ci를 지정했다. 이는 출력을 해석하는 데 매우 유용하다.

```
regression
  /statistics coeff outs r anova ci
  /dependent science
  /method = enter math female socst read.
```

출력에는 4개의 표가 제공한다. SPSS는 출력을 이해하는 데 도움이 되도록 일부 상위 첨자(a, b 등)를 제공한다.

3.2.2. 회귀분석 입력/제거된 변수

이 표는 회귀분석에서 입력 및 제거된 변수들을 요약한 것이다. 이를 통해 회귀모형에서 어떤 변수들이 분석에 포함되었고, 어떤 변수들이 제거되었는지 알 수 있다. 아래는 이 표에 대한 해석과 설명이다.

[표 9] 입력/제거된 변수

입력/제거된 변수a			
모형	입력된 변수	제거된 변수	방법
1	reading score, female, social studies score, math scoreb	.	입력
a. 종속변수: science score			
b. 요청된 모든 변수가 입력되었습니다.			

모형 항은 SPSS에서는 단일회귀명령에서 여러 모델을 지정할 수 있다. 이는 보고되는 모델의 번호를 알려준다. 또한, 모형 항은 모형 번호를 나타낸다. 여기서는 단일 모형(모형 1)만을 고려하였다.

입력된 변수 항은 SPSS를 사용하면 블록 단위 회귀 분석에 변수를 입력할 수 있으며 단계적 회귀 분석이 가능하다. 따라서 현재 회귀 분석에 어떤 변수가 입력되었는지 알아야 한다. 독립변수를 차단하지 않았거나 단계적 회귀분석을 사용하지 않은 경우 이 열에는 지정한 모든 독립변수가 나열되어야 한다. 즉, 입력된 변수 항은 해당 회귀모형에서 독립 변수로 사용된 변수들이다. reading score, female, social studies score, math score이다.

제거된 변수 항은 이 열은 현재 회귀에서 제거된 변수를 나열했다. 일반적으로 이 열은 단계적 회귀를 수행하지 않는 한 비어 있다. 즉, 제거된 변수 항은 해당 모형에서 제거된 변수들인데, 여기서는 제거된 변수가 없다.

방법 항은 이 열은 SPSS가 회귀 분석을 실행하는 데 사용한 방법을 알려준다. "입력"은 각 독립변수가 일반적인 방식으로 입력되었음을 의미한다. 단계적 회귀 분석을 수행한 경우 이 열의 항목을 통해 이를 알 수 있다. 즉, 방법 항은 변수가 입력된 방법이다. 여기서는 '입력' 방법을 사용했다.

이 표를 통해 분석자는 회귀모형에 어떤 변수가 포함되었는지, 분석에서 어떤 변수를 사용했는지를 확인할 수 있다. 이를 통해 먼저, 독립 변수들의 기여도 평가를 한다. 각 독립 변수가 종속 변수, 여기서는 `science score`, 즉 과학 점수에 미치는 영향을 평가할 수 있다. 둘째, 모형의 적합성 평가에서 입력된 변수들이 종속 변수의 변동성을 얼마나 설명하는지 평가한다. 셋째, 결과의 해석에서 분석 결과를 바탕으로 각 변수의 회귀 계수와 유의성을 평가하여 의미 있는 결론을 도출한다.

이러한 요약표는 회귀분석의 결과를 명확히 이해하고, 모형의 유효성을 검토하는 데 중요한 역할을 한다.

3.2.3. 회귀분석 모형 요약

모형 요약 표에 해당한다. 이들의 각 항목에 대한 설명을 하면 다음과 같다.

모형 항은 SPSS에서는 단일회귀명령에서 여러 모델을 지정할 수 있다. 이는 보고되는 모델의 번호를 알려준다. 또한, 모형 항은 회귀모형의 번호를 나타낸다. 여기서는 단일 모형(모형 1)만을 고려한 것이다.

R 항은 R-제곱의 제곱근이며 종속변수의 관측값과 예측값 간의 상관관계다. 즉, R 항은 모형의 다중 상관 계수로, 종속 변수와 독립 변수들 간의 상관 관계를 나타낸다. 여기서는 R = 0.699이다. 독립 변수들과 종속 변수(`science score`) 간의 상관 관계가 강함을 나타낸다.

[표 10] 모형 요약

모형 요약				
모형	R	R 제곱	수정된 R 제곱	추정값의 표준오차
1	.699a	.489	.479	7.14817
a. 예측자: (상수), reading score, female, social studies score, math score				

R 제곱 항은 종속 변수(과학)의 분산 중 수학, 여성, 사회 및 독서라는 독립 변수에서 예측할 수 있는 비율이다. 이 값은 과학 점수의 분산의 48.9%를 수학, 여성, 사회 및 독서라는 변수에서 예측할 수 있음을 나타낸다. 이는 연관성의 강도를 전반적으로 측정한 것이며, 특정 독립 변수가 종속 변수와 연관된 정도를 반영하지 않는다는 점에 유의해야 한다. R 제곱은 결정 계수라고도 한다. 즉, R 제곱 항은 결정 계수로, 종속 변수의 변동성 중 독립 변수들로 설명되는 비율을 나타낸다. 여기서는 R 제곱 = 0.489로, 독립 변수들이 종속 변수의 변동성의 48.9%를 설명한다는 것을 의미한다.

수정된 R-제곱 항은 예측 변수가 모델에 추가되면 각 예측 변수는 단순히 우연으로 인한 종속 변수의 일부 분산을 설명한다. 종속 변수를 설명하는 예측 변수의 능력을 지속적으로 향상시키기 위해 모델에 예측 변수를 계속 추가할 수 있다. 그러나 R-제곱의 이러한 증가 중 일부는 단순히 특정 표본의 우연한 변화로 인한 것일 수도 있다. 수정된 R-제곱은 모집단에 대한 R-제곱을 추정하기 위해 보다 정직한 값을 산출하려고 시도한다. R-제곱 값은 .489이고 조정된 R-제곱 값은 .479였다. 조정된 R-제곱은 공식 $1 - ((1 - Rsq)(N - 1)/ (N - k - 1))$을 사용하여 계산한다. 이 공식을 통해 관측치 수가 적고 예측 변수 수가 많을 때 R-제곱과 수정된 R-제곱 사이의 차이가 훨씬 더 커진다는 것을 알 수 있다. $((N - 1) / (N - k - 1))$은 1)보다 훨씬 크다. 대조적으로, 관측치 수가 예측 변수 수에 비해 매우 큰 경우 (N – 1)/(N – k – 1)의 비율 때문에 R-제곱과 수정된 R-제곱의 값이 훨씬 더 가까워진다. 1에 접근하게 된다. 즉, 수정된 R 제곱 항은 설명력의 편향을 보정한 값으로, 독립 변수의 개수를 고려한 결정 계수다. 여기서는 수정된 R 제곱 = 0.479로 나타나 있다.

추정치의 표준 오차 항은 추정치의 표준 오차는 평균 제곱근 오차라고도 하며 오차 항의 표준 편차이고 평균 제곱 잔차 또는 오차의 제곱근이다. 즉, 추정값의 표준오차 항은 회귀모형의 예측값과 실제 관측값 간의 차이의 표준오차를 나타낸다. 여기서는 추정값의 표준오차 = 7.14817이다.

예측자 항은 회귀모형에서 사용된 독립 변수들이다. 여기서는 `reading score`, `female`, `social studies score`, `math score`가 있다.

이 표를 통해 분석자는 회귀모형의 적합성을 평가하고, 독립 변수들이 종속 변수의 변동성을 얼마나 잘 설명하는지를 확인할 수 있다.

3.2.4. 회귀분석 ANOVA

[표 11] 회귀분석 ANOVA

모형		제곱합	자유도	평균제곱	F	유의확률
1	회귀	9543.721	4	2385.930	46.695	.000b
	잔차	9963.779	195	51.096		
	전체	19507.500	199			
a. 종속변수: science score						
b. 예측자: (상수), reading score, female, social studies score, math score						

회귀분석 ANOVA 표에 해당한다. 이들의 각 항목에 대한 설명을 하면 다음과 같다.

1) 모형
모형 항은 SPSS에서는 단일회귀명령에서 여러 모델을 지정할 수 있다. 이는 보고되는 모델의 번호를 알려준다. 즉, 모형 항은 회귀 모형을 나타내고, 여기서는 단일 모형(모형 1)만을 고려하였다.

2) 회귀, 잔차, 전체
모형 항의 회귀, 잔차, 전체를 보면, 이는 분산, 회귀, 잔차 및 합계의 소스다. 총 분산은 독립변수로 설명할 수 있는 분산 또는 회귀와 독립변수로 설명되지 않는 분산 또는 잔차, 오류라고도 함으로 구분한다. 회귀 및 잔차의 제곱합은 총계에 합산되며, 이는 총계가 회귀 및 잔차 분산으로 분할된다는 사실을 반영한다.

3) 제곱 합(Sum of Squares)

제곱 합(Sum of Squares) 항은 이는 분산의 세 가지 출처인 전체, 모델 및 잔차와 관련된 제곱 합이다. 이는 여러 가지 방법으로 계산할 수 있다. 제곱합 항은 총 변동성을 나타내며, 회귀 모형과 잔차로 분할된다. 개념적으로 이러한 공식은 다음과 같이 표현할 수 있다.

회귀 제곱합 (Regression Sum of Squares)은 독립 변수들로 설명되는 변동성, 잔차 제곱합 (Residual Sum of Squares)은 독립 변수들로 설명되지 않는 변동성, 즉 오차를, 전체 제곱합 (Total Sum of Squares)은 종속 변수의 총 변동성이다. 그러므로, SS Total은 평균 주변의 총 변동성으로 Sum(Y - Ybar)^2이다.

SS Residual은 예측의 제곱 오차 합으로 Sum(Y - Ypredicted)^2이다.

SS Regression Y의 평균만 사용하는 것보다 Y의 예측 값을 사용하여 예측을 개선한 것이다. 따라서 이는 Y의 예측 값과 Y의 평균 간의 제곱 차이, Sum(Ypredicted - Ybar)^2이 된다.

또 다른 방법은 SS Regression = SS Total - SS Residual이다.

SS Total = SS Regression + SS Residual이다.

SS Regression / SS Total은 R-제곱 값인 .489와 같다.

R-제곱은 독립 변수에 의해 설명되는 분산의 비율이기 때문에 SS Regression / SS Total로 계산할 수 있다.

4) 자유도(df, Degrees of Freedom)

자유도(df, Degrees of Freedom) 항은 분산 소스와 관련된 자유도다. 즉, 자유도는 각 제곱합에 해당하는 자유도다. 전체 분산의 자유도는 N-1이다. 이 경우 학생 수는 N=200이므로 전체 DF는 199이다. 즉, 전체 자유도 (Total DF)는 전체 표본 크기에서 1을 뺀 값이다. 즉, 여기서는 199이다.

모델 자유도는 예측 변수 수에서 1(K-1)을 뺀 값에 해당한다. 이것이 4-1이라고 생각할 수도 있다. 모델에 math, female, socst 및 read 4개의 독립 변수가 있었기 때문이다. 그러나 절편은 모델에 자동으로 포함한다. 절편을 명시적으로 생략하지 않는 한에서 자동으로 포함된다. 절편을 포함하면 5개의 예측 변수가 있으므로 모델의 자유도는 5-1 = 4다. 즉, 회귀 자유도 (Regression DF)는 독립 변수의 수이다. 즉, 여기서는 4다.

잔여 자유도는 DF 합계에서 DF 모델을 뺀 값이며, 199 - 4는 195다. 즉, 잔차 자유도 (Residual DF)는 전체 표본 크기에서 독립 변수의 수를 뺀 값이다. 즉, 여기서는 195이다.

5) 평균 제곱

평균 제곱(Mean Squares) 항은 이는 평균 제곱, 제곱의 합을 각각의 DF로 나눈 것이다. 회귀의 경우, 9543.72074 / 4 = 2385.93019. 잔차의 경우 9963.77926 / 195 = 51.0963039. 이는 모델에서 예측 변수의 중요성을 테스트하기 위해 평균 제곱 회귀(Regression Mean Square)를 평균 제곱 잔차(Residual Mean Square)로 나누어 F 비율을 계산할 수 있도록 계산한다. 회귀 평균제곱은 회귀 제곱합을 회귀 자유도로 나눈 값이다. 잔차 평균제곱은 잔차 제곱합을 잔차 자유도로 나눈 값이다.

6) F와 유의확률

F와 유의확률(Significance Probability, p-value) 항은 F-값은 평균 제곱 회귀(2385.93019)를 평균 제곱 잔차(51.0963039)로 나누어서 F = 46.69를 산출한다. 회귀 모형의 유의성을 테스트하는 데 사용한다. 이 F 값과 관련된 p-값은 매우 작다(0.0000). 이 값은 독립변수가 종속변수를 확실하게 예측합니까?라는 질문에 대답하는 데 사용한다.

p-값은 알파 수준 또는 일반적으로 0.05과 비교되며, 더 작은 경우 예, 독립 변수가 종속 변수를 안정적으로 예측한다 라는 결론을 내릴 수 있다. 변수 math, female, socst 및 read 그룹을 사용하여 과학(종속 변수)을 안정적으로 예측할 수 있다고 말할 수 있다. 즉, 유의확률은 F값의 유의성을 나타내고, 일반적으로 p-value가 0.05 미만일 경우 회귀 모형이 유의하다고 판단한다. p-값이 0.05보다 크면 독립변수 그룹이 종속변수와 통계적으로 유의미한 관계를 나타내지 않거나 독립변수 그룹이 종속변수를 안정적으로 예측하지 못한다고 말할 수 있다.

이는 함께 사용될 때 독립 변수 그룹이 종속 변수를 안정적으로 예측하는지 여부를 평가하는 전반적인 유의성 테스트이며 종속 변수를 예측하는 특정 독립 변수의 능력을 다루지는 않는다. 종속변수를 예측하는 각 개별 독립변수의 능력은 각 개별변수가 나열된 아래 [표 12]에 설명되어 있다.

이 ANOVA 표를 통해 분석자는 회귀 모형의 유의성을 평가할 수 있다. F값과 유의확률을 통해 독립 변수들이 종속 변수에 미치는 영향이 통계적으로 유의한지 확인할 수 있다. 여기서는 p-value가 0.000으로 나타나, 독립 변수들이 종속 변수에 유의한 영향을 미친다는 결론을 내릴 수 있다. 이러한 분석을 통해 회귀 모형의 적합성을 평가하고, 모형이 데이터를 잘 설명하는지, 그리고 독립 변수들이 종속 변수에 얼마나 중요한 영향을 미치는지를 파악할 수 있다.

3.2.5. 회귀분석 계수

이 회귀계수 표를 통해 분석자는 각 독립 변수가 종속 변수에 미치는 영향을 평가할 수 있다. 먼저, 계수의 유의성 평가한다. p-value를 통해 각 독립 변수가 종속 변수에 유의한 영향을 미치는지 검증한다. 둘째, 계수의 크기와 방향 평가를 한다. 비표준화 계수(B)와 표준화 계수(Beta)를 통해 각 독립 변수의 영향력을 비교한다. 셋째, 신뢰구간을 통한 신뢰성을 평가한다. 95% 신뢰구간을 통해 각 계수의 추정치가 신뢰할 만한지를 평가한다.

이러한 분석을 통해 특정 독립 변수가 종속 변수에 얼마나 큰 영향을 미치는지, 그리고 그 영향이 통계적으로 유의한 지를 명확히 파악할 수 있다.

[표 12] 회귀분석 계수

계수a								
모형		비표준화 계수		표준화 계수	t	유의확률	B에 대한 95% 신뢰구간	
		B	표준오차	베타			하한	상한
1	(상수)	12.325	3.194		3.859	.000	6.027	18.624
	math score	.389	.074	.368	5.252	.000	.243	.535
	female	-2.010	1.023	-.101	-1.965	.051	-4.027	.007
	social studies score	.050	.062	.054	.801	.424	-.073	.173
	reading score	.335	.073	.347	4.607	.000	.192	.479
a. 종속변수: science score								

1) 모형
모형 항은 SPSS에서는 단일회귀 명령에서 여러 모델을 지정할 수 있다. 이는 보고되는 모델의 번호를 알려준다.

2) 예측 변수(상수, 수학, 여성, socst, 읽기)
이 열에는 예측 변수인 상수, 수학, 여성, socst, 읽기가 표시된다. 첫 번째 변수 또는 상수는 교과서에서 Y 절편이라고도 하는 상수 항으로 즉 회귀선이 Y 축과 교차할 때의 높이를 나타낸다. 즉, 다른 모든 변수가 0일 때의 과학의 예측값이다.

3) 비표준화 베타 계수(Unstandardized Coefficients)

B 항은 이는 독립 변수에서 종속 변수를 예측하기 위한 회귀 방정식의 값이다. 비표준화 계수인 B는 각 독립 변수의 회귀계수를 나타낸다. 이는 해당 독립 변수가 1 단위 증가할 때 종속 변수의 변화량을 의미한다. 또한, 이는 자연 단위로 측정되기 때문에 표준화되지 않은 계수다. 따라서 계수를 서로 비교하여 모델에서 어느 계수가 더 영향력이 있는지 확인할 수 없다. 이는 계수가 서로 다른 척도로 측정될 수 있기 때문이다. 예를 들어, 성별 값을 독해 점수 값과 어떻게 비교할 수 있을까요? 회귀 방정식은 다음과 같이 여러 가지 다른 방식으로 표현할 수 있다.

Ypredicted = b0 + b1*x1 + b2*x2 + b3*x3 + b3*x3 + b4*x4

추정치 열 또는 계수 또는 매개변수 추정치, 여기서는 계수로 표시함은 이 방정식에 대한 b0, b1, b2, b3 및 b4의 값을 제공한다. 이 예에서 사용된 변수의 관점에서 표현하면 회귀 방정식은 다음과 같다.

과학예측 = 12.325 + .389*수학 + -2.010*여자 + .050*사회과학 + .335*읽기

이러한 추정치는 독립 변수와 종속 변수 간의 관계에 대해 알려준다. 이러한 추정치는 예측 변수에서 1단위 증가로 예측되는 과학 점수 증가량을 알려준다.
참고할 부분은 유의하지 않은 독립 변수의 경우 계수는 0과 유의하게 다르지 않으므로 계수를 해석할 때 이를 고려해야 한다. 계수가 유의한지 여부를 검정하는 것에 대한 t-값과 p-값이 있는 열을 참조해야 한다.
수학 항의 계수 또는 모수 추정치는 다음과 같다. .389. 따라서 수학에서 단위 즉, 테스트가 측정되는 척도이기 때문에 포인트가 증가할 때마다 과학에서 .389 단위 증가가 예측되며 다른 모든 변수는 일정하다. 다른 변수의 값을 일정하게 유지하더라도 선형 모델이므로 중요하지 않다. 또는 수학테스트에서 한 포인트가 증가할 때마다 과학 점수는 .389 포인트 더 높아질 것으로 예측된다. 이는 0과 상당히 다르다.
여성 항에서 여성은 단위가 증가할 때마다 -2.010 단위 감소 예측 과학점수, 다른 모든 변수는 일정할 때, 여성은 0/1 (0=남성, 1=여성)으로 코딩되었으므로 해석을 더 간단하게 할 수 있다. 여성의 경우 예측 과학 점수는 남성보다 2점 낮다. 여성 변수는 p-값이 .05보다 크기 때문에 기술적으로 0과 통계적으로 유의미하게 다르지 않다. 그러나 .051은 .05에 너무 가까워서 일부 연구자는 여전히 통계적으로 유의하다고 간주할 것이다.
socst 항에서 socst의 계수는 .050이다. 즉, 사회 연구 점수가 1단위 증가하

면 과학 점수가 약 .05점 증가할 것으로 예상한다. 이는 통계적으로 유의하지 않다. 즉, .050은 0과 다르지 않다.

read 항에서 read의 계수는 .335이다. 따라서 읽기 점수가 단위 증가할 때마다 과학 점수가 .335점 증가할 것으로 예상한다. 이는 통계적으로 유의하다.

4) 표준 오차

표준 오차(Standard Error) 항은 계수와 관련된 표준 오차다. 즉, 계수의 표준오차로, 계수의 추정치의 변동성을 나타낸다. 표준 오차는 매개변수 추정치를 표준 오차로 나누어 t-값을 구함으로써 매개변수가 0과 유의하게 다른지 여부를 테스트하는 데 사용한다. t-값과 p-값이 있는 열 참조한다. 표준 오차는 이 표의 마지막 두 열에 표시된 대로 매개변수의 신뢰 구간을 형성하는 데에도 사용할 수 있다.

5) 표준화 계수(Standardized Coefficients) 베타

베타 항은 표준화된 계수다. 이는 종속 변수와 모든 독립 변수를 포함하여 회귀 분석의 모든 변수를 표준화하고 회귀 분석을 실행한 경우 얻을 수 있는 계수다. 회귀 분석을 실행하기 전에 변수를 표준화하면 모든 변수를 동일한 척도에 배치하고 계수의 크기를 비교하여 어느 것이 더 큰 영향을 미치는지 확인할 수 있다. 또한 더 큰 베타가 더 큰 t-값과 연관되어 있음을 알 수 있다.

6) t 값과 유의확률

t 및 유의확률 항은 이 열은 계수/매개변수가 0이라는 귀무가설을 검정하는 데 사용되는 t-값과 2개의 꼬리가 있는 p-값을 제공한다. 2개의 꼬리 검정을 사용하는 경우 각 p-값을 미리 선택한 알파 값과 비교한다. 알파보다 작은 p-값을 갖는 계수는 통계적으로 유의하다. 예를 들어, 알파를 0.05로 선택한 경우 p-값이 0.05 이하인 계수는 통계적으로 유의미하다. 즉, 귀무가설을 기각하고 계수가 0과 크게 다르다고 말할 수 있다.

단측 검정을 사용하는 경우 즉, 매개변수가 특정 방향으로 이동할 것이라고 예측하는 경우 미리 선택한 알파 수준과 비교하기 전에 p-값을 2로 나눌 수 있다. 양측 검정 및 알파 0.05를 사용하면, p-값 = 0.051 > 0.05이므로 여성에 대한 계수가 0이라는 귀무가설을 기각해서는 안 된다. 계수 -2.009765는 0과 크게 다르지 않다. 그러나 남성이 여성보다 점수가 높다는 구체적 가설을 세우고, 즉 단측 검정에서 알파 0.05를 사용한 경우 p-값 .0255는 0.05보다 작다. 여성에 대한 계수는 0.05 수준에서 유의미하다. 이 경우 여성 계수가 0보다 훨씬 크다고 말할 수 있다. 단측 검정이나 양측 검정 모두 알파 0.01에서는 유의미하지 않다.

상수(Intercept)는 0.05 알파 수준에서 0과 상당히 다르다. 그러나 유의미한 절편을 갖는 것은 거의 흥미롭지 않다. 종속 변수 science score의 기본값이다. B = 12.325, p-value = 0.000으로 신뢰구간 [6.027, 18.624] 내에서 유의하게 나타났다.

수학계수(.389)는 p-값이 0.000으로 0.05보다 작기 때문에 알파 0.05를 사용하는 0과 통계적으로 유의미하게 다르다. 즉, 종속 변수 `science score`에 대해 긍정적인 영향을 미친다. B = 0.389, p-value = 0.000으로 이는 `math score`가 1 단위 증가할 때 `science score`가 평균적으로 0.389 단위 증가함을 나타낸다. 신뢰구간 [0.243, 0.535] 내에서 유의하게 나타났다.

여성에 대한 계수(-2.01)는 p값이 .05보다 크기 때문에 0.05 수준에서 통계적으로 유의하지 않다. 즉, 종속 변수 `science score`에 대해 약간 부정적인 영향을 미친다. B = -2.010, p-value = 0.051으로 `female` 변수의 p-value는 0.051로 0.05에 매우 가깝지만, 엄밀히 말해 유의수준 0.05에서는 유의하지 않다고 할 수 있다. 신뢰구간 [-4.027, 0.007]은 0을 포함하고 있어 유의하지 않을 가능성이 있다.

socst계수(.05)는 p-값이 확실히 0.05보다 크기 때문에 통계적으로 유의미하게 0과 다르지 않다. 즉, 종속 변수 `science score`에 대한 영향이 유의하지 않다. B = 0.050, p-value = 0.424으로 신뢰구간 [-0.073, 0.173]은 0을 포함하고 있어 유의하지 않음을 나타낸다.

리딩 계수(.335)는 p-값 0.000이 .05보다 작기 때문에 통계적으로 유의미하다. 즉, 종속 변수 `science score`에 대해 긍정적인 영향을 미친다. B = 0.335, p-value = 0.000으로, 이는 `reading score`가 1 단위 증가할 때 `science score`가 평균적으로 0.335 단위 증가함을 나타낸다. 신뢰구간 [0.192, 0.479] 내에서 유의하게 나타났다.

7) B에 대한 95% 신뢰구간

B에 대한 95% 신뢰구간 항은 계수에 대한 95% 신뢰 구간이다. 신뢰 구간은 p-값과 관련되어 있으므로 95% 신뢰 구간에 0이 포함된 경우 계수는 알파 = .05에서 통계적으로 유의하지 않다. 이러한 신뢰 구간은 값이 얼마나 달라질 수 있는지 확인하여 계수의 추정치를 관점에서 보는 데 도움이 될 수 있다.

3.3. 회귀분석 시작하기

3.3.1. 회귀분석 메뉴

회귀분석은 여러 가지 유형이 있으며, 각 유형은 다양한 데이터 구조와 분석 목적에 맞게 사용한다. SPSS에서 제공하는 주요 회귀분석 유형을 보면, 다음과 같다. 1) 자동선형 모형화, 선형회귀, 곡선추정, 일부최소제곱, 2) 이분형 로지스틱, 다항로지스틱, 순서, 프로빗 등이 있다. 또한 3) 비선형, 가중 추정, 2단계 최소제곱이 있다. 또한, 4) 최적화 척도법이 있다.

SPSS에서 제공하는 주요 회귀분석 유형은 다양한 연구 질문과 데이터 특성에 맞추어 선택할 수 있다.

1) 자동선형 모형화 (Automatic Linear Modeling)

특징은 SPSS의 자동선형 모형화는 데이터 내에서 가장 적합한 선형 모형을 자동으로 선택하고, 변수 선택과 변환 등을 자동으로 수행한다. 사용 목적은 데이터 준비나 변환에 시간을 많이 할애하지 않고 빠르게 적합한 모형을 찾고자 할 때 유용하다. 장점은 사용자 개입이 최소화되어 편리하고, 자동으로 변수 선택과 변환을 수행함으로써 모형의 복잡성을 줄여준다.

2) 선형 회귀 (Linear Regression)

특징은 종속 변수와 하나 이상의 독립 변수 간의 선형 관계를 모델링한다. 사용 목적은 종속 변수의 변동을 설명하는 독립 변수들의 선형 조합을 찾고자 할 때 사용한다. 제한점은 변수들 간의 선형 관계가 성립해야 하며, 독립 변수들 간의 다중공선성이 낮아야 한다.

3) 곡선 추정 (Curve Estimation)

특징은 종속 변수와 독립 변수 간의 비선형 관계를 모델링한다. 다양한 곡선 유형 예를 들면, 다항식, 로그, 지수 등을 사용할 수 있다. 사용 목적은 변수들 간의 관계가 선형이 아닌 경우 적합한 비선형 관계를 찾기 위해 사용한다. 장점은 다양한 비선형 관계를 탐색하고, 가장 적합한 곡선을 선택할 수 있다. 제한점은 모델의 선택이 임의적일 수 있으며, 과적합의 위험이 있다.

4) 부분최소제곱 회귀 (Partial Least Squares Regression, PLS)

특징은 다중공선성이 있는 다수의 예측 변수들이 있을 때 사용되는 방법으로,

주성분 분석과 회귀 분석을 결합한 방법이다. 사용 목적은 예측 변수들 간의 다중공선성을 처리하고, 예측 변수들이 많을 때 사용한다. 장점은 다중공선성 문제를 해결하며, 예측 변수가 많은 경우에도 사용 가능하다. 제한점은 해석이 다소 복잡할 수 있다.

5) 비선형 회귀 (Nonlinear Regression)

특징은 종속 변수와 독립 변수 간의 비선형 관계를 모델링한다. 사용 목적은 선형 회귀로는 적합하지 않은 비선형 관계를 모델링할 때 사용한다. 장점은 다양한 비선형 모델을 적합할 수 있다. 제한점은 모델 선택과 수렴이 어려울 수 있다. 예를 들면, 약물 농도와 반응 간의 비선형 관계를 모델링할 수 있다.

6) 가중 회귀 (Weighted Regression)

특징은 데이터 포인트마다 다른 가중치를 적용하여 회귀 분석을 수행한다. 사용 목적은 관측치의 중요도가 다를 때 가중치를 반영하여 모델링한다. 장점은 중요한 데이터 포인트를 강조하여 분석할 수 있다. 제한점은 가중치의 선택이 주관적일 수 있다. 예를 들면, 실험 데이터에서 측정의 신뢰성이 다를 때 가중치를 부여하여 분석한다.

7) 2단계 최소제곱 (Two-Stage Least Squares, 2SLS)

특징은 내생성 문제를 해결하기 위해 사용되는 방법으로, 두 단계로 나누어 회귀 분석을 수행한다. 사용 목적은 독립 변수와 종속 변수 간의 상호 의존성이 있을 때 사용한다. 장점은 내생성 문제를 해결할 수 있다. 제한점은 적절한 도구 변수를 선택하는 것이 중요하다. 예를 들면, 경제학에서 소득과 소비의 관계를 분석할 때 소득이 내생 변수일 경우에 사용할 수 있다.

8) 최적화 척도법 (Optimal Scaling)

특징은 범주형 변수들을 연속형 변수로 변환하여 회귀 분석을 수행한다. 사용 목적은 범주형 데이터를 연속형 데이터로 변환하여 분석하고자 할 때 사용한다. 장점은 범주형 데이터를 포함한 회귀 분석이 가능하다. 제한점은 변환 과정이 복잡할 수 있으며, 해석이 어려울 수 있다. 예를 들면, 직업(범주형)과 소득(범주형) 간의 관계를 분석할 경우 사용한다.

이러한 다양한 회귀분석 방법들은 각각의 데이터 특성과 분석 목적에 따라 적절하게 선택되어 사용한다. 예를 들어, 단순히 변수 간의 선형 관계를 파악하고자 할 때는 선형 회귀를 사용하지만, 종속 변수가 범주형이거나 내생 변수가 있는 복잡한 데이터일 경우에는 보다 특화된 회귀분석 방법을 사용하게 된다.

각 회귀분석 유형은 데이터의 특성과 연구 목적에 따라 적절히 선택하여 사용해야 한다. SPSS는 이러한 다양한 회귀분석 기법을 제공함으로써, 연구자들이 데이터 분석에 필요한 다양한 도구를 사용할 수 있도록 지원하고 있다.

3.3.2. 자동 선형 모델링

SPSS의 자동 선형 모델링(Automatic Linear Modeling, ALM)은 데이터 분석에서 복잡한 모델링 과정을 자동화하여 사용자가 최적의 선형 회귀 모델을 빠르고 쉽게 생성할 수 있도록 돕는 도구이다. 이는 특히 많은 예측 변수와 다양한 상호작용이 있는 경우 유용하다. ALM은 변수 선택, 데이터 변환, 상호작용 탐색 등을 자동으로 처리하여 사용자에게 최적의 모델을 제공한다.

그러므로 자동으로 변수 선택 및 모델링을 수행하므로, 변수 선택, 변환, 상호작용 등을 자동으로 처리하여 최적의 모델을 찾는다. 예를 들면, 고객의 구매 데이터를 이용하여 자동으로 가장 중요한 예측 변수를 선택하고 모델링하는 경우에 해당한다.

본 도서의 사용 데이터를 활용하여 선택한 경우, 아래 명령어와 같은 형태로 수행됨을 확인할 수 있다.

1) 명령어

```
*Automatic Linear Modeling.
LINEAR
  /FIELDS TARGET=science INPUTS=id female race ses schtyp prog read
write math socst
  /BUILD_OPTIONS OBJECTIVE=STANDARD USE_AUTO_DATA_PREPARATION=TRUE
CONFIDENCE_LEVEL=95 MODEL_SELECTION=FORWARDSTEPWISE
CRITERIA_FORWARD_STEPWISE=AICC REPLICATE_RESULTS=TRUE SEED=54752075
  /ENSEMBLES COMBINING_RULE_CONTINUOUS=MEAN COMPONENT_MODELS_N=10.
```

2) 자동 선형 모델링의 주요 기능

먼저, 변수 선택 및 제거로, ALM은 통계적 중요도에 따라 자동으로 변수들을 선택하거나 제거한다. 이를 통해 불필요한 변수들을 제외하고 중요한 변수들만 포함된 모델을 생성할 수 있다.

둘째, 데이터 변환으로, ALM은 데이터를 분석하기 전에 자동으로 적절한 변환을 적용할 수 있다. 예를 들어, 로그 변환이나 제곱근 변환을 통해 데이터의 분포를 정상화할 수 있다.

셋째, 상호작용 탐색으로 변수 간의 상호작용 효과를 자동으로 탐색하고 모델에 포함시킬 수 있다. 이는 변수들 간의 관계를 더 정확하게 반영할 수 있게 해준다.

넷째, 모델 평가 및 비교로 다양한 모델을 생성하고, 각 모델의 성능을 비교하여 최적의 모델을 선택할 수 있다. 이를 통해 예측력을 극대화할 수 있다.

다섯째, 모델 진단으로 자동으로 모델 진단을 수행하여 잔차 분석, 다중공선성, 이상치 등을 평가한다. 이를 통해 모델의 적합성을 확인하고, 필요한 경우 조정할 수 있다.

4) 자동 선형 모델링 수행 과정

SPSS에서 자동 선형 모델링 수행 과정을 보면,

먼저, 데이터 준비로 분석에 사용할 데이터를 SPSS에 로드한다.

둘째, 자동 선형 모델링 도구 선택한다. 즉, `Analyze` 메뉴에서 `Regression`을 선택한 후, `Automatic Linear Modeling`을 선택한다.

셋째, 모델링 옵션을 설정한다. 종속 변수와 독립 변수를 지정한다. 변수 선택 방법, 예를 들면, 전진 선택법, 후진 제거법 등을 설정한다. 필요한 경우 데이터 변환 옵션을 설정한다.

넷째, 모델 생성한다. `Run` 버튼을 눌러 자동 모델링을 수행한다. SPSS는 최적의 모델을 생성하고 결과를 출력한다.

다섯째, 결과 해석에서 모델 요약, 계수, 적합도 지표 등을 확인하고, 변수 중요도, 상호작용 효과, 잔차 분석 등을 통해 모델의 적합성을 평가한다.

3) 모형요약, 자동테이터 준비, 예측자 중요도, 잔차(히스토그램), 잔차(P-P 도표), 관측값 별 예측값

먼저, 모형 요약 (Model Summary)으로 모델의 적합성과 설명력을 요약하여 보여준다. 사용 방법을 보면, R 제곱(R^2)은 모델이 종속 변수의 변동을 얼마나 설명하는지 나타낸다. 값이 0에서 1 사이에 있으며, 1에 가까울수록 모델이 데이터를 잘 설명한다. 수정된 R 제곱(Adjusted R^2)은 설명 변수가 많을 때 R 제곱의 과대평가를 방지하는 지표다. 추정값의 표준오차(Std. Error of the Estimate)는 모델의 예측 정확도를 평가하고, 값이 작을수록 예측이 정확하다. 이전 설명을 참조하기 바란다.

둘째, 자동 데이터 준비 (Automatic Data Preparation)로 데이터 전처리 과정을 자동화하여 분석에 적합한 형태로 데이터를 준비한다. 사용 방법에서 결측값 처리, 변수 변환(예: 로그 변환), 범주형 변수의 더미화 등을 자동으로 수행한다. 사용자는 데이터 준비 과정에서 어떤 변환이 이루어졌는지 검토하고, 필요한 경우 수동으로 조정할 수 있다.

셋째, 예측자 중요도 (Predictor Importance)에서 각 예측 변수가 종속 변수에 미치는 영향을 평가한다. 사용 방법에서 중요도 점수를 통해 모델에서 어떤

예측 변수가 가장 중요한지 파악한다. 중요도가 높은 변수를 중점적으로 해석하고, 중요도가 낮은 변수를 모델에서 제거할지 고려할 수 있다.

넷째, 잔차 히스토그램 (Residual Histogram)에서 잔차 또는 실제 값과 예측 값의 차이의 분포를 시각적으로 평가한다. 사용 방법에서 잔차가 정규 분포를 따르는지 확인한다. 이상적으로 잔차는 평균이 0이고, 종 모양의 분포를 가져야 한다. 잔차의 비정상적인 분포는 모델의 적합성을 의심할 수 있는 신호다.

다섯째, 잔차 P-P 도표 (P-P Plot of Residuals)에서 잔차가 정규 분포를 따르는지 평가한다. 사용 방법에서 잔차의 누적 확률이 이론적인 정규 분포와 일치하는지 확인한다. 데이터 점들이 대각선에 가까울수록 잔차가 정규 분포를 따라야 한다.

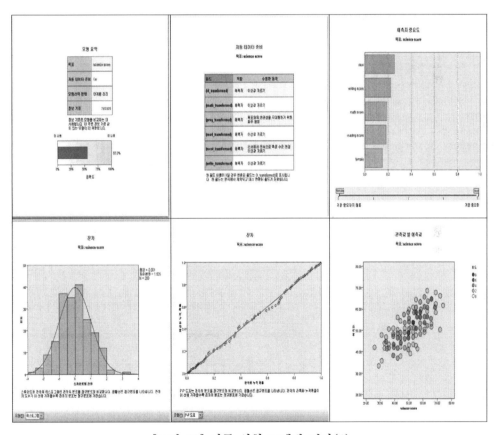

[그림 10] 자동 선형 모델링 결과(1)

여섯째, 관측값 별 예측값 (Observed vs. Predicted Values)에서 실제 값과 예측 값의 관계를 시각적으로 평가한다. 사용 방법으로 관측값과 예측값이 45도

대각선 근처에 분포할수록 모델이 데이터를 잘 예측하는 것이다. 큰 차이가 나는 경우 모델의 성능을 개선할 필요가 있다.

　5) 이상값, 효과, 계수(양수, 음수), 모형작성요약, 추정평균 도표
　일곱째, 이상값 (Outliers)으로, 모델에서 예측하기 어려운 관측치를 식별한다. 사용 방법에서 표준화 잔차가 ±3을 초과하는 값 등을 이상값으로 간주한다. 이상값을 조사하고, 데이터 입력 오류인지 또는 특별한 원인이 있는지 파악한다.
　여덟째, 효과 (Effects)로 각 예측 변수의 효과를 평가한다. 사용 방법에서 각 변수의 주효과와 상호작용 효과를 확인한다. 변수들이 종속 변수에 미치는 영향의 크기와 방향을 파악할 수 있다.

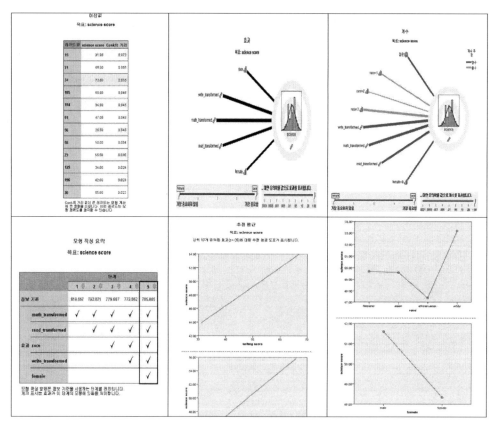

[그림 11] 자동 선형 모델링 결과(2)

　아홉째, 계수 (Coefficients)로 모델의 회귀 계수를 보여준다. 사용 방법은

비표준화 계수(B)는 예측 변수의 단위 변화가 종속 변수에 미치는 영향을 보여준다. 표준화 계수(β)는 예측 변수의 상대적인 중요도를 평가한다. 계수의 유의성을 평가하여 중요한 예측 변수를 식별한다.

열번째, 모형 작성 요약 (Model Building Summary)으로 모델링 과정과 최종 모델의 적합성을 요약한다. 사용 방법에서 변수 선택 과정, 모델의 성능 지표, 검증 결과 등을 포함한다. 모델링 과정을 전반적으로 검토하여 모델이 적절하게 구축되었는지 확인한다.

마지막으로 추정 평균 도표 (Estimated Means Plot)에서 독립 변수의 값에 따른 종속 변수의 예상 값을 시각적으로 나타낸다. 사용 방법에서 각 예측 변수의 값에 따른 종속 변수의 평균 예측 값을 확인하고, 변수 간의 상호작용 효과를 시각적으로 평가할 수 있다.

이러한 결과들은 SPSS의 자동 선형 모델링을 통해 생성된 모델의 적합성, 예측력, 변수의 중요성 등을 종합적으로 평가하는 데 매우 유용하다. 각 결과를 적절히 해석하고 활용하여 데이터 분석의 품질을 높일 수 있다.

3.3.3. 선형 회귀 (Linear Regression)

회귀분석 메뉴에 자동 선형 모델링, 선형, 곡선추정 있고, 편최소제곱 있다. 이분형 로지스틱, 다항 로지스틱, 순서형, 프로빗 등이 있다. 비선형, 가중추정, 2단계 최소제곱 있다. 범주형 회귀가 있다.

1) 선형 회귀

선형 회귀 분석에서 종속 변수와 독립 변수를 선정하고, 적절한 변수를 선택하는 방법은 분석의 목표와 데이터의 특성에 따라 결정한다. SPSS에서는 다양한 방법으로 변수를 선택할 수 있다. 종속 변수와 독립 변수 간의 선형 관계를 모델링한다. 단순 선형 회귀와 다중 선형 회귀로 나눈다. 예를 들면, 학생들의 시험 점수를 예측하기 위해 수학 점수, 성별, 읽기 점수 등을 독립 변수로 사용하는 경우이다.

먼저 고려할 부분을 보면, 다음과 같다. 선형 회귀에서 변수 선정으로 종속변수를 선정하고, 독립변수를 선택한다. 그리고 방법에서 입력(enter)을 선정하거나 또는 단계선택, 제거, 후진, 전진을 선택한다.

2) 변수 선정

먼저, 종속 변수(Dependent Variable) 선정으로 분석에서 예측하려는 주된 변수다. 예를 들면, 학생의 과학 점수, 주식 가격, 매출액 등이다.

둘째, 독립 변수(Independent Variables) 선정으로 종속 변수에 영향을 미치는 변수들이다. 예를 들면, 학생의 수학 점수, 성별, 학교 유형 등이다.

3) 변수 선택 방법

먼저, 입력(Enter)으로 모든 선택된 독립 변수를 한 번에 회귀 모델에 포함한다. 모든 변수가 동시에 포함된 모델의 영향을 평가한다. 모든 변수가 종속 변수에 영향을 미친다고 가정할 때 사용한다.

둘째, 단계 선택(Stepwise Selection)는 변수를 하나씩 추가하거나 제거하면서 모델을 최적화한다. 모델에 기여하는 변수를 선택하여 단순하고 효과적인 모델을 만든다. 예측 변수의 중요성을 순차적으로 평가하고자 할 때 사용한다.

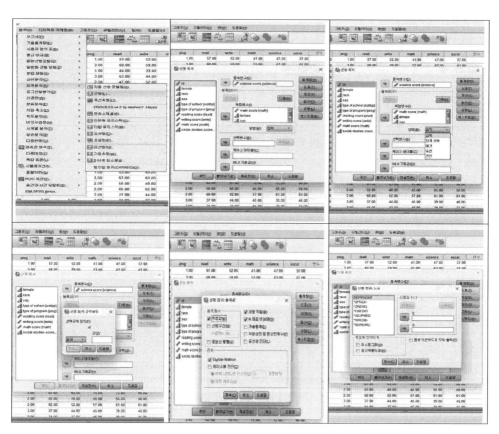

[그림 12] 선형 회귀(1)

셋째, 제거(Backward Elimination)는 모든 변수를 포함한 모델에서 시작하여, 가장 영향력이 적은 변수를 하나씩 제거한다. 불필요한 변수를 제거하여 모델을 단순화한다. 모델에 포함된 모든 변수 중 유의미한 변수만 남기고 싶을 때 사용한다.

넷째, 후진(Backward Selection)은 제거와 유사하게 모든 변수를 포함한 모델에서 시작하나, 특정 기준을 만족하지 못하는 변수를 제거한다. 통계적으로 유의하지 않은 변수를 제거한다. 변수의 유의성을 평가하며 모델을 단순화할 때 사용한다.

다섯째, 전진(Forward Selection)은 변수를 하나씩 추가하여 모델을 최적화한다. 가장 유의미한 변수부터 순차적으로 모델에 포함시킨다. 중요한 변수부터 차례대로 모델에 포함시키고자 할 때 사용한다.

4) 학생의 과학 점수를 예측하는 모델

먼저, 종속 변수 선정에서 종속 변수로 `science score` (과학 점수) 선정한다. 독립 변수 선정에서 독립 변수로 `math score` (수학 점수), `reading score` (읽기 점수), `writing score` (쓰기 점수), `female` (성별), `social studies score` (사회 점수) 선정한다. 변수 선택 방법 적용으로 입력(Enter)을 선택한다. 즉, 모든 독립 변수를 한 번에 모델에 포함한다.

각 방법은 분석 목적과 데이터 특성에 따라 선택되며, 분석자는 가장 적합한 방법을 사용하여 최적의 회귀 모델을 구축할 수 있다. SPSS에서는 이러한 과정을 직관적으로 수행할 수 있도록 다양한 옵션을 제공한다.

5) 선형회귀 규칙설정

선형회귀 규칙설정에서 선택변수 선정에서 선택규칙 정의에서 선정할 수 있다. 특정 선택변수가 있는 경우 활용할 수 있다.

선택변수 선정에서 분석자가 특정 독립 변수를 강제로 모델에 포함하거나 제외할 수 있다. 예를 들면, 특정 변수의 중요성을 확신하는 경우 그 변수를 항상 모델에 포함시킬 수 있다.

선택규칙 정의에서 단계선택, 후진 제거, 전진 선택 등 변수를 선택하는 방법을 정의할 수 있다. 예를 들면, 단계선택법을 통해 통계적으로 유의한 변수만을 모델에 포함시켜 단순하면서도 효과적인 모델을 만들 수 있다.

6) 선형회귀 통계량

다음으로 선형회귀 통계량 선정에서 회귀계수 박스에 추정값, 신뢰구간, 공분산 행렬을 선택할 수 있다. 모형 적합도, R 제곱 변화량, 기술통계, 부분상관 및 편상관계수, 공선성 진단을 선정할 수 있다. 잔차 박스에서 더빈-왓슨, 케이스별 진단을 선택할 수 있다.

첫째, 회귀계수 박스에서 추정값은 회귀계수의 추정값을 출력한다. 신뢰구간은 회귀계수의 신뢰구간을 출력하여 추정값의 신뢰도를 평가한다. 공분산 행렬은 회귀계수의 공분산을 출력하여 계수들 간의 상관관계를 평가한다.

둘째, 모형 적합도에서 모델의 적합도를 평가하여 모델이 데이터를 얼마나 잘 설명하는지 평가한다. R 제곱 값, 수정된 R 제곱 값 등을 통해 모델의 설명력을 확인한다. R 제곱 변화량은 단계별로 독립 변수를 추가할 때 R 제곱 값의 변화를 평가한다. 각 변수가 모델의 설명력에 얼마나 기여하는지 평가한다.

셋째, 기술통계에서 변수들의 기본 통계량 또는 평균, 표준편차 등을 출력한다. 데이터의 기초적인 분포를 이해한다.

넷째, 부분상관 및 편상관계수에서 독립 변수와 종속 변수 간의 상관관계를 다른 변수들의 영향을 통제한 상태에서 평가한다. 각 독립 변수가 종속 변수에 미치는 순수한 영향을 평가한다.

다섯째, 공선성 진단에서 독립 변수들 간의 상관관계를 평가하여 다중공선성 문제를 진단한다. VIF(Variance Inflation Factor) 값을 통해 다중공선성을 평가하고, 필요 시 조정한다.

여섯째, 잔차 박스 설정에서 더빈-왓슨(Durbin-Watson)은 잔차의 자기 상관을 평가한다. 잔차가 독립적인지를 평가하여, 모델의 가정을 확인한다. 케이스별 진단에서 개별 관측치에 대한 진단 정보를 제공한다. 이상치나 영향력이 큰 관측치를 식별하여 모델의 적합성을 평가한다.

7) 선형회귀 도표

선형회귀 도표 설정에서 DEPENDONT, ZPRED, ZRESID, DRESID, ADJPRED, SRESID, SDRESID를 성정할 수 있다.

선형 회귀 도표 설정에서 DEPENDONT는 종속 변수의 실제 값과 예측 값을 비교하는 그래프를 생성한다. ZPRED는 표준화된 예측 값을 출력한다. ZRESID는 표준화된 잔차 값을 출력한다. DRESID는 잔차의 차이를 출력한다. ADJPRED는 조정된 예측 값을 출력한다. SRESID는 표준화된 잔차를 출력한다. SDRESID는 표준화된 잔차의 차이를 출력한다.

선형 회귀 분석을 수행할 때, 다양한 설정과 옵션을 통해 분석 결과를 세밀하게 조정할 수 있다. 이 과정에서 SPSS에서는 여러 가지 선택 사항을 제공하고 있다. 이러한 다양한 설정을 통해 선형 회귀 분석의 세부적인 결과를 얻을 수 있으며, 이를 통해 모델의 적합성, 변수의 중요성, 가정의 만족 여부 등을 종합적으로 평가할 수 있다. SPSS는 이러한 기능을 직관적으로 설정할 수 있게 하여 사용자가 분석의 목적에 맞게 최적의 모델을 구축할 수 있도록 돕는다.

8) 선형회귀 저장

선형회귀 저장에서 예측값 항에는 비표준화, 표준화, 수정된, 평균예측 표준
오차 항이 있다. 잔차 항목에는 비표준화, 표준화, 스튜던트화, 제외잔차, 삭제
된 스튜던터 잔차 항이 있다. 거리 항목에는 마할라노비스 거리, 쿡의 거리, 레
버리지 값 등의 항이 있다.

영향력 통계량 항목에는 DFBETA, 표준화 DFBETA, DFFIT, 표준화 DFFIT, 공분
산 비율 등의 항이 있다. 예측 구간 항목에는 평균, 개별값 항과 신뢰구간이 있
다. 계수 통계량 항목에는 계수통계량 만들기가 있다.

(1) 예측값 항목

비표준화 예측값 (Unstandardized Predicted Values)으로 원래 단위에서 예측
된 종속 변수의 값이다. 모델이 예측한 실제 값을 확인하여 종속 변수의 실제
값과 비교한다.

표준화 예측값 (Standardized Predicted Values)으로 예측된 종속 변수 값을
표준화한 값(Z 점수)이다. 예측값의 분포를 비교하고, 변수들의 상대적 중요도
를 평가한다.

수정된 예측값 (Adjusted Predicted Values)으로 예측값을 조정하여 모형의
바이어스를 줄인 값이다. 모델의 편향을 줄여 더 정확한 예측을 얻는다.

평균예측 표준오차 (Standard Error of the Predicted Mean)으로 예측값의 평
균의 표준오차로 예측값의 신뢰성을 평가한다.

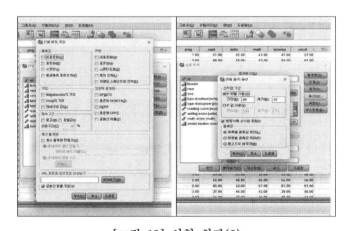

[그림 13] 선형 회귀(2)

(2) 잔차 항목

비표준화 잔차 (Unstandardized Residuals)로 원래 단위에서의 잔차 (실제값
- 예측값)이다. 잔차의 크기를 확인하여 모델이 얼마나 잘 적합했는지 평가한

다.

표준화 잔차 (Standardized Residuals)는 잔차를 표준화한 값(Z 점수)이다. 잔차의 분포를 비교하고, 이상값을 식별한다.

스튜던트화 잔차 (Studentized Residuals)는 잔차를 표준오차로 나눈 값이다. 잔차의 분포를 더 정교하게 평가하고, 이상치를 확인한다.

제외잔차 (Deleted Residuals)는 특정 관측치를 제외하고 계산한 잔차이다. 개별 관측치가 모델에 미치는 영향을 평가한다.

삭제된 스튜던트화 잔차 (Studentized Deleted Residuals)는 특정 관측치를 제외하고 계산한 스튜던트화 잔차이다. 특정 관측치가 모델에 미치는 영향을 더 정교하게 평가한다.

(3) 거리 항목
마할라노비스 거리 (Mahalanobis Distance)는 각 관측치가 중심에서 얼마나 떨어져 있는지를 측정한 값이다. 다변량 분포에서 이상치를 식별한다.

쿡의 거리 (Cook's Distance)는 한 관측치가 전체 회귀 모델에 미치는 영향을 측정한 값이다. 특정 관측치가 모델에 미치는 영향을 평가하고, 영향력이 큰 관측치를 식별한다.

레버리지 값 (Leverage Values)은 각 관측치가 회귀 모델에 미치는 영향력을 측정한 값이다. 각 관측치가 모델 적합성에 얼마나 영향을 미치는지 평가한다.

이러한 다양한 값들을 저장하고 분석함으로써, 회귀 모델의 적합성, 변수의 중요성, 데이터의 이상치를 종합적으로 평가할 수 있다. 이를 통해 더 정확하고 신뢰성 있는 회귀 분석 결과를 도출할 수 있다.

(4) 영향력 통계량 항목
DFBETA는 각 독립 변수가 회귀 계수에 미치는 영향을 측정한 값이다. 특정 관측치가 특정 회귀 계수에 미치는 영향을 평가한다.

표준화 DFBETA (Standardized DFBETA)는 DFBETA 값을 표준화한 값이다. 다른 변수와 비교하기 쉽게 하기 위해 DFBETA를 표준화한 것이다.

DFFIT은 특정 관측치를 포함했을 때와 제외했을 때의 예측값의 차이를 측정한 값이다. 특정 관측치가 모델의 예측에 미치는 영향을 평가한다.

표준화 DFFIT (Standardized DFFIT)는 DFFIT 값을 표준화한 값이다. DFFIT 값을 표준화하여 다른 관측치와 비교할 수 있도록 한다.

공분산 비율 (Covariance Ratio)은 특정 관측치를 제외했을 때 공분산 행렬의 변화를 측정한 값이다. 특정 관측치가 모델의 공분산 행렬에 미치는 영향을 평가한다.

(5) 예측 구간 항목

평균 예측 구간 (Mean Prediction Interval)은 모델이 예측하는 평균값에 대한 신뢰구간이다. 예측값의 평균이 특정 범위 내에 있을 확률을 평가한다.

개별값 예측 구간 (Individual Prediction Interval)은 개별 관측치에 대한 예측값의 신뢰구간이다. 특정 관측치의 예측값이 특정 범위 내에 있을 확률을 평가한다.

신뢰구간 (Confidence Interval)은 예측값의 신뢰구간이다. 예측값이 특정 범위 내에 있을 신뢰 수준을 평가한다.

(6) 계수 통계량 항목

계수 통계량 만들기 (Create Coefficient Statistics)는 회귀 계수의 통계량을 계산하여 저장한다. 회귀 계수의 평균, 표준 오차, t-값, p-값 등을 계산하여 모델의 유의성을 평가한다.

9) 선형회귀 옵션

선형회귀 옵션에는 선택법 기준 항목에 F-확률 사용에 진입과 제거 값을 선정한다. F-값 사용이 있다. 방정식에 상수항 포함을 체크한다. 결측값 항목에서 목록별 결측값 제외, 대응별 결측값 제외, 평균으로 바꾸기 등이 있다.

선형 회귀 분석을 수행할 때, 여러 가지 옵션을 설정할 수 있다. 이 옵션들은 모델의 적합성을 높이고, 데이터의 특성을 반영하며, 분석의 목적에 맞는 결과를 얻기 위해 중요하다.

(1) 선택법 기준 항목 (Criteria for Selection)

F-확률 사용 (Use F-probability)을 선택한다. 진입 값 (Entry Value)은 변수를 모델에 포함시키기 위한 기준값으로 일반적으로 0.05로 설정한다. 제거 값 (Removal Value)은 변수를 모델에서 제외시키기 위한 기준값으로 일반적으로 0.10으로 설정한다. 모델에 포함시키거나 제외시킬 변수를 선택하는 기준을 설정하여, 중요한 변수만 모델에 포함시키고 덜 중요한 변수는 제외한다.

F-값 사용 (Use F-value)은 F-값을 사용하여 변수를 모델에 포함시킬지 여부를 결정한다. 변수의 추가가 모델의 설명력을 얼마나 향상시키는지 평가한다.

(2) 방정식에 상수항 포함 (Include Constant in Equation)

방정식에 상수항 포함 (Include Intercept)이 일반적이다. 이는 회귀 방정식에 상수항 또는 절편을 포함할지 여부를 설정한다. 상수항을 포함하면, 종속 변수의 평균을 조정하여 모델의 정확성을 높일 수 있다. 대부분의 경우 상수항을 포함하는 것이 일반적이다.

(3) 결측값 처리 (Handling Missing Values)

목록별 결측값 제외 (Exclude Cases Listwise)가 기본이다. 결측값이 있는 모든 케이스를 분석에서 제외한다. 결측값이 있는 케이스를 완전히 제거함으로써 분석의 단순성을 유지한다. 그러나 데이터 손실이 클 수 있다.

대응별 결측값 제외 (Exclude Cases Pairwise)은 각 변수 쌍별로 결측값이 있는 케이스만 제외한다. 가능한 많은 데이터를 사용하면서 결측값을 처리한다. 데이터 손실을 최소화할 수 있다.

평균으로 바꾸기 (Replace with Mean)는 결측값을 해당 변수의 평균값으로 대체한다. 결측값을 대체하여 데이터 손실을 방지한다. 그러나 이는 데이터 분포를 왜곡할 가능성이 있다.

각 옵션은 회귀 분석의 정확성과 신뢰성을 높이기 위해 중요하다. 분석 목적과 데이터 특성에 따라 적절한 옵션을 선택하여 최적의 분석 결과를 도출할 수 있다. 옵션 설정을 통해 모델의 성능을 극대화하고, 분석의 목적에 부합하는 유의미한 결과를 얻을 수 있다.

< 회귀 분석 발견 에피소드의 예>

머니볼과 오클랜드 에이스 - 2000년대 초반, 예산이 부족한 야구팀 오클랜드 A's는 통계 분석을 사용하여 저평가된 선수를 파악했다. 팀의 단장인 빌리 빈 (Billy Beane)은 출루율, 장타율 및 기타 지표를 기반으로 선수 성과를 평가하기 위해 회귀 분석을 활용했다. 이 데이터 중심적 접근 방식을 통해 훨씬 더 많은 리소스를 보유한 팀과 경쟁할 수 있었고 야구팀이 재능을 평가하는 방식에 혁명을 일으켰다.

호기심의 대가 - 경제학자 조나 레러(Jonah Lehrer)는 회귀 분석을 사용하여 책 빌리기와 학업 성취도 간의 관계를 탐구했다. 그는 놀라운 상관 관계를 발견했다. 논픽션 책을 더 많이 빌린 학생들은 성적이 낮은 경향이 있었다. 이 반직관적인 발견으로 인해 그는 호기심과 탐구심이 때때로 표준화된 시험 점수와 충돌할 수 있다고 제안했다.

온라인 광고 타겟팅 - Google Ads와 같은 온라인 광고 플랫폼은 회귀 분석에 크게 의존한다. 사용자 데이터와 검색 기록을 분석하여 특정 광고를 클릭할 가능성이 가장 높은 사용자를 예측할 수 있다. 이를 통해 광고주는 캠페인을 보다 효과적으로 타겟팅하고 투자 수익을 극대화할 수 있다.

3.4. 곡선추정 (Curve Estimation)

데이터 간의 비선형 관계를 모델링한다. 다양한 곡선 형태, 예를 들면, 다항식, 지수함수 등을 사용하여 데이터를 적합시킨다. 예를 들면, 온도와 아이스크림 판매량 간의 관계가 비선형일 때, 곡선추정을 사용하여 모델링 할 수 있다.

곡선 추정 절차는 11가지 다른 곡선 추정 회귀 모델에 대한 곡선 추정 회귀 통계 및 관련 플롯을 생성한다. 각 종속 변수에 대해 별도의 모델이 생성한다. 예측 값, 잔차 및 예측 간격을 새 변수로 저장할 수도 있다.

예를 들면, 인터넷 서비스 제공자는 시간 경과에 따라 네트워크에서 바이러스에 감염된 이메일 트래픽의 비율을 추적하는 경우, 산점도는 관계가 비선형임을 보여준다. 데이터에 2차 또는 3차 모델을 적용하여 가정의 타당성과 모델의 적합성을 확인할 수 있다.

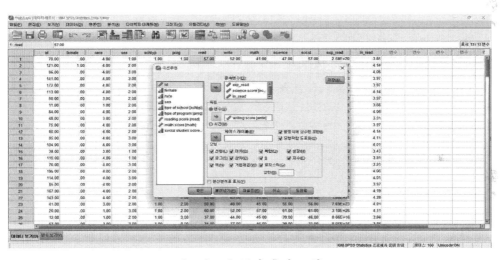

[그림 14] 곡선 추정 모형

각 모델에 대해서 회귀 계수, 다중 R, R2, 조정된 R2, 추정치의 표준 오차, 분산 분석 표, 예측 값, 잔차 및 예측 구간를 제공한다. 모형에서 선형, 대수, 역, 이차, 삼차, 거듭제곱, 복합, S-곡선, 로지스틱, 성장 및 지수 등을 선정할 수 있다.

3.4.1. 곡선 추정 데이터 고려 사항

데이터는 종속 변수와 독립 변수는 양적이어야 한다. 활성 데이터 세트에서 독립 변수로 시간을 선택하는 경우 또는 변수를 선택하는 대신할 수 있다. 곡선 추정 절차는 사례 간 시간 길이가 균일한 시간 변수를 생성한다. 시간을 선택하는 경우 종속 변수는 시계열 측정값이어야 한다. 시계열 분석에는 각 사례 또는 행이 다른 시간의 관찰 집합을 나타내고 사례 간 시간 길이가 균일한 데이터 파일 구조가 필요하다.

곡선 추정의 가정을 보면, 독립 변수와 종속 변수가 어떻게 관련되어 있는지 또는 선형, 지수적 등 인지 확인하기 위해 데이터를 그래픽으로 검토한다. 좋은 모델의 잔차는 무작위로 분포하고 정규적이어야 한다.

선형 모델을 사용하는 경우 다음 가정을 충족해야 한다. 독립 변수의 각 값에 대해 종속 변수의 분포는 정규적이어야 한다. 종속 변수 분포의 분산은 모든 독립 변수 값에 대해 일정해야 한다. 종속 변수와 독립 변수 간의 관계는 선형적이어야 하며 모든 관찰은 독립적이어야 한다.

기존 데이터를 변형한다. read 점수에 로그와 지수화를 하여 새로운 변수를 생성하였다.

```
COMPUTE exp_read=EXP(science).
EXECUTE.
COMPUTE ln_read=LN(science).
EXECUTE.


* 곡선추정.
TSET NEWVAR=NONE.
CURVEFIT
  /VARIABLES=exp_read science ln_read WITH write
  /CONSTANT
  /MODEL=LINEAR LOGARITHMIC INVERSE QUADRATIC CUBIC COMPOUND POWER S
GROWTH EXPONENTIAL LGSTIC
  /PLOT FIT.
```

3.4.2. 곡선 추정

분석 -> 회귀 -> 곡선 추정을 선택한다. 하나 이상의 종속 변수를 선택할 수 있다. 각 종속 변수에 대해 별도의 모델이 생성한다. 독립 변수를 선택한다. 활성 데이터 세트에서 변수를 선택하거나 시간을 선택할 수 있다.

선택 사항에서 산점도에서 케이스 레이블을 지정하기 위한 변수를 선택할 수 있다. 산점도의 각 지점에 대해 Point Selection 도구를 사용하여 Case Label 변수의 값을 표시할 수 있다.

예측값, 잔차, 예측 구간을 새 변수로 저장하려면 저장을 클릭하여 저장할 수 있다. 방정식에 상수를 포함할 수 있다. 회귀 방정식에서 상수 항을 추정할 수 있다. 상수는 기본적으로 포함한다.

플롯 모델을 제공한다. 종속 변수의 값과 선택된 각 모델을 독립 변수에 대해 플롯할 수 있다. 각 종속 변수에 대해 별도의 차트가 생성된다.

ANOVA 표를 생성할 수 있다. 선택한 각 모델에 대한 요약 분산 분석 표를 표시할 수 있다.

3.4.3. 곡선 추정 모형 설명

모형 이름인 MOD_7은 다양한 방정식을 사용하여 세 가지 종속변수(exp_read, science score, ln_read)와 독립변수(writing score) 간의 관계를 설명하는 모형이다. 각 방정식은 다양한 형태로 독립변수와 종속변수 간의 관계를 설명하며, 상수항을 포함한다.

[표 13] 모형 설명

모형 설명		
모형 이름		MOD_7
종속변수	1	exp_read
	2	science score
	3	ln_read
방정식	1	선형
	2	로그
	3	역
	4	이차
	5	삼차
	6	복합a
	7	거듭제곱a
	8	Sa
	9	성장a
	10	지수a
	11	로지스틱a
독립변수		writing score
상수항		포함됨
해당 값이 도표에서 관측값을 설명하는 변수		지정되지 않음
방정식의 항 입력에 대한 공차		.0001
a. 모형에 결측이 아닌 모든 값이 양수이어야 합니다.		

방정식의 형태는 다음과 같다.

1) 선형(Linear)은 직선의 형태로 관계를 설명한다. 2) 로그(Logarithmic)는 독립변수에 로그 변환을 적용한 형태다. 3) 역(Inverse)은 독립변수의 역수를 사용하는 형태다. 4) 이차(Quadratic)는 독립변수의 제곱항을 포함하는 형태다. 5) 삼차(Cubic)는 독립변수의 세제곱항을 포함하는 형태다. 6) 복합(Complex)a는 복잡한 형태의 방정식이다. 7) 거듭제곱(Power)a는 거듭제곱 형태의 방정식이다. 8) S(Special)a는 특정 형태의 복합 방정식이다. 9) 성장(Growth)a는 성장 곡선을 나타내는 방정식이다. 10) 지수(Exponential)a는 지수함수를 사용하는 형태다. 11) 로지스틱(Logistic)a는 로지스틱 함수를 사용하는 형태다.

이 모형은 결측이 아닌 모든 값이 양수이어야 하며, 방정식 항 입력에 대한 공차는 0.0001로 설정되어 있다. 이로 인해 매우 작은 변동도 감지할 수 있다.

3.4.4. 곡선 추정 변수 처리 요약

MOD_7은 다양한 방정식을 사용하여 독립변수와 종속변수 간의 관계를 설명하는 분석 모델이다. 이 모델에서는 세 가지 종속변수와 한 가지 독립변수를 사용한다. 이 분석의 주요 목적은 쓰기 점수(writing score)가 읽기 점수(exp_read, ln_read)와 과학 점수(science score)에 어떻게 영향을 미치는지를 다양한 방정식을 통해 파악하는 것이다.

[표 14] 곡선 추정 변수 처리 요약

변수 처리 요약				
	변수			
	종속			독립
	exp_read	science score	ln_read	writing score
양수값의 수	200	200	200	200
0의 수	0	0	0	0
음수값의 수	0	0	0	0
결측값 수 / 사용자 결측	0	0	0	0
결측값 수 / 시스템 결측	0	0	0	0

1) 종속변수 (Dependent Variables)로는 exp_read(지수 읽기 점수의 지수변환, exponential reading score), science score(과학 점수), ln_read(읽기 점수의 로그 변환, logarithmic reading score)

2) 독립변수 (Independent Variable)에는 writing score(쓰기 점수)가 있다.

3) 데이터 요약에서 모든 변수의 양수값은 200개로, 데이터셋에서 모든 값이 양수다. 모든 변수에서 0의 값은 없다. 모든 변수에서 음수값은 없다. 결측값 수에서 사용자 결측 (User Missing) 값 없음, 시스템 결측 (System Missing) 값 없음을 보여준다.

3.4.5. 곡선 추정 모형 요약 및 모수 추정값

이 분석의 목적은 다양한 방정식을 사용하여 쓰기 점수 (writing score)와 읽기 점수 (exp_read) 간의 관계를 평가하는 것이다. 각 방정식의 적합성을 평가하고, 최적의 모델을 찾아내고자 한다. 쓰기 점수와 읽기 점수 간의 관계를 이해한다. 다양한 방정식을 통해 가장 적합한 모델을 찾아낸다. 적합한 모델을 사용하여 정확한 예측을 제공한다.

[표 15] 모형 요약 및 모수 추정값

모형 요약 및 모수 추정값									
종속변수: exp_read									
방정식	모형 요약					모수 추정값			
	R 제곱	F	자유도 1	자유도 2	유의 확률	상수항	b1	b2	b3
선형	.002	.443	1	198	.507	-1.693E+30	4.919E+28		
로그	.002	.446	1	198	.505	-8.644E+30	2.418E+30		
역	.002	.431	1	198	.512	3.102E+30	-1.118E+32		
이차	.002	.231	2	197	.794	-4.462E+30	1.630E+29	-1.127E+27	
삼차	.002	.239	2	197	.788	-4.234E+30	1.279E+29	0.000	-1.004E+25
복합	.325	95.509	1	198	.000	7.264E+8	1.815		
거듭제곱	.316	91.367	1	198	.000	1.757E-27	28.735		
S	.299	84.511	1	198	.000	77.730	-1315.826		
성장	.325	95.509	1	198	.000	20.404	0.596		
지수	.325	95.509	1	198	.000	7.264E+8	0.596		
로지스틱	.325	95.509	1	198	.000	1.377E-09	0.551		
독립변수는 writing score입니다.									

모형 요약 결과를 통해, 복합 방정식 (Complex), 성장 방정식 (Growth), 지수 방정식 (Exponential), 로지스틱 방정식 (Logistic)이 가장 높은 R^2 값을 나타내며, 통계적으로 유의미한 관계를 보여준다. 이러한 방정식을 바탕으로 쓰기 점수와 읽기 점수 간의 관계를 심도 있게 이해하고, 분석에 활용할 수 있다.

3.4.6. 곡선 추정

그래프 설명하면, 이 그래프는 exp_read (읽기 점수)를 종속변수로 하고 writing score (쓰기 점수)를 독립변수로 하여 다양한 방정식 모델을 시각화한 것이다. 그래프에는 관측값과 여러 가지 방정식 모델 (선형, 로그, 역, 이차, 삼차, 복합, 거듭제곱, S, 성장, 지수, 로지스틱)들이 표시되어 있다.

1) exp_read (읽기 점수)

그래프에서 관측값 (Observed Values)은 그래프의 점들로 표시된다. 방정식 모델 (Equation Models)은 그래프에서 다양한 선으로 표시되며, 각 모델이 exp_read와 writing score 간의 관계를 어떻게 설명하는지 나타낸다.

주요 관찰사항으로 데이터 분포로 대부분의 관측값은 y축에서 매우 낮은 값에 몰려 있다. 이는 exp_read 값이 특정 범위 내에서 매우 낮게 나타나는 경향을 보여준다. 특이값 (Outliers)으로 두 개의 매우 큰 값이 존재한다. 이러한 특이값은 분석 결과에 큰 영향을 미칠 수 있다. 모델 적합성에서 복합, 성장, 지수, 로지스틱 모델은 다른 모델에 비해 더 나은 적합성을 보이는 것으로 보인다. 이는 앞서 제공된 R^2 값이 높다는 점에서 일관된 결과이다. 반면에, 선형, 로그,

역, 이차, 삼차 모델은 관측값을 잘 설명하지 못하는 것으로 보인다. 이는 그래프 상에서 대부분의 데이터가 하위에 몰려 있고, 모델이 그 데이터를 잘 따르지 않는 것을 의미한다.

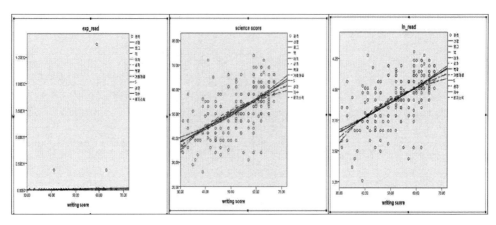

[그림 15] 곡선 추정 시각화

2) science score (과학 성취도)

이 그래프는 science score (과학 성취도)를 종속변수로 하고 writing score (쓰기 성취도)를 독립변수로 하여 다양한 방정식 모델을 시각화한 것이다. 그래프에는 관측값과 여러 가지 방정식 모델 (선형, 로그, 역, 이차, 삼차, 복합, 거듭제곱, S, 성장, 지수, 로지스틱)들이 표시되어 있다.

방정식 모델 (Equation Models)은 그래프에서 다양한 선으로 표시되며, 각 모델이 science score와 writing score 간의 관계를 어떻게 설명하는지 나타낸다.

주요 관찰사항으로 데이터 분포에서 관측값들은 대체로 writing score가 증가함에 따라 science score도 증가하는 경향을 보인다. 이는 두 변수 간의 양의 상관관계를 시사한다. 모델 적합성에서 선형, 로그, 이차, 삼차, 복합, 거듭제곱, S, 성장, 지수, 로지스틱 모델 모두 관측값의 경향을 비교적 잘 따라가고 있다. 여러 모델이 서로 비슷한 경향을 보이며, 데이터의 분포를 잘 설명하는 것처럼 보인다.

그래프를 통해, 쓰기 성취도와 과학 성취도 간의 관계가 여러 모델에서 일관되게 나타나며, 대체로 긍정적인 상관관계를 보인다. 다양한 방정식 모델이 데이터를 잘 설명하는 것으로 보이며, 특히 선형 모델을 포함한 대부분의 모델이 데이터의 경향을 잘 따르고 있다.

추가 분석을 제안하면, 모형 적합성 비교에서 모델의 적합성을 평가하기 위해 R^2 값과 F-통계량 등을 비교하여 최적의 모델을 선택한다. 추가 변수 고려에서 과학 성취도에 영향을 미칠 수 있는 다른 잠재적인 변수들을 고려하여 분석을 확장할 수 있다. 잔차 분석에서 각 모델의 잔차를 분석하여 모델의 적합성을 더 정밀하게 평가한다.

3) ln_read (로그 변환된 읽기 성취도)

이 그래프는 ln_read (로그 변환된 읽기 성취도)를 종속변수로 하고 writing score (쓰기 성취도)를 독립변수로 하여 다양한 방정식 모델을 시각화한 것이다. 그래프에는 관측값과 여러 가지 방정식 모델 (선형, 로그, 역, 이차, 삼차, 복합, 거듭제곱, S, 성장, 지수, 로지스틱)들이 표시되어 있다.

방정식 모델 (Equation Models)은 그래프에서 다양한 선으로 표시되며, 각 모델이 ln_read와 writing score 간의 관계를 어떻게 설명하는지 나타낸다.

주요 관찰사항은 데이터 분포에서 관측값들은 대체로 writing score가 증가함에 따라 ln_read도 증가하는 경향을 보인다. 이는 두 변수 간의 양의 상관관계를 시사한다. 모델 적합성에서 선형, 로그, 이차, 삼차, 복합, 거듭제곱, S, 성장, 지수, 로지스틱 모델 모두 관측값의 경향을 비교적 잘 따라가고 있다. 또한, 여러 모델이 서로 비슷한 경향을 보이며, 데이터의 분포를 잘 설명하는 것처럼 보인다.

그래프를 통해, 쓰기 성취도와 로그 변환된 읽기 성취도 간의 관계가 여러 모델에서 일관되게 나타나며, 대체로 긍정적인 상관관계를 보인다. 다양한 방정식 모델이 데이터를 잘 설명하는 것으로 보이며, 특히 선형 모델을 포함한 대부분의 모델이 데이터의 경향을 잘 따르고 있다.

< 커브 추정 발견 에피소드 >

제국의 부흥과 몰락 – 역사가들은 인구 증가나 경제 지표와 같은 역사적 추세를 분석하기 위해 곡선 추정을 사용했다. 연구자들은 역사적 데이터에 곡선을 맞춤으로써 급속한 성장, 침체 또는 쇠퇴 기간을 식별할 수 있다. 이 접근 방식은 제국의 흥망성쇠, 경제 정책의 영향, 장기적인 사회적 변화를 이해하는 데 도움이 되었다.

약물 투여량 및 환자 반응 – 의학 연구에서 곡선 추정은 최적의 약물 복용량을 결정하는 데 중요한 역할을 한다. 약물 복용량과 환자 반응(생물학적 마커로 측정) 간의 관계를 분석함으로써 연구자들은 부작용을 최소화하면서 가장 효과적인 복용량을 추정할 수 있다. 이 기술은 치료 계획이 개별 환자 반응에 맞게 조정되는 개인화된 의학 접근 방식으로 이어졌다.

3.5. 편최소제곱 (Partial Least Squares)

편(부분) 최소 제곱법(PLS)은 원본 데이터 대신 상관 관계가 없는 성분 집합으로 예측 변수를 줄이고 이러한 성분에서 최소 제곱법을 수행하는 방법이다. 부분 최소 제곱법은 예측 변수가 매우 공선적이거나 예측 변수의 수가 관측치의 수보다 많으며 범용 최소 제곱법에서 계수를 생성하지 못하거나 표준 오차가 높은 계수를 생성할 경우에 특히 유용하다. 즉, 다중공선성이 있는 데이터를 처리하는 데 사용한다. 주성분 분석과 회귀분석을 결합한 방법이다. 예를 들면, 유전자 데이터와 같은 고차원 데이터를 분석하여 유전자 발현 수준이 질병과 어떤 관련이 있는지 분석하는 경우에 활용할 수 있다.

부분 최소 제곱(PLS) 회귀는 주성분 회귀(principal components regression)와 어느 정도 관련이 있는 통계적 방법이다. 반응과 독립 변수 사이의 최대분산의 초평면(hyperplanes of maximum variance)을 찾는 대신 예측 변수와 관찰 변수를 새로운 공간에 투영하여 선형 회귀 모델을 찾는다. X와 Y 데이터가 모두 새로운 공간에 투영되므로 PLS 계열의 방법은 쌍선형 요인 모델이라고 한다. 부분 최소 제곱 판별 분석(PLS-DA, Partial least squares discriminant analysis)은 Y가 범주형일 때 사용되는 변형이다.

PLS는 두 행렬(X와 Y) 사이의 기본 관계를 찾는 데 사용한다. 즉, 이 두 공간에서 공분산 구조를 모델링하는 잠재 변수 접근 방식(latent variableapproach)이다. PLS 모델은 Y 공간에서 최대 다차원 분산 방향을 설명하는 X 공간의 다차원 방향을 찾으려고 한다. PLS 회귀는 예측 변수 행렬에 관측치보다 많은 변수가 있고, X값 사이에 다중공선성(multicollinearity)이 있는 경우에 특히 적합하다. 반면, 표준 회귀는 이러한 경우에 실패한다. 즉, 정규화되지 않은 경우이므로.

부분 최소 제곱법은 스웨덴 통계학자 Herman OA Wold가 도입한 것으로, 그는 아들 Svante Wold와 함께 이를 개발했다. PLS의 대체 용어는 잠재 구조에 대한 투영이지만, 부분 최소 제곱법이라는 용어는 여전히 많은 분야에서 지배적으로 사용된다. 원래 응용 분야는 사회 과학이었지만 PLS 회귀는 오늘날 화학계량학(chemometrics) 및 관련 분야에서 가장 널리 사용한다. 또한 생물정보학(bioinformatics), 센서메트릭스(sensometrics), 신경과학(neuroscience) 및 인류학(anthropology)에서도 사용한다.

PLS에서는 다중 회귀 분석과 달리 예측 변수가 고정되어 있다고 가정하지 않는다. 즉, 예측 변수를 측정할 때 오류가 발생할 수 있지만 불확실성을 측정하는 데 더 로버스트하다.

3.5.1. 핵심 개념

부분 최소 제곱법(PLS) 회귀는 독립 변수 집합 $\vec{X}$ 그리고 종속변수들의 집합 $\vec{Y}$ 간의 관계를 모델링하는 데 사용되는 기술이다. 간단히 설명하면, 다음과 같다.

1) 목표

PLS는 방향 또는 $\vec{p_j}$ for $\vec{X}$ 와 $\vec{q_j}$ for $\vec{Y}$ 로딩 벡터(loading vector)을 찾는다. 방향은 $\vec{X}$와 $\vec{Y}$의 투영 사이의 공분산을 최대화한다. 이런 방향성은 $\vec{X}$와 $\vec{Y}$의 공유된 정보를 포착한다.

2) 반복적 프로세스

PLS는 반복 작업을 통해 다음 방향을 찾는다.

1단계: $j = 1$에서 시작한다.

공분산 최대화하기: 공분산 $Cov(\vec{p_1}^\top \vec{X}, \vec{q_1}^\top \vec{Y})$를 최대화하기 위해서 $\vec{p_1}$ and $\vec{q_1}$을 찾는다.

정규화 하기: $\vec{p_1}$ and $\vec{q_1}$ 정규화되고나서 크기보다는 방향에 초점을 맞추기 위해 단위 길이를 가지게 된다.

3) 행렬 표기법의 알고리즘

실제로 PLS는 종종 행렬 연산을 사용하여 설명한다.

$\vec{t_1} = \vec{X}\vec{p_1}$ and $\vec{u_1} = \vec{Y}\vec{q_1}$ 은 각각 $\vec{p_1}$ and $\vec{q_1}$ 방향에서 $\vec{X}$와 $\vec{Y}$의 점수들이다.

$\vec{X}$와 $\vec{Y}$를 업데이트한다. $\vec{t_1}$ and $\vec{u_1}$ 에 대한 투영을 제거함으로 $\vec{X}$와 $\vec{Y}$ 수축시킨다.

$\vec{p_2}$ and $\vec{q_2}$를 찾기 위해서 이 과정을 반복한다.

4) 응용 프로그램

PLS는 데이터 세트를 처리할 때 유용하다. $\vec{X}$와 $\vec{Y}$가 높은 차원성과 잠재적 공선성을 가지고 있어야 한다. 주성분 분석(PCA)과 다중 회귀의 특징을 결합하여 많은 상호 연관된 변수가 있는 상황을 처리할 수 있다.

본질적으로 PLS는 두 가지 $\vec{X}$와 $\vec{Y}$ 모두의 방향을 식별한다. 이들 방향은 그들의 관계에 대해 가장 많은 정보를 제공하는 공간이므로 다변량 분석과 예측 모델링에 강력한 도구가 된다.

3.5.2. 부분 최소 제곱법(PLS) 설치

SPSS에서 PLS를 설치하기 위한 과정은 복잡하다. 그러므로 아래 주소를 따라서 설치하여야 한다.

1) 설치 링크

https://spss.datasolution.kr/Artyboard/mboardSPSS.asp?exec=view&strBoard
ID=BOARD_PATCH&intPage=3&intCategory=0&strSearchCategory=|s_name|s_subject
|&strSearchWord=&intSeq=12115

https://spss.datasolution.kr/Artyboard/mboardSPSS.asp?exec=view&strBoard
ID=BOARD_PATCH&intPage=3&intCategory=0&strSearchCategory=|s_name|s_subject
|&strSearchWord=&intSeq=12100

2) 사용분야

PLS는 주로 화학, 약품, 식품 및 플라스틱 산업에 사용한다. PLS는 서로 상관 관계를 갖고 있는 많은 변수가 포함되는 분야 또는 화학 성분 또는 기타 물리 화학 속성 사이의 관계를 모형화하는 데 일반적으로 사용한다. PLS에서는 예측 모형을 개발하는 데 중요성을 부여한다. 따라서 PLS는 대부분 반응을 설명하는 데 유용하지 않은 변수를 제거하는 데 사용하지 않는다.

3) 비선형 반복 부분 최소 제곱 알고리즘

PLS를 수행하기 위해 Herman Wold가 개발한 비선형 반복 부분 최소 제곱 알고리즘을 사용한다. 이 알고리즘에서는 예측 변수와 반응 변수 간의 최대 상관을 설명하는 일련의 성분을 추출하기 위해 주성분 분석과 유사한 기술을 사용하여 예측 변수의 수를 줄인다.

PLS는 예측 변수만큼 성분을 계산할 수 있다. 때로 교차 검증을 사용하여 뛰어난 예측 능력을 제공하는 더 작은 성분 집합을 식별한다. 가능한 모든 성분을 계산할 경우 결과 모형은 최소 제곱법을 사용하여 얻는 모형과 같다.

PLS에서는 예측 변수와 예측 변수 및 반응 사이에서 분산을 얼마나 잘 설명하는지 근거로 성분을 선택한다. 예측 변수가 깊은 상관 관계를 갖고 있거나, 적은 수의 성분으로 완벽하게 반응을 모형화할 경우 PLS 모형의 성분 수가 예측 변수 수보다 훨씬 적을 수 있다. 그런 다음 상관 관계가 없는 성분에 대해 최소 제곱법을 수행한다.

최소 제곱법과 달리 PLS는 단일 모형에 여러 반응 변수를 적합시킬 수 있다. PLS 회귀 분석은 여러 반응 변수를 단일 모형에 적합시킨다. PLS 회귀 분석은 다변량 방식으로 반응 변수들을 모형화하기 때문에 결과는 반응 변수를 개별적으로 고려하여 계산한 것과 크게 다를 수 있다. 반응 간에 상관 관계가 없는 경우에만 여러 반응값을 모형화해야 한다.

< 커브 추정 발견 에피소드 >

기후 변화 예측 - 기후 과학자들은 곡선 추정을 사용하여 온실 가스 농도와 지구 온도 간의 관계를 모델링한다. 이러한 모델은 미래 기후 시나리오를 예측하고 정책 결정을 알리는 데 중요하다. 연구자들은 과거 데이터를 분석하고 해양 순환과 같은 복잡한 요소를 통합함으로써 인간 활동이 지구 기후에 미치는 잠재적 영향을 추정할 수 있다.

학습 곡선 이해 - 심리학자들은 곡선 추정을 사용하여 인간의 학습 과정을 탐구했다. 시간 경과에 따른 학습 성과에 대한 데이터에 곡선을 맞추면 연구자들은 빠른 초기 진전 후 평탄화 또는 점진적 개선과 같은 학습의 여러 단계를 식별할 수 있다. 이러한 지식은 교육에 적용되며, 교육 방법을 조정하여 다양한 기술에 대한 학습 곡선을 최적화할 수 있다.

시장 동향 파악 - 금융과 경제학에서 곡선 추정은 시장 동향을 분석하고 미래 가격을 예측하는 데 사용한다. 연구자는 주가, 환율 또는 기타 경제 지표에 대한 과거 데이터에 곡선을 맞춤으로써 패턴과 잠재적 전환점을 식별할 수 있다. 그러나 시장은 본질적으로 예측할 수 없는 복잡한 시스템이기 때문에 이 접근 방식의 한계를 인정하는 것이 중요하다 .

주식 시장 동향 및 시장 붕괴 - 재무 분석가는 곡선 추정을 사용하여 과거 주식 시장 데이터를 분석하고 기본 추세를 파악한다. 미래를 예측하는 것은 불가능하지만 곡선 추정은 가격 움직임과 변동성의 패턴을 보여줄 수 있다. 예상 곡선과의 편차를 파악하면 잠재적인 시장 거품이나 폭락을 나타낼 수 있으므로 투자자는 정보에 입각한 결정을 내릴 수 있다.

종 풍부도와 서식지 손실 - 생태학자들은 곡선 추정을 사용하여 서식지 감소와 종 풍부도 간의 관계를 모델링한다. 곡선을 개체군 데이터에 맞추면 삼림 벌채, 오염 및 기타 환경 변화가 다양한 종에 미치는 영향을 평가할 수 있다. 곡선 추정은 종 개체군이 급격히 감소하는 중요한 서식지 임계값을 식별하는 데 도움이 되어 보존 노력에 정보를 제공할 수 있다.

3.5. 로짓분석과 프로빗 회귀

3.5.1. 이분형 로지스틱 회귀

이분형 로지스틱 회귀 (Binary Logistic Regression)은 종속 변수가 이분형 예를 들면, 성공/실패일 때 사용한다. 사건의 발생 확률을 예측한다. 고객이 제품을 구매할 확률을 예측하기 위해 고객의 나이, 소득, 성별 등을 사용하는 경우에 해당한다.

3.5.2. 다항 로지스틱 회귀

다항 로지스틱 회귀 (Multinomial Logistic Regression)은 종속 변수가 세 개 이상의 범주를 가질 때 사용한다. 각 범주에 속할 확률을 예측한다. 예를 들면, 고객의 만족도를 매우 불만족, 불만족, 만족, 매우 만족으로 예측하는 경우에 사용한다.

3.5.3. 순서형 로지스틱 회귀

순서형 로지스틱 회귀 (Ordinal Logistic Regression)은 종속 변수가 순서형 예를 들면, 순위일 때 사용한다. 각 순위에 속할 확률을 예측한다. 예를 들면, 고객 리뷰를 1~5점으로 예측하는 경우에 사용한다.

3.5.4. 프로빗 회귀

프로빗 회귀 (Probit Regression)는 로지스틱 회귀와 유사하지만, 정규 분포를 가정하여 사건의 발생 확률을 모델링한다. 예를 들면, 신용카드 승인 여부를 예측하기 위해 고객의 신용 점수, 소득 등을 사용하는 경우에 해당한다.

이런 부분을 활용하여 머신러닝의 이상 탐지(Anomaly Detection) 기술에 활용하고 있다. 이 이상치 탐지는 데이터 분석에서 중요한 주제로 정상적인 데이터 패턴과 크게 벗어나는 항목이나 이벤트를 식별하는 과정으로, 다양한 도메인에서 적용되고 있다.

3.5.5. 이상 탐지(Anomaly Detection)

이상 탐지(Anomaly Detection)란 대부분의 데이터와 크게 벗어나고 정상적인 동작 패턴과 부합하지 않는 드문 항목, 이벤트, 또는 관찰을 식별하는 것을 의미한다. 이러한 이상 항목은 데이터의 나머지 부분과 일치하지 않으며, 다른 메커니즘에 의해 생성되었을 가능성을 시사한다.

이상 탐지는 여러 분야에서 중요한 역할을 한다. 사이버 보안의 네트워크 침입, 악성 소프트웨어 탐지, 의료의 질병 진단, 이상 생체 신호 탐지, 금융의 사기 거래 탐지, 제조의 장비 고장 예측, 통계 및 머신 러닝의 모델의 정확성 향상 및 데이터 정화에 사용한다.

이상 탐지 기술은 크게 세 가지 범주로 먼저, 지도 학습 기반 이상 탐지는 정상과 비정상으로 레이블이 지정된 데이터 세트를 사용하여 분류기를 훈련한다. 그러나 레이블이 지정된 데이터가 부족하고, 클래스 간의 불균형으로 인해 이상 탐지에 자주 사용되지는 않는다. 둘째, 반지도 학습 기반 이상 탐지는 데이터의 일부에 레이블이 지정되어 있다고 가정한다. 주로 정상 데이터로 모델을 학습시키고, 테스트 데이터가 이 모델에서 벗어나는지 여부를 평가한다. 셋째, 비지도 학습 기반 이상 탐지는 데이터에 레이블이 없다고 가정하고, 주로 클러스터링이나 통계적 방법을 사용하여 이상치를 식별한다. 이 접근법은 가장 일반적이며 다양한 응용 분야에서 사용한다.

< 이상 탐지 발견 에피소드 >

예상 패턴에서 크게 벗어나는 데이터 포인트를 식별하는 기술인 이상 탐지는 놀라운 발견과 중요한 개입으로 이어질 수 있다. 숨겨진 위협과 불규칙성을 밝혀내는 능력을 보여주는 예는 다음과 같다.

천문학적 이상 현상 포착 - 천문학자들은 망원경에서 수집한 방대한 데이터 세트를 분석하기 위해 이상 탐지 알고리즘을 사용한다. 이 알고리즘은 빛 곡선의 비정상적인 깜빡임, 물체 궤적의 갑작스러운 변화 또는 예상치 못한 에너지 시그니처를 표시한다. 이러한 발견은 빠른 전파 폭발 및 현재의 항성 모델을 무시하는 특성을 가진 "불가능한" 별과 같은 이전에 알려지지 않은 천체를 식별하는 데 이르렀다.

장비 고장 식별 - 제조 회사는 이상 탐지를 사용하여 기계 및 장비의 센서 데이터를 모니터링한다. 진동 패턴, 온도 판독 및 전력 소비 를 분석하여 이상 탐지 알고리즘은 치명적인 고장을 일으키기 전에 잠재적인 장비 오작동을 표시할 수 있다. 이를 통해 생산 중단, 비용이 많이 드는 수리 및 안전 위험을 방지하는 데 도움이 된다. 가장 일반적인 이상 탐지 기법을 사용하고 있는 분야 중의 하나이다.

4. t-검정

4.1. t-검정 종류

평균 비교에서 평균 분석, 일표본 T검정, 독립표본 T검정, 요약 독립표본 T검정, 대응표본 T검정, 일원배치 분산분석 등의 메뉴가 있다.

평균 비교는 통계학에서 중요한 개념으로, 여러 가지 방법을 통해 두 개 이상의 집단 간 평균 차이를 분석할 수 있다. 여기서는 평균 분석, 일표본 t-검정, 독립표본 t-검정, 요약 독립표본 t-검정, 대응표본 t-검정, 일원배치 분산분석 (ANOVA) 등의 방법을 설명하고, 예를 들어 차이점을 비교하겠다.

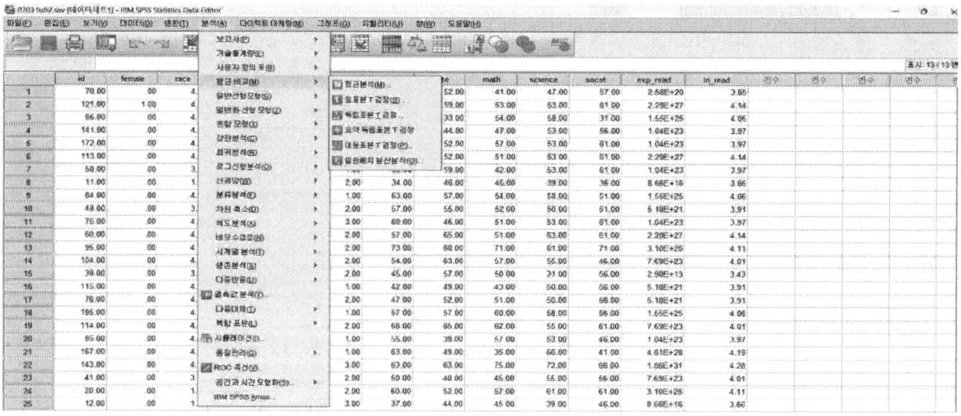

[그림 16] 평균비교 분석

1) 평균 분석 (Descriptive Analysis)

평균 분석은 데이터의 중심 경향성을 파악하기 위한 기본적인 통계 방법으로, 주로 평균, 중앙값, 표준편차, 최소값, 최대값 등의 통계량을 계산하여 데이터를 요약한다.

예를 들면, 한 학교의 10학년 학생들의 수학 점수를 분석한다. 평균 점수는 75점, 표준편차는 10점, 최소 점수는 50점, 최대 점수는 95점이다.

2) 일표본 t-검정 (One-sample t-test)

일표본 t-검정은 한 집단의 평균을 특정 값 또는 주로 모집단 평균과 비교하는 방법이다.

예를 들면, 한 학교의 수학 점수가 전국 평균인 70점과 다른지 확인한다. 30명의 학생의 평균 점수가 75점일 때,
- 귀무가설 (H0): μ = 70
- 대립가설 (H1): $\mu \neq 70$

3) 독립표본 t-검정 (Independent two-sample t-test)
독립표본 t-검정은 두 독립된 집단의 평균을 비교하는 방법이다. 두 집단의 평균이 통계적으로 유의미한 차이가 있는지 검정한다.
예를 들면, 두 개의 다른 학급의 수학 점수를 비교한다. A 학급의 평균 점수는 78점, B 학급의 평균 점수는 72점이다.
- 귀무가설 (H0): $\mu A = \mu B$
- 대립가설 (H1): $\mu A \neq \mu B$

4) 요약 독립표본 t-검정 (Summary Independent t-test)
요약 독립표본 t-검정은 표본의 평균과 표준편차 등의 요약 통계량을 이용하여 두 독립 집단의 평균을 비교하는 방법이다.
예를 들면, A 학급의 요약 통계량은 평균 = 78, 표준편차 = 10, n = 30, B 학급의 요약 통계량은 평균 = 72, 표준편차 = 12, n = 30이다.
- 귀무가설 (H0): $\mu A = \mu B$
- 대립가설 (H1): $\mu A \neq \mu B$

5) 대응표본 t-검정 (Paired sample t-test)
대응표본 t-검정은 동일한 피험자 집단에서 두 번 측정된 데이터의 평균 차이를 비교하는 방법이다.
예를 들면, 학생들이 새로운 교육 프로그램을 도입하기 전과 후의 수학 점수를 비교한다. 전후 평균 점수의 차이가 있는지 확인한다.
- 귀무가설 (H0): $\mu D = 0$ (전후 점수 차이의 평균이 0)
- 대립가설 (H1): $\mu D \neq 0$ (전후 점수 차이의 평균이 0이 아님)

6) 일원배치 분산분석 (One-way ANOVA)
일원배치 분산분석은 세 개 이상의 집단 간 평균 차이를 검정하는 방법이다. ANOVA는 집단 간 변동과 집단 내 변동을 비교하여 집단 간 평균 차이가 유의미한지 확인한다.
예를 들면, 세 개의 학급(A, B, C)의 수학 점수를 비교한다.
- 귀무가설 (H0): $\mu A = \mu B = \mu C$

- 대립가설 (H1): 적어도 하나의 학급 평균이 다른 학급과 다르다

즉, 차이점을 보면, 평균 분석에서 데이터를 요약하는 기본 통계량 계산한다. 일표본 t-검정에서 한 집단 평균과 특정 값 비교한다. 독립표본 t-검정에서 두 독립 집단 평균 비교한다. 요약 독립표본 t-검정에서 두 독립 집단의 요약 통계량을 이용한 평균 비교한다. 대응표본 t-검정에서 동일 집단에서 두 번 측정된 데이터 평균 비교한다. 일원배치 분산분석 (ANOVA)에서 세 개 이상의 집단 평균 비교한다.

각 방법은 비교 대상이 무엇인지, 데이터의 구조가 어떻게 되어 있는지에 따라 선택하여 사용한다.

4.2. 평균분석

평균분석에서 종속변수와 독립변수를 선정한다. 평균분석 옵션에서 셀 통계량 항목에서는 평균, 케이스 수, 표준편차 등을 필요에 따라 선정한다. 첫번째 레이어에 대한 통계량 항목에서 분산분석표 및 에타, 선형성 검정을 체크한다.

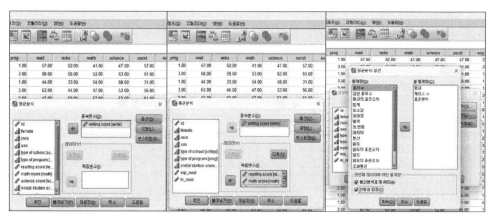

[그림 17] 평균분석

평균분석 옵션에서 다양한 통계량을 선택하고, 추가적으로 분산분석표, 에타, 선형성 검정을 선택하여 보다 심층적인 분석을 수행할 수 있다.

1) 평균분석 옵션에서 선택 가능한 통계량
평균 (Mean)으로 이는 데이터의 중심 경향성을 나타내는 값으로, 데이터의 합

을 데이터의 개수로 나눈 값이다. 케이스 수 (N, Case count)로 이는 표본의 크기, 즉 데이터의 개수를 의미한다. 표준편차 (Standard Deviation)로 이는 데이터의 분산도를 나타내는 값으로, 데이터가 평균으로부터 얼마나 떨어져 있는지를 보여준다.

2) 분산분석표 (Descriptives Table)

분산 분석표는 선택된 통계량들을 표 형태로 정리하여 각 변수에 대한 요약 정보를 제공한다. 평균, 표준편차, 최소값, 최대값, 케이스 수 등의 정보가 포함된다.

3) 에타 (Eta)

에타는 범주형 변수와 연속형 변수 간의 관계를 나타내는 효과 크기 지표다. 주로 일원배치 분산분석(ANOVA)에서 사용되며, 독립변수가 종속변수에 미치는 영향을 측정한다. 값이 0에서 1 사이에 있으며, 값이 클수록 독립변수가 종속변수에 미치는 영향이 크다.

4) 선형성 검정 (Test of Linearity)

선형성 검정은 두 변수 간의 관계가 선형적인지 여부를 확인하는 검정이다. 두 변수 간의 관계가 직선 형태를 따르는지 확인하여 회귀 분석 등의 가정을 검토할 수 있다.

4.2.1. 평균분석 케이스 처리 요약

케이스 처리 요약은 분석에 포함된 데이터와 제외된 데이터를 요약하여 보여주는 표다. 이 요약표는 각 변수 쌍에 대해 분석에 사용된 데이터 포인트의 수(N)와 비율(퍼센트)을 제공한다. 핵심적인 요소는 데이터의 완전성과 분석에 포함된 데이터의 수이다.

[표 16] 케이스 처리 요약

케이스 처리 요약						
	케이스					
	포함		제외		전체	
	N	퍼센트	N	퍼센트	N	퍼센트
writing score * reading score	200	100.0%	0	0.0%	200	100.0%
writing score * math score	200	100.0%	0	0.0%	200	100.0%
writing score * science score	200	100.0%	0	0.0%	200	100.0%

표의 구성 요소에 포함 (Included)에믐 분석에 포함된 데이터의 개수(N)와 비율(퍼센트), 제외 (Excluded)에는 분석에서 제외된 데이터의 개수(N)와 비율(퍼센트), 전체 (Total)에는 전체 데이터의 개수(N)와 비율(퍼센트)가 포함되어 있다.

모든 변수 쌍에 대해 200개의 데이터가 모두 포함되어 있으며, 제외된 데이터가 없음을 알 수 있다. 이는 데이터셋이 완전하며 결측값이 없다는 것을 의미한다. 포함된 데이터와 제외된 데이터의 비율이 100%와 0%로 나뉘어 있어, 모든 데이터가 분석에 사용되었음을 보여준다.

결측값이 없기 때문에 데이터의 신뢰성과 분석 결과의 정확도가 높아진다. 완전한 데이터는 보다 정확한 통계 분석과 신뢰할 수 있는 결론을 도출하는 데 기여한다. 모든 변수 쌍이 100%의 데이터를 포함하고 있어 추가적인 결측값 처리나 데이터 정제가 필요하지 않다.

4.2.2. 평균분석 보고서

이 보고서는 "writing score"와 "reading score" 간의 관계를 나타내는 요약 통계표다. 각 "writing score" 값에 대해 대응하는 "reading score"의 평균, 케이스 수(N), 그리고 표준편차를 제공하고 있다. 이를 통해 두 점수 간의 연관성을 분석할 수 있다.

보고서를 요약하면, 평균 (Mean)은 각 "writing score" 값에 해당하는 "reading score"의 평균을 나타낸다. N (Count)은 해당 "writing score" 값에 대한 관측치의 수를 나타낸다. 표준편차 (Standard Deviation)는 해당 "writing score" 값에 대한 "reading score"의 분산 정도를 나타낸다.

데이터를 해석하면, 각 행은 특정 "writing score" 값에 대해 "reading score"의 평균, 관측치의 수(N), 그리고 표준편차를 보여준다. 예를 들어, "writing score"가 28인 경우, "reading score"는 평균이 46.0이고 관측치의 수는 1이다. 데이터의 각 요소를 해석하고 분석에 대한 통찰을 얻을 수 있다.

관측치의 수 (N)의 경우 각 "writing score" 값에 대해 몇 개의 관측치가 있는지 보여주며, 이는 데이터의 신뢰성을 판단하는 데 유용하다. 예를 들어, 관측치가 1개인 경우 평균과 표준편차가 유의미하지 않을 수 있다.

전체적으로, "writing score"와 "reading score"의 평균은 52.775이며, 표준편차는 9.47859이다. 이는 전체 데이터의 요약 통계를 보여주며, 전체적인 경향성을 파악하는 데 도움을 준다.

예를 들면, 47점의 "writing score"에 해당하는 "reading score"의 평균이 50.6296이며, 데이터의 분산 정도를 나타내는 표준편차가 9.24516이다. 관측치의 수가 27개로 충분히 많아 통계적으로 유의미한 분석을 할 수 있다.

[표 17] 평균분석 보고서

보고서							
writing score							
reading score	평균	N	표준편차	reading score	평균	N	표준편차
28.00	46.0000	1	.	50.00	49.1667	18	10.20525
31.00	36.0000	1	.	52.00	56.0000	14	7.34847
34.00	40.6667	6	6.53197	53.00	61.0000	1	.
35.00	35.0000	1	.	54.00	63.0000	1	.
36.00	50.0000	3	6.55744	55.00	54.7692	13	8.53575
37.00	40.5000	2	4.94975	57.00	56.8571	14	6.70083
39.00	43.6250	8	9.28805	60.00	56.4444	9	6.00231
41.00	53.0000	2	8.48528	61.00	59.0000	1	.
42.00	46.0000	13	8.73689	63.00	57.0000	16	7.41170
43.00	55.5000	2	2.12132	65.00	62.5556	9	4.41902
44.00	44.9231	13	5.54469	66.00	67.0000	1	.
45.00	56.0000	2	1.41421	68.00	60.2727	11	3.13340
46.00	52.0000	1	.	71.00	65.0000	2	.00000
47.00	50.6296	27	9.24516	73.00	63.4000	5	3.36155
48.00	49.0000	1	.	76.00	57.5000	2	7.77817
전체	52.7750	200	9.47859				

4.2.3. 평균분석 분산분석표

이 분산분석표는 "writing score"와 "reading score" 간의 관계를 평가하기 위한 ANOVA (Analysis of Variance) 결과를 보여준다. 이를 통해 두 변수 간의 연관성과 선형성을 평가할 수 있다.

[표 18] 평균분석 분산분석표

분산분석표							
			제곱합	자유도	평균제곱	F	유의확률
writing score * reading score	집단-간	(결합)	7962.599	29	274.572	4.707	.000
		선형성	6367.421	1	6367.421	109.160	.000
		선형성의 편차	1595.178	28	56.971	.977	.505
	집단-내		9916.276	170	58.331		
	전체		17878.875	199			

분산분석표 구성 요소를 설명하면, 다음과 같다.

1) 제곱합

제곱합 (Sum of Squares, SS)에서 집단 간 제곱합 (Between Groups)은 집단 간 차이에서 발생하는 변동을 나타낸다. 집단 내 제곱합 (Within Groups)은 각 집단 내부의 변동을 나타낸다. 전체 제곱합 (Total)은 전체 변동을 나타낸다. 이는 집단 간 제곱합과 집단 내 제곱합의 합이다.

2) 자유도

자유도 (Degrees of Freedom, df)에서 집단 간 자유도는 일반적으로 집단의 수 - 1이다. 집단 내 자유도는 전체 관측치 수 - 집단의 수로 계산한다. 전체 자유도는 전체 관측치 수 - 1이다.

3) 평균제곱

평균제곱 (Mean Square, MS)은 제곱합을 자유도로 나눈 값이다. 집단 간 평균제곱은 집단 간 제곱합 / 집단 간 자유도, 집단 내 평균제곱은 집단 내 제곱합 / 집단 내 자유도로 계산한다.

4) F-값 (F-value)

집단 간 평균제곱을 집단 내 평균제곱으로 나눈 값이다. 이는 집단 간 변동이 집단 내 변동에 비해 얼마나 큰지를 나타낸다.

5) 유의확률 (p-value)

F-값에 해당하는 유의확률이다. 일반적으로 $p < 0.05$이면 결과가 통계적으로 유의미하다고 판단한다.

그러므로 집단 간 변동이 유의미하였다. p-value가 0.000으로 매우 작아서, "writing score"와 "reading score" 간의 집단 간 차이가 통계적으로 유의미하다. 선형성이 유의미하다. 선형성의 p-value도 0.000으로, 두 점수 간의 관계가 선형임을 강력하게 시사한다. 선형성의 편차가 유의미하지 않았다. 선형성에서 벗어난 변동은 유의미하지 않으므로, 두 변수 간의 관계가 주로 선형적임을 나타낸다.

이 분산분석표를 통해 "writing score"와 "reading score" 간의 관계가 선형적이며, 그 관계가 통계적으로 유의미하다는 결론을 내릴 수 있다.

4.2.4. 평균분석 연관성 측도

연관성 측도는 두 변수 간의 관계 강도를 평가하는 데 사용한다. 여기서 제공된 값들은 "writing score"와 "reading score" 간의 관계를 나타내며, 각 측정값의 의미는 다음과 같다.

1) R (상관계수, Correlation Coefficient)

R 값은 두 변수 간의 선형 관계의 강도와 방향을 나타낸다. R 값은 -1에서 1 사이의 값을 가지며, 1에 가까울수록 강한 양의 선형 관계를, -1에 가까울수록 강한 음의 선형 관계를 나타낸다. 0에 가까울수록 관계가 약하다. 즉, R = 0.597로 이는 "writing score"와 "reading score" 간에 중간 정도의 양의 선형 관계가 있음을 나타낸다.

[표 19] 평균분석 연관성 측도

연관성 측도				
	R	R 제곱	에타	에타 제곱
writing score * reading score	.597	.356	.667	.445

2) R 제곱 (R-squared, 결정계수)

R 제곱 값은 두 변수 간의 관계에서 설명되는 변동의 비율을 나타낸다. R 제곱 = 0.356로 이는 "writing score"의 변동 중 약 35.6%가 "reading score"에 의해 설명된다는 것을 의미한다.

3) 에타 (Eta)

에타 값은 비선형 관계까지 포함한 변수 간의 전체적인 관계를 나타낸다. 에타 값은 0에서 1 사이의 값을 가지며, 1에 가까울수록 강한 관계를 나타낸다. 에타 = 0.667로 이는 "writing score"와 "reading score" 간에 강한 비선형 관계가 있음을 나타낸다.

4) 에타 제곱 (Eta-squared)

에타 제곱 값은 에타 값의 제곱으로, 두 변수 간의 관계에서 설명되는 변동의 비율을 나타낸다. 에타 제곱 = 0.445로 이는 "writing score"의 변동 중 약 44.5%가 "reading score"에 의해 설명된다는 것을 의미한다. 이는 비선형 관계를 포함한 설명력을 나타낸다.

이 값들은 "writing score"와 "reading score" 간의 관계가 강력하며, 비선형적인 요소를 포함할 때 설명력이 더 높아진다는 것을 나타낸다. R과 R 제곱은 선형 관계의 강도를, 에타와 에타 제곱은 비선형 요소를 포함한 전체 관계의 강도를 평가하는 데 사용한다.

4.3. 일(단일) 표본 t-검정

t-검정 절차는 하나의 표본, 두 표본 및 쌍으로 된 관찰에 대해 t-검정을 수행한다. 일(단일) 표본 t-검정은 표본의 평균을 주어진 숫자 또는 사용자가 제공한 것과 비교한다.

```
T-TEST
  /TESTVAL=50
  /MISSING=ANALYSIS
  /VARIABLES=write
  /CRITERIA=CI(.95).
```

4.3.1. 단일 표본 t-검정 절차

단일 표본 t-검정은 표본의 평균을 주어진 숫자 또는 모집단의 알려진 평균과 비교한다.

예를 들면, 한 식당의 고객이 하루에 소비하는 평균 금액이 $50인지 확인하려고 한다. 30명의 고객을 랜덤으로 선택하여 하루 소비 금액을 측정했다. 이 표본의 평균 소비 금액이 $48라고 가정한다.

- 귀무가설 (H0): μ = $50 (고객의 평균 소비 금액이 $50이다)
- 대립가설 (H1): μ ≠ $50 (고객의 평균 소비 금액이 $50이 아니다)

t-검정 절차에서 1) 표본의 평균($48), 표준편차, 크기(n=30)을 계산한다. 2) t-값을 계산한다. 3) t-분포를 사용해 p-값을 계산한다. 4) p-값이 유의수준, 예를 들면 0.05보다 작으면 귀무가설을 기각한다.

[그림 18] 일표본 T 검정

일표본 t-검정 결과는 주어진 표본의 평균이 특정 값과 유의미하게 다른지를 평가하는 데 사용한다.

4.3.2. 일 표본 통계량과 검정

1) 일표본 통계량

이 표는 200개의 "writing score" 샘플의 요약 통계량을 보여준다. 평균 점수
는 52.7750이며, 표준편차는 9.47859로 나타났다. 평균의 표준오차는 0.67024이
다.

[표 20] 일표본 통계량

일표본 통계량				
	N	평균	표준편차	평균의 표준오차
writing score	200	52.7750	9.47859	.67024

```
get file "C:₩hsb2.sav".

t-test
/testval=50
variables=writing score.
```

writing score는 변수 목록이다. 위 코드의 Variable = 문에 나열된 각 변수
는 출력의 이 부분에 자체 줄이 있다.

N 항은 t-검정을 계산하는 데 사용된 유효한 즉, 누락되지 않은 관측치의 수
다.

평균 항은 변수의 평균의 나타낸다.

표준편차 항은 변수의 표준편차다.

평균의 표준오차 항은 표본 평균의 추정 표준 편차다. 크기가 200인 반복 표
본을 추출하면 표본 평균의 표준 편차가 표준 오차에 가까울 것으로 예상한다.
표본 평균 분포의 표준 편차는 표본의 표준 편차를 표본 크기의 제곱근으로 나
눈 값으로 추정한다. 9.47859/(sqrt(200)) = .67024.

4.3.3. 일 표본 통계량과 검정

이 일표본 t-검정 결과는 "writing score"의 평균이 0과 유의미하게 다르다는
것을 강하게 지지한다. 평균은 52.7750이며, 이는 0에서 유의미하게 차이가 나
는 값이다. 95% 신뢰구간도 이 차이가 통계적으로 유의미함을 뒷받침하고 있다.

단일 표본 t-검정은 모집단 평균이 사용자가 지정한 숫자와 같다는 귀무가설

을 검정한다. SPSS는 표본이 대략 정규 분포에서 나왔다는 가정 하에 t-통계량과 p-값을 계산한다.

t-검정과 관련된 p-값이 작으면 즉, 0.05가 종종 임계값으로 사용하며, 평균이 가설 값과 다르다는 증거가 있다. t-검정과 관련된 p-값이 작지 않으면(p > 0.05) 귀무가설은 기각되지 않으며 평균이 가설 값과 다르지 않다는 결론을 내릴 수 있다.

이 예에서 t-통계량은 4.140이고 자유도는 199다. 해당 양측 p-값은 .000으로 0.05보다 작다. 변수 쓰기의 평균이 50과 다르다는 결론을 내렸다.

[표 21] 일표본 검정

	검정값 = 0					
일표본 검정						
	t	자유도	유의확률 (양측)	평균차이	차이의 95% 신뢰구간	
					하한	상한
writing score	78.741	199	.000	52.77500	51.4533	54.0967

검정값 (Test Value)은 50이고, t-검정 결과 t-값 (t) 78.741, 자유도 (df) 199, 유의확률 (양측, p-value) 0.000이다. 평균차이 (Mean Difference) 52.77500, 차이의 95% 신뢰구간의 하한 (Lower) 51.4533, 상한 (Upper) 54.0967 이다. 이 t-검정 결과는 "writing score"의 평균이 50과 유의미하게 다른지 평가한다. 즉, t-값 (t) 78.741로 t-값은 표본 평균이 검정값(50)과 얼마나 다른지를 나타낸다. 이 값이 클수록 표본 평균이 검정값과 유의미하게 다름을 나타낸다. 자유도 (df) 199로 자유도는 표본의 크기에 따라 결정한다. N-1로 계산한다. 유의확률 (p-value) 0.000으로, p-value가 0.05보다 작으므로, 이 결과는 통계적으로 유의미하다. 즉, "writing score"의 평균이 50과 유의미하게 다르다.

일표본 검정 표를 설명하면, 다음과 같다.

writing score 이것은 변수를 식별한다. 변수 항에 나열된 각 변수는 출력의 이 부분에서 자체 라인을 갖는다. 변수 항이 지정되지 않은 경우 t-test는 데이터 세트의 모든 숫자 변수에 대해 t-test를 수행한다.

t 항은 이것은 스튜든트 t-통계량이다. 표본 평균과 주어진 숫자의 차이와 평균의 표준 오차의 비율이다. (52.775 - 50) / .6702372 (평균의 표준오차) = 4.1403.

평균의 표준 오차는 표본 평균의 변동성을 측정하기 때문에 평균의 표준 오차가 작을수록 표본 평균이 실제 모집단 평균에 가까울 가능성이 높다. 이는 다음

세 가지 그림으로 설명된다.4)

세 경우 모두 모집단 평균의 차이는 동일하다. 그러나 표본 평균의 변동성이 크기 때문에 두 번째 그래프에서는 두 모집단이 많이 겹친다. 따라서 차이는 우연히 발생할 수 있다.

반면, 변동성이 작은 경우에는 세 번째 그래프와 같이 차이가 더욱 명확해진다. 평균의 표준 오차가 작을수록 t-값의 크기가 커지고 따라서 p-값이 작아진다.

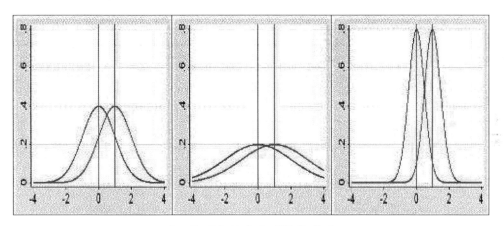

[그림 19] 모집단 평균의 차이

자유도(df) 항은 단일 표본 t-검정의 자유도는 단순히 유효한 관측치 수에서 1을 뺀 값이다. 표본에서 평균을 추정했기 때문에 자유도 1을 잃는다. 평균을 추정하기 위해 데이터의 일부 정보를 사용했기 때문에 테스트에 사용할 수 없으며 자유도가 이를 설명한다.

유의확률(양측) 항은 평균이 50이 아닌 대안에 대해 귀무를 평가하는 양측 p-값이다. 귀무가설 하에서 더 큰 t 절대값을 관찰할 확률과 같다. p-값이 미리 지정된 알파 수준 보통 .05 또는 .01보다 작으면 평균이 0과 통계적으로 유의하게 다르다는 결론을 내린다. 예를 들어, p-값은 0.05보다 작으면, 쓰기 평균이 50과 다르다고 결론을 내리게 된다.

평균 차이 항은 표본 평균과 테스트 값의 차이다.

차이의 95% 신뢰 구간 항은 평균에 대한 신뢰 구간의 하한과 상한이다. 평균에 대한 신뢰 구간은 알려지지 않은 모집단 매개변수, 이 경우 평균이 속할 수 있는 값 범위를 지정한다. 이것은 다음과 같이 주어진다.

---

4) 출처 : https://stats.oarc.ucla.edu/spss/output/t-test/

$$\overline{X} \pm t_{1 - \frac{\alpha}{2} N - 1} \frac{S}{\sqrt{N}}$$

여기서 s는 관측치의 표본 편차이고, N은 유효한 관측치의 수다. 공식의 t-값은 자유도가 N-1이고, p-값이 1 - alpha/2로 통계 책에서 계산하거나 찾을 수 있다. 여기서 알파는 신뢰 수준이고, 기본적으로 .95이다.

< t-검정 >

성별 임금 격차 - t-테스트는 성별 임금 격차를 드러내는 데 중요한 역할을 했다. 연구자들은 유사한 직업과 경력 수준에서 남성과 여성의 평균 급여를 비교함으로써 t-테스트를 사용하여 지속적인 성별 임금 차별에 대한 통계적으로 유의미한 증거를 제공했다. 이는 임금 평등과 공정한 보상 관행을 향한 노력을 촉진했다.

의학에서의 플라시보 효과 - 임상 시험은 종종 t-검정을 사용하여 새로운 약물의 효과를 위약과 비교한다. 연구자들은 약물과 위약 그룹의 평균 치료 반응을 비교하여 약물이 위약 효과를 넘어 통계적으로 유의미한 효과가 있는지 확인할 수 있다. 위약 효과는 환자가 치료를 받고 있다는 믿음으로 인해 개선을 경험하는 심리적 현상이다.

지능의 플린 효과 - 연구자들은 수십 년에 걸쳐 시행된 표준화된 지능 검사의 데이터를 분석하기 위해 t-검정을 사용했다. 그들은 세대를 거쳐 평균 점수가 지속적으로 증가하는 것을 관찰했는데, 이를 플린 효과라고 한다. t-검정은 이것이 단순한 무작위 변동이 아니라 통계적으로 유의미한 추세임을 확인하는 데 도움이 되며, 시간에 따른 인지 능력에 영향을 미치는 요인에 대한 조사를 촉구한다.

교육적 개입의 효과성 - 교육자는 t-검정을 사용하여 교육 방법과 학습 프로그램의 효과를 평가한다. 다양한 개입에 노출된 그룹의 학생들의 평균 시험 점수 또는 학습 성과를 비교함으로써 t-검정은 특정 교육 접근 방식과 관련된 통계적으로 유의미한 개선 사항을 식별할 수 있다.

4.4. 독립 표본 t-검정

평균 비교에서 평균 분석, 일표본 T검정, 독립표본 T검정, 요약 독립표본 T검정, 대응표본 T검정, 일원배치 분산분석 등의 메뉴가 있다.

독립 표본 t-검정은 두 그룹의 평균 차이를 주어진 값 또는 일반적으로 0과 비교한다. 즉, 평균 차이가 0인지 여부를 검정한다. 종속 표본 또는 쌍으로 된 t-검정은 동일한 피험자 집합에서 측정된 두 변수의 평균 차이를 주어진 숫자 (일반적으로 0)와 비교하지만, 점수가 독립적이지 않다는 사실을 고려한다.

```
T-TEST GROUPS=female(0 1)
   /MISSING=ANALYSIS
   /VARIABLES=write
   /CRITERIA=CI(.95).
```

4.4.1. 독립 표본 t-검정

독립 표본 t-검정(Independent two-sample t-test)은 두 그룹의 평균 차이를 주어진 값(일반적으로 0)과 비교한다. 예를 들면, A라는 다이어트 프로그램과 B라는 다이어트 프로그램의 효과를 비교하려고 한다. 각각의 프로그램에 20명의 참가자가 참여했고, 6주 후의 체중 감소량을 측정했다. A 프로그램의 평균 체중 감소량은 5kg, B 프로그램의 평균 체중 감소량은 3kg이다.

귀무가설 (H0): $\mu A - \mu B = 0$
(두 프로그램의 평균 체중 감소량에 차이가 없다)
대립가설 (H1): $\mu A - \mu B \neq 0$
(두 프로그램의 평균 체중 감소량에 차이가 있다)

t-검정 절차에서 1) 두 그룹의 평균, 표준편차, 크기(n=20)를 계산한다. 2) 두 표본의 t-값을 계산한다. 3) t-분포를 사용해 p-값을 계산한다. 4) p-값이 유의수준보다 작으면 귀무가설을 기각한다.

4.4.2. 독립 표본 t-검정 해석

이 t-검정은 두 그룹 간에 동일한 변수의 평균을 비교하도록 설계되었다. 여학생 그룹과 남학생 그룹 간의 평균 쓰기 점수를 비교한다. 이상적으로, 이러한 피험자들은 더 큰 피험자 모집단에서 무작위로 선택한다. 이 검정은 두 모집단의 분산이 동일하다고 가정한다. p-값에 대한 해석은 다른 유형의 t-검정과 동일하다.

이 집단통계량 표는 성별(female)에 따른 "writing score"의 통계적 특성을 보여준다. 각 성별 그룹에 대한 관측치 수(N), 평균, 표준편차, 그리고 평균의 표준오차가 포함되어 있다.

집단통계량에는 N (표본 수)로 Male (남성) 91명, Female (여성) 109이다. 평균 (Mean)은 남성 50.1209, 여성 54.9908이다. 그러므로 이 집단통계량 표를 통해 두 성별 그룹 간 "writing score"의 차이를 비교할 수 있다.

[표 22] 독립표본 t-검정 집단통계량

집단통계량					
	female	N	평균	표준편차	평균의 표준오차
writing score	male	91	50.1209	10.30516	1.08027
	female	109	54.9908	8.13372	.77907

표본 수(N)에서 남성 그룹은 91명, 여성 그룹은 109명이지만, 두 그룹의 표본 수가 비교적 비슷하지만, 여성 그룹이 더 크다. 여성의 평균 "writing score"는 54.9908점이다. 이는 여성이 남성보다 평균적으로 약 4.87점 더 높다. 남성의 표준편차는 10.30516으로, "writing score"가 평균 주변에서 더 넓게 퍼져 있다. 여성의 표준편차는 8.13372로, 남성에 비해 덜 퍼져 있다. 이는 여성 그룹이 평균 근처에 더 집중되어 있다. 여성의 평균의 표준오차는 0.77907로 이는 여성 그룹의 평균 추정치가 더 정확하다. 즉, 여성 그룹의 평균이 남성 그룹보다 높고, 표준편차도 더 작다. 이를 통해 여성 그룹의 "writing score"가 남성 그룹보다 더 높고, 평균값 주위에 더 모여 있음을 알 수 있다.

위의 표를 설명하면, 여성 항에서 이 열은 독립 변수여성의 범주를 제공한다. 이 변수는 독립 그룹 t-검정을 수행하는 데 필요하며, t-검정 그룹=문으로 지정한다.

N 항에서 이는 각 그룹의 유효한 즉, 누락되지 않은 관찰치의 수이다.

평균 항에서 독립변수의 각 수준에 대한 종속변수의 평균이다.

표준 편차 항에서 이는 독립 변수의 각 수준에 대한 종속 변수의 표준 편차이다.

평균 표준 오차 항에서 이는 평균의 표준 오차, 즉 각 관측치 수의 제곱근에 대한 표준 편차의 비율이다.

4.4.3. 독립 표본 검정

독립표본 t-검정 결과는 두 그룹의 평균 차이가 통계적으로 유의미한지 평가한다. 주어진 표는 "writing score"에 대해 남성과 여성 간의 평균 차이를 검정한 결과를 나타내며, Levene의 등분산 검정과 평균의 동일성에 대한 T 검정 결과를 포함하고 있다.

[표 23] 독립표본 검정

독립표본 검정										
		Levene의 등분산 검정		평균의 동일성에 대한 T 검정						
		F	유의확률	t	자유도	유의확률 (양측)	평균차이	차이의 표준오차	차이의 95% 신뢰구간	
									하한	상한
writing score	등분산을 가정함	11.133	.001	-3.734	198	.000	-4.870	1.304	-7.442	-2.298
	등분산을 가정하지 않음			-3.656	169.707	.000	-4.870	1.332	-7.492	-2.241

이 예에서 t-통계량은 -3.7341이며 자유도는 198이다. 해당 양측 p-값은 0.0002로 0.05보다 작다. 우리는 남성과 여성의 글쓰기 평균 차이가 0과 다르다는 결론을 내렸다.

1) Levene의 등분산 검정에서 F 11.133, 유의확률 (p-value) 0.001이다. Levene의 등분산 검정은 두 그룹의 분산이 동일한지 여부를 평가한다. p-value가 0.05보다 작기 때문에, 두 그룹의 분산이 동일하다는 가정을 기각할 수 있다. 즉, 남성과 여성 그룹 간에 분산이 다르다.

2) 평균의 동일성에 대한 T 검정
등분산을 가정한 경우에는 t -3.734, 자유도 (df) 198, 유의확률 (양측, p-value) 0.000, 평균차이 (Mean Difference) -4.86995, 차이의 표준오차 (Standard Error of Difference) 1.30419이다.
등분산을 가정하지 않은 경우에는 t -3.656, 자유도 (df) 169.707, 유의확률 (양측, p-value) 0.000, 평균차이 (Mean Difference) -4.86995, 차이의 표준오차 (Standard Error of Difference) 1.33189이다.
해석하면, 등분산을 가정한 경우, p-value가 0.05보다 작으므로, 남성과 여성의 "writing score" 평균 차이는 통계적으로 유의미하다. 평균차이에서 남성의

"writing score"가 여성보다 약 4.87점 낮다. 95% 신뢰구간에서 평균 차이는 -7.44183에서 -2.29806 사이에 있다.

등분산을 가정하지 않은 경우에는 p-value가 0.05보다 작으므로, 남성과 여성의 "writing score" 평균 차이는 통계적으로 유의미하다. 평균차이에서 남성의 "writing score"가 여성보다 약 4.87점 낮다. 95% 신뢰구간에서 평균 차이는 -7.49916에서 -2.24073 사이에 있다.

Levene의 등분산 검정 결과, 두 그룹의 분산이 다르므로 등분산을 가정하지 않는 검정 결과를 주로 참고한다. 남성의 "writing score" 평균이 여성보다 유의미하게 낮다. 평균 차이는 약 -4.87점이며, 95% 신뢰구간은 -7.49916에서 -2.24073 사이에 있다.

4.4.4. 독립 표본 검정 해석

writing score 항에서 이 열은 종속 변수를 나열한다. 예에서 종속 변수는 write 즉, 라벨이 "writing score"로 지정하였다.

등분산을 가정함과 등분산을 가정하지 않음 항에서 이 열은 평균 차이의 표준 오차를 계산하는 방법을 지정한다. 이 값을 계산하는 방법은 두 그룹의 분산에 대한 가정에 기반한다. 두 모집단이 같은 분산을 가지고 있다고 가정하면 풀링 분산 추정기라고 하는 첫 번째 방법이 사용한다. 그렇지 않고 분산이 같지 않다고 가정하면 Welch-Satterthwaite[5]의 방법이 사용한다.

F 항에서 이 열에는 Levene의 검정 통계량이 나열되어 있다. k는 그룹의 수로 가정한다. N은 총 관측치 횟수이며, N_i는 종속변수 Y_{ij}에 대한 i번째 각각 그룹의 관측치 수이다. 그러면 Levene의 검정 통계량은 다음과 같이 정의한다.

$$W = \frac{(N-k)}{(k-1)} \frac{\sum_{i=1}^{k} N_i (\overline{Z_{i.}} - \overline{Z..})^2}{\sum_{i=1}^{k} \sum_{j=1}^{N_i} (Z_{ij} - \overline{Z_{i.}})^2}$$

$$Z_{ij} = |Y_{ij} - \overline{Y_{i.}}|$$

여기서 $\overline{Y_{i.}}$는 종속변수의 평균이고, $\overline{Z_{i.}}$는 각각 i번째 그룹에 대한 Z_{ij} 평균

---

5) 통계 및 불확실성 분석에서 Welch-Satterthwaite 방정은 독립표본 분산의 선형 조합의 유효자유도 근사치를 계산하는 데 사용한다. 이를 풀링 분산에 해당하는 풀링 자유도다. 결과는 근사통계적 추론 검증을 수행하는 데 사용한다. 이 방정식의 가장 간단한 응용 프로그램은 웰치의 t-테스트를 수행하는 것이다.

을 의미한다. $\overline{Z}_{..}$는 Z_{ij}의 대평균이다.

유의수준 항에서 이것은 두 그룹이 동일한 분산을 갖는다는 귀무가설과 관련된 양측 p값이다. 우리의 예에서 확률은 0.05보다 작다. 따라서 두 그룹, 즉 여학생과 남학생의 분산이 다르다는 증거가 있다. 따라서 t-검정에 두 번째 방법 즉, Satterthwaite 분산 추정량을 사용해야 한다.

t 항에서 이는 등분산 및 이분산의 두 가지 다른 가정 하의 t-통계량이다. 이는 두 가지 다른 가정 하의 차이의 평균과 차이의 표준 오차의 비율이다. (-4.86995 / 1.30419) = -3.734, (-4.86995/1.33189) = -3.656.

자유도(df) 항에서 동일 분산을 가정할 때의 자유도는 단순히 두 표본 크기 (109와 91)의 합에서 2를 뺀 값이다. 동일하지 않은 분산을 가정할 때의 자유도는 Satterthwaite 공식을 사용하여 계산한다.

유의확률(양측) 항에서 p-값은 t 분포를 사용하여 계산된 양측 확률이다. 귀무가설 하에서 절대값이 같거나 더 큰 t-값을 관찰할 확률이다. 단측 검정의 경우 이 확률을 절반으로 줄인다. p-값이 미리 지정된 알파 수준 또는 일반적으로 0.05보다 작으면 차이가 0과 크게 다르다는 결론을 내린다. 예를 들어, 여성과 남성의 차이에 대한 p-값은 두 경우 모두 0.05 미만이므로 평균의 차이가 통계적으로 0과 유의하게 다르다는 결론을 내린다.

평균 차이 항에서 평균 간의 차이이다.

표준 오차 차이 항에서 표준 오차 차이는 표본 평균 차이의 추정 표준 편차이다. 크기 200의 반복 표본을 추출하면 표본 평균의 표준 편차가 표준 오차에 가까울 것으로 예상한다. 이는 표본 평균의 변동성에 대한 척도를 제공한다. 중심극한 정리는 표본 크기가 30 이상일 때 표본 평균이 대략 정규 분포를 따른다는 것을 알려준다. 표준 오차 차이는 두 가지 다른 가정에 따라 다르게 계산한다.

차이의 95% 신뢰 구간 항에서 이는 평균 차이에 대한 신뢰 구간의 하한과 상한이다. 평균에 대한 신뢰 구간은 알려지지 않은 모집단 매개변수, 이 경우 평균이 속할 수 있는 값 범위를 지정한다. 이는 다음과 같이 주어진다.

$$\overline{X} \pm t_{1-\frac{\alpha}{2}N-1}\frac{s}{\sqrt{N}}$$

여기서 s는 관측치의 표본 편차이고 N은 유효한 관측치의 수이다. 공식의 t-값은 자유도가 N-1이고, p-값이 1-width/2인 통계 책에서 계산하거나 찾을 수 있다. 여기서 width는 신뢰 수준이고 기본적으로 .95이다.

4.5. 대응 표본 t-검정

평균 비교에서 평균 분석, 일표본 T검정, 독립표본 T검정, 요약 독립표본 T검정, 대응표본 T검정, 일원배치 분산분석 등의 메뉴가 있다.

다른 말로 쌍으로 된 t-검정 (Paired sample t-test)이다. 쌍으로 된 t-검정은 동일한 피험자 집합에서 측정된 두 변수의 평균 차이를 비교한다. 예를 들면, 한 그룹의 학생들이 시험 전후로 같은 수학 시험을 봤다. 시험 전 점수와 시험 후 점수를 비교하여 수업의 효과를 확인하려고 한다. 예를 들어, 10명의 학생의 시험 전 평균 점수가 70점, 시험 후 평균 점수가 75점이라 가정한다.

귀무가설 (H0): $\mu D = 0$
(시험 전후 점수의 평균 차이가 없다)
대립가설 (H1): $\mu D \neq 0$
(시험 전후 점수의 평균 차이가 있다)

t-검정 절차로는 1) 각 쌍의 차이값 또는 시험 후 점수 – 시험 전 점수를 계산한다. 2) 차이값의 평균과 표준편차를 계산한다. 3) t-값을 계산한다. 4) t-분포를 사용해 p-값을 계산한다. 5) p-값이 유의수준보다 작으면 귀무가설을 기각한다.

4.5.1. 대응표본 T검정

쌍대 또는 대응표본 t-검정은 관찰치가 서로 독립적이지 않을 때 사용한다. 아래 예에서 같은 학생들이 쓰기와 읽기 시험을 모두 치렀다. 따라서 각 학생이 제공한 점수 사이에 관계가 있을 것으로 예상할 수 있다. 쌍대 t-검정은 이를 설명한다. 각 학생에 대해 본질적으로 두 변수의 값 차이를 살펴보고 이러한 차이의 평균이 0인지 테스트한다.

이 예에서 t-통계량은 0.8673이며 자유도는 199이다. 해당 양측 p-값은 0.3868로 0.05보다 크다. 쓰기와 읽기의 평균 차이가 0과 다르지 않다는 결론을 내렸다.

```
T-TEST PAIRS=read WITH write (PAIRED)
  /CRITERIA=CI(.9500)
  /MISSING=ANALYSIS.
```

4.5.2. 대응표본 T검정 통계량

대응표본 통계량 표는 동일한 집단에 대해 두 번 측정된 변수들, 여기서는 "reading score"와 "writing score")의 요약 통계량을 제공한다. 이를 통해 두 변수 간의 차이를 분석할 수 있다.

[표 24] 대응표본 통계량

대응표본 통계량					
		평균	N	표준편차	평균의 표준오차
대응 1	reading score	52.2300	200	10.25294	.72499
	writing score	52.7750	200	9.47859	.67024

대응표본 통계량을 설명하면, 평균 (Mean)은 "reading score"의 평균은 52.2300이고, "writing score"의 평균은 52.7750이다. 두 평균 간의 차이는 0.5450이다. 표준편차 (Standard Deviation)는 "reading score"의 표준편차는 10.25294로, 점수들이 평균 주변에서 넓게 퍼져 있음을 나타낸다. "writing score"의 표준편차는 9.47859로, "reading score"보다 덜 퍼져 있다. 평균의 표준오차 (Standard Error of the Mean)는 "reading score"의 표준오차는 0.72499이고, "writing score"의 표준오차는 0.67024이다. 이는 두 변수의 평균이 얼마나 정확하게 추정되었는지를 나타내며, "writing score"의 평균 추정이 약간 더 정확하다.

이제 두 평균 간의 차이가 통계적으로 유의미한지 평가하기 위해 대응표본 t-검정을 수행할 수 있다. 대응표본 t-검정은 동일한 집단에 대해 두 번 측정된 변수들의 평균 차이를 분석한다.

대응표본 t-검정 결과, "reading score"와 "writing score" 간의 평균 차이는 통계적으로 유의미하지 않았다($p\text{-value} > 0.05$). 즉, 두 점수 간의 차이가 우연에 의한 것일 가능성이 크다. 따라서 교육 프로그램이나 다른 변수를 통해 측정된 점수들이 큰 차이가 없다고 결론지을 수 있다.

4.5.3. 대응표본 T검정 상관계수

대응표본 상관계수 표는 두 변수("reading score"와 "writing score") 사이의 상관관계를 보여준다. 상관계수는 두 변수 간의 선형 관계의 강도와 방향을 나타낸다.

대응표본 상관계수를 설명하면, 상관관계를 계산한 표본 수는 200이다. 두 변수 간의 상관계수는 0.597이다. 상관계수의 값은 -1에서 1 사이에 위치하며,

0.597은 중간 정도의 양의 상관관계를 나타낸다. 즉, "reading score"가 높을수록 "writing score"도 높아지는 경향이 있다. 상관관계가 1에 가까울수록 강한 양의 상관관계를 의미하며, -1에 가까울수록 강한 음의 상관관계를 의미한다. 0에 가까울수록 상관관계가 없음을 의미한다. 유의확률은 0.000이다. p-value가 0.05보다 작으므로, 두 변수 간의 상관관계가 통계적으로 유의미하다. 이는 관찰된 상관관계가 우연에 의한 것이 아니라 실제로 존재할 가능성이 높음을 의미한다.

"reading score"와 "writing score" 간에는 중간 정도의 양의 상관관계가 있으며, 이 관계는 통계적으로 유의미하다. 이는 교육 프로그램의 성과나 학생들의 읽기와 쓰기 능력 간의 관계를 이해하는 데 중요한 인사이트를 제공한다. 이를 통해 교육자나 연구자는 읽기 능력을 향상시키면 쓰기 능력도 함께 향상될 가능성이 있다는 가설을 세우고, 이에 따라 교육 전략을 세울 수 있다.

[표 25] 대응표본 상관계수

대응표본 상관계수		N	상관관계	유의확률
대응 1	reading score & writing score	200	.597	.000

각 대응표본 T검정 통계량과 대응표본 T검정 상관계수의 항목을 설명하면, 다음과 같다. 먼저, 변수 목록이 있다. 평균 항에서 이는 변수의 각 평균이다. N 항에서 t-검정을 계산하는 데 사용된 유효한 즉, 누락되지 않은 관측치의 수이다. 표준 편차 항에서 이는 변수의 표준 편차이다. 표준 오차 평균 항에서 표준 오차 평균은 표본 평균의 추정된 표준 편차이다. 이 값은 한 표본의 표준 편차를 표본 크기의 제곱근으로 나눈 값으로 추정한다. 9.47859/sqrt(200) = .67024, 10.25294/sqrt(200) = .72499. 이는 표본 평균의 변동성에 대한 척도를 제공한다.

상관관계 항에서 표시된 변수 쌍의 상관계수이다. 이는 두 변수 사이의 선형 관계의 강도와 방향을 측정한 것이다. 상관 계수의 범위는 -1에서 +1까지이며, -1은 완벽한 음의 상관 관계를 나타내고 +1은 완벽한 양의 상관 관계를 나타내며 0은 전혀 상관 관계가 없음을 나타낸다. 자신과 상관관계가 있는 변수의 상관계수는 항상 1이다. 상관계수는 다른 변수의 값이 주어졌을 때 한 변수의 값을 어느 정도 추측할 수 있는지를 알려주는 것으로 생각할 수 있다. .597은 가상의 선 주위에 점이 얼마나 촘촘하게 놓여 있는지를 수치로 나타낸 것이다. 상관 관계가 높을수록 점은 선에 더 가까워지는 경향이 있다. 만약 그것이 더 작다면, 그들은 선에서 더 멀리 떨어져 있는 경향이 있을 것이다.

유의확률 항에서 상관 관계와 관련된 p-값이다. 여기서 상관관계는 .05 수준에서 유의미하다.

4.5.4. 대응표본 검정

대응표본 t-검정 결과는 동일한 집단에서 측정된 두 변수 간의 평균 차이가 통계적으로 유의미한지 평가한다. 여기서는 "reading score"와 "writing score" 간의 평균 차이를 분석한다.

대응표본 t-검정 결과에서 평균 차이에서 "reading score"와 "writing score" 간의 평균 차이는 -0.54500이다. 이는 "reading score"가 "writing score"보다 약 0.545점 낮다는 것을 의미한다. 표준편차에서 평균 차이의 표준편차는 8.88667로, 두 점수 간의 차이가 상당히 퍼져 있음을 나타낸다.

[표 26] 대응표본 검정

대응표본 검정								
		대응차					t	자유도	유의확률 (양측)
		평균	표준편차	평균의 표준오차	차이의 95% 신뢰구간				
					하한	상한			
대응 1	reading score - writing score	-.54500	8.88667	.62838	-1.78414	.69414	-.867	199	.387

평균 차이의 표준오차에서 평균 차이의 표준오차는 0.62838로, 이는 평균 차이의 정확성을 나타낸다.

95% 신뢰구간에서 평균 차이에 대한 95% 신뢰구간은 -1.78414에서 0.69414이다. 이 신뢰구간은 0을 포함하고 있어, 두 점수 간의 평균 차이가 통계적으로 유의미하지 않을 가능성이 있다.

t-값과 p-value에서 t-값은 -0.867이고, 자유도는 199이다. p-value는 0.387로, 0.05보다 크다. 이는 두 점수 간의 평균 차이가 통계적으로 유의미하지 않음을 나타낸다.

대응표본 t-검정 결과, "reading score"와 "writing score" 간의 평균 차이는 통계적으로 유의미하지 않다(p-value > 0.05). 이는 두 점수 간의 차이가 우연에 의한 것일 가능성이 크다는 것을 의미한다. 따라서, 두 점수 간에 실질적인 차이가 없다고 결론지을 수 있다. 이 결과는 읽기 점수와 쓰기 점수가 거의 동일한 수준임을 나타내며, 교육 프로그램이나 다른 변수에 따른 점수 차이가 없음을 시사할 수 있다. 이는 교육 전략을 평가하고 조정하는 데 중요한 정보를 제공할 수 있다.

각 항목에 따른 설명을 하면, 다음과 같다.

쓰기 점수-읽기 점수 항목에서 각 과목 내에서 측정한 값으로 쓰기 점수와 읽기 점수의 차이이다. 대응 t-검정은 대응 차이의 단일 무작위 표본을 형성한다. 모든 피험자 사이에서 이들 값의 평균은 대응 t-검정에서 0과 비교한다.

평균 항에서 이는 두 변수 간의 피험자 내 차이의 평균이다.

표준 편차 항에서 이는 평균 쌍 차이의 표준 편차이다.

표준 오차 평균 항에서 표본 평균의 추정 표준 편차이다. 이 값은 한 표본의 표준 편차를 표본 크기의 제곱근으로 나눈 값으로 추정한다. 8.88667/sqrt(200) = .62838. 이는 표본 평균의 변동성에 대한 척도를 제공한다.

차이의 95% 신뢰 구간 항에서 이는 평균 차이에 대한 신뢰 구간의 하한과 상한이다. 평균에 대한 신뢰 구간은 알려지지 않은 모집단 매개변수, 이 경우 평균이 속할 수 있는 값 범위를 지정한다. 이는 다음과 같이 주어진다.

$$\overline{X} \pm t_{1-\frac{\alpha}{2} N-1} \frac{S}{\sqrt{N}}$$

여기서 s는 관측치의 표본 편차이고, N은 유효한 관측치의 수다. 공식의 t-값은 자유도가 N-1이고, p-값이 1-alpha/2인 모든 통계 책에서 계산하거나 찾을 수 있다. 여기서 알파는 신뢰 수준이고 기본적으로 .95이다.

t 항에서 이는 t-통계량이다. 이는 차이의 표준 오차에 대한 차이의 평균 비율이다. 즉, .545/.62838이다.

자유도 항에서 쌍 관측의 자유도는 간단히 말해서 관측치 수에서 1을 뺀 값이다. 이는 검정이 쌍 차이 중 하나의 표본에 대해 수행되기 때문이다.

유의확률(양측) 항은 t 분포를 사용하여 계산한 양측 p-값이다. 귀무가설 하에서 t의 더 큰 절대값을 관찰할 확률이다. p-값이 사전 지정된 알파 수준, 일반적으로 .05 또는 .01, 여기서는 전자보다 작으면 쓰기 점수와 읽기 점수의 평균 차이가 통계적으로 0과 유의하게 다르다는 결론을 내릴 것이다. 예를 들어, 두 변수 간의 차이에 대한 p-값이 0.05보다 크므로 평균 차이가 통계적으로 0과 유의하게 다르지 않다는 결론을 내릴 수 있다.

5. 분산 분석

분산분석(ANOVA, Analysis of Variance)은 다양한 집단 간의 평균 차이를 분석하기 위한 통계적 기법이다. 이를 통해 서로 다른 집단들이 동일한 모집단에서 온 것인지, 아니면 서로 다른 모집단에서 온 것인지를 평가할 수 있다.

SAS의 일반 선형 모델(GLM)과 SPSS의 ANOVA는 이론적으로 동일한 결과를 제공한다. 둘 다 동일한 통계적 기법을 사용하여 데이터를 분석하기 때문이다. 그러나 실제로는 결과가 다를 수 있다. 두 소프트웨어 모두 동일한 통계적 이론을 기반으로 하고 있으며, 분산분석(ANOVA)의 원리는 동일하다. 동일한 데이터와 동일한 모델 설정을 사용하면, 두 소프트웨어는 이론적으로 동일한 F-값, p-값, 제곱합 등을 제공한다. 그러나, 두 소프트웨어가 소수점을 처리하는 방식이 다를 수 있다. 결측값을 처리하는 방식에 차이가 있을 수 있다. GLM이나 ANOVA를 실행할 때 사용하는 옵션 설정에 따라 결과가 달라질 수 있다. 사용하고 있는 소프트웨어의 버전 차이에 따라 알고리즘 구현에 약간의 차이가 있을 수 있다.

두 소프트웨어에서 동일한 설정과 데이터를 사용한다면, 이론적으로 동일한 결과를 제공해야 한다. 결과가 다르다면, 설정이나 데이터 처리 방식에 차이가 있는지 확인해야 한다. 결과적으로, SAS의 GLM과 SPSS의 ANOVA는 동일한 데이터를 동일한 방식으로 분석할 경우 동일한 결과를 보여준다. 다만, 소프트웨어 간 미세한 차이로 인해 결과에 약간의 차이가 있을 수 있으므로, 이를 고려해야 한다.

분산분석의 절차로 먼저, 데이터 수집으로 실험이나 관찰을 통해 데이터를 수집한다. 둘째, 가정 검토로 분산분석을 수행하기 전, 데이터가 정규성을 띄고 분산이 동질적인지 확인한다. 셋째, 분산분석 수행으로 ANOVA를 수행하여 F-통계량과 p-값을 계산한다. 넷째, 결과 해석으로 p-값을 통해 귀무가설을 기각할지 여부를 결정한다. 기각 시, 사후 분석(Post-hoc test)을 통해 구체적으로 어떤 집단 간 차이가 있는지 확인한다.

분산분석은 실험 설계 및 데이터 분석에서 중요한 역할을 하며, 다양한 분야에서 유용하게 사용한다.

5.1. 분산 분석 목적

1) 집단 간 평균 비교로 여러 집단의 평균이 통계적으로 유의미하게 다른지

확인한다. 예를 들어, 세 개의 다른 교육 방법이 학생들의 시험 성적에 미치는 영향을 비교할 때 사용한다.

  2) 요인 효과 평가에서 실험이나 연구에서 여러 요인(변수)이 결과 변수에 미치는 영향을 평가한다. 예를 들어, 약물의 종류와 복용량이 환자의 혈압에 미치는 영향을 동시에 분석할 수 있다.

  3) 상호작용 효과 탐구에서 두 개 이상의 요인이 결합하여 결과에 미치는 상호작용 효과를 분석한다. 예를 들어, 성별과 교육 수준이 직업 만족도에 미치는 상호작용을 평가할 수 있다.

5.1.1 분산분석의 기본 개념

  1) 분산(Variance)
  데이터의 분포를 나타내는 지표로, 각 데이터 값이 평균에서 얼마나 떨어져 있는지를 나타낸다. 분산분석에서는 총 분산을 두 가지 성분으로 나눈다. 하나는 집단 내 분산(Within-group variance)과 집단 간 분산(Between-group variance)이 있다.

  2) 귀무가설과 대립가설
  귀무가설(H0)은 모든 집단의 평균이 동일하다. 예를 들어, "세 개의 교육 방법이 학생들의 시험 성적에 차이를 주지 않는다."
  대립가설(H1)은 적어도 하나의 집단의 평균이 다르다. 예를 들어, "세 개의 교육 방법 중 적어도 하나는 학생들의 시험 성적에 차이를 준다."

  3) F-통계량(F-statistic)
  집단 간 분산과 집단 내 분산의 비율을 나타낸다. F-통계량이 클수록 집단 간 평균 차이가 유의미할 가능성이 높아진다. F-통계량은 다음과 같이 계산한다.

  F = 집단 간 평균제곱(MSB) / 집단 내 평균제곱(MSW)

  여기서, MSB는 집단 간 분산을 나타내고, MSW는 집단 내 분산을 나타낸다.

  4) p-값(p-value)
  F-통계량이 귀무가설을 기각할 수 있을 정도로 큰지 평가하는 데 사용한다.

p-값이 작을수록 일반적으로 0.05 이하로 귀무가설을 기각하고 대립가설을 채택할 가능성이 높다.

5.1.2. 분산분석의 종류

1) 일원분산분석(One-way ANOVA)
하나의 요인(독립 변수)만을 고려하여 집단 간 평균 차이를 분석한다.

2) 이원분산분석(Two-way ANOVA)
두 개의 요인을 동시에 고려하여 집단 간 평균 차이를 분석한다. 요인 간 상호작용 효과도 평가할 수 있다.

3) 반복 측정 분산분석(Repeated Measures ANOVA)
동일한 피험자를 여러 조건에서 반복적으로 측정할 때 사용한다.

```
ONEWAY write BY race
  /STATISTICS DESCRIPTIVES EFFECTS HOMOGENEITY BROWNFORSYTHE WELCH
  /PLOT MEANS
  /MISSING ANALYSIS
  /POSTHOC=SCHEFFE T3 ALPHA(0.05).
```

< ANOVA 발견 에피소드의 예 >
비료가 작물 수확량에 미치는 영향 - 농업 연구자들은 ANOVA를 사용하여 작물 수확량에 대한 다양한 비료 유형의 효과를 비교한다. 다양한 비료로 처리한 그룹의 평균 수확량을 분석함으로써 ANOVA는 비료 유형 간에 통계적으로 유의미한 수확량 차이를 식별할 수 있다. 이 정보는 농부들이 최대 작물 생산을 위해 비료 전략을 최적화하는 데 도움이 된다.

운동이 인지 기능에 미치는 영향 - 신경과학자들은 ANOVA를 사용하여 다양한 운동 프로그램이 인지 기능에 미치는 영향을 조사한다. 다양한 운동 요법 예를 들면, 유산소 운동 대 근력 운동에 참여한 그룹의 평균 인지 성과 점수를 비교함으로써 ANOVA는 운동 유형에 따라 인지 개선에 통계적으로 유의미한 차이를 보여줄 수 있다.

5.2. 분산분석 해석

5.2.1. 분산분석 기술통계

먼저, SPSS의 기본 항목을 설명하면, N 항은 각 그룹의 샘플 크기다. 예를 들어, Hispanic 그룹의 N은 24, Asian 그룹의 N은 11이다. 평균 항은 각 그룹의 writing score의 평균이다. 예를 들어, Hispanic 그룹의 평균은 46.4583이다.

표준편차 (Standard Deviation) 항은 각 그룹의 writing score가 평균으로부터 얼마나 분산되어 있는지를 나타낸다. 예를 들어, Hispanic 그룹의 표준편차는 8.27242이다.

표준오차 (Standard Error) 항은 표본 평균의 표준편차로, 표본 평균이 모집단 평균과 얼마나 차이가 날 수 있는지를 나타낸다. 예를 들어, Hispanic 그룹의 표준오차는 1.68860이다.

평균에 대한 95% 신뢰구간 (95% Confidence Interval for Mean) 항은 평균에 대한 신뢰구간으로, 모집단 평균이 이 구간 내에 있을 확률이 95%임을 의미한다. 예를 들어, Hispanic 그룹의 95% 신뢰구간은 42.9652에서 49.9515이다.

최소값 (Minimum) 항은 각 그룹의 writing score 중 가장 낮은 값이다. 예를 들어, Hispanic 그룹의 최소값은 31이다. 최대값 (Maximum) 항은 각 그룹의 writing score 중 가장 높은 값이다. 예를 들어, Hispanic 그룹의 최대값은 65이다.

[표 27] 분산 분석 기술통계

기술통계									
writing score									
	N	평균	표준편차	표준오차	평균에 대한 95% 신뢰구간		최소값	최대값	성분-간 분산
					하한	상한			
hispanic	24	46.4583	8.27242	1.68860	42.9652	49.9515	31.00	65.00	
asian	11	58.0000	7.89937	2.38175	52.6931	63.3069	44.00	67.00	
african-amer	20	48.2000	9.32230	2.08453	43.8370	52.5630	35.00	67.00	
white	145	54.0552	9.17256	.76174	52.5495	55.5608	31.00	67.00	
전체	200	52.7750	9.47859	.67024	51.4533	54.0967	31.00	67.00	
모형 고정효과			9.02511	.63817	51.5164	54.0336			
모형 변량효과				3.27692	42.3464	63.2036			18.67994

성분-간 분산 (Between-group Variance) 항은 그룹 간의 분산을 의미한다. 이는 그룹 간 차이를 설명하는 분산이다. 전체 (Total) 항은 모든 그룹을 포함한

전체 데이터에 대한 통계 값이다.

고정 효과 (Fixed Effects) 항은 고정 효과 모형에서의 표준편차와 관련된 항목이다. 변량효과 (Random Effects) 항은 변량 효과 모형에서의 표준편차와 관련된 항목이다.[6]

둘째, 각 그룹별 평균과 표준편차를 해석하면, Hispanic 그룹은 평균 46.4583, 표준편차 8.27242로 이 그룹의 학생들은 평균적으로 46.4583점을 얻었으며, 점수는 8.27242점의 표준편차를 가지고 있다. 표준오차 1.68860은 모집단 평균이 이 값에 따라 다를 수 있음을 보여준다. 95% 신뢰구간 42.9652에서 49.9515는 모집단 평균이 이 범위에 있을 확률이 95%임을 의미한다.

Asian 그룹은 평균 58.0000, 표준편차 7.89937로 이 그룹의 학생들은 평균적으로 58.0000점을 얻었으며, 점수는 7.89937점의 표준편차를 가지고 있다. 표준오차 2.38175은 모집단 평균이 이 값에 따라 다를 수 있음을 보여준다. 95% 신뢰구간 52.6931에서 63.3069는 모집단 평균이 이 범위에 있을 확률이 95%임을 의미한다.

African-American 그룹은 평균 48.2000, 표준편차 9.32230으로, 이 그룹의 학생들은 평균적으로 48.2000점을 얻었으며, 점수는 9.32230점의 표준편차를 가지고 있다. 표준오차 2.08453은 모집단 평균이 이 값에 따라 다를 수 있음을 보여준다. 95% 신뢰구간 43.8370에서 52.5630는 모집단 평균이 이 범위에 있을 확률이 95%임을 의미한다.

White 그룹은 평균 54.0552, 표준편차 9.17256으로, 이 그룹의 학생들은 평균적으로 54.0552점을 얻었으며, 점수는 9.17256점의 표준편차를 가지고 있다. 표준오차 0.76174은 모집단 평균이 이 값에 따라 다를 수 있음을 보여준다. 95%

---

6) 고정 효과(Fixed Effects)와 변량 효과(Random Effects)는 통계 모델링에서 중요한 개념이다. 1) 고정 효과 (Fixed Effects)는 연구자가 특별히 관심을 가지고 있는 특정 수준의 요인들을 나타낸다. 모집단의 모든 가능한 수준을 대표하는 것이 아니라, 연구에서 특별히 선택된 수준들이다. 이 효과들은 일반적으로 연구의 주요 관심사이며, 그 효과에 대해 직접적인 추론을 하고자 한다. 고정 효과의 표준편차는 해당 효과의 추정치가 얼마나 정확한지를 나타낸다. 2) 변량 효과 (Random Effects)는 더 큰 모집단에서 무작위로 추출된 표본을 나타낸다. 연구에서 관찰된 수준들이 더 큰 모집단에서 무작위로 선택되었다고 가정한다. 이 효과들은 일반적으로 변동성의 원천으로 간주되며, 그 자체로는 주요 관심사가 아닐 수 있다. 변량 효과의 표준편차는 해당 효과의 변동성을 나타내며, 이는 모집단에서의 변동을 추정하는 데 사용한다. 이 두 가지 효과의 주요 차이점은 다음과 같다. 1) 추론의 범위에서 고정 효과는 연구에서 관찰된 특정 수준에 대해서만 추론을 한다. 변량 효과는 더 넓은 모집단에 대한 추론을 가능하게 한다. 2) 모델링 방식에서 고정 효과는 각 수준에 대해 별도의 파라미터를 추정한다. 변량 효과는 효과의 분포를 모델링한다. 3) 일반화 가능성에서 변량 효과 모델은 일반적으로 더 넓은 상황에 일반화할 수 있다. 이 두 가지 효과를 적절히 모델링하는 것은 데이터의 구조와 연구 목적에 따라 결정되며, 때로는 두 효과를 모두 포함하는 혼합 효과 모델(Mixed Effects Model)을 사용하기도 한다.

신뢰구간 52.5495에서 55.5608는 모집단 평균이 이 범위에 있을 확률이 95%임을 의미한다.

전체에서 평균 52.7750, 표준편차 9.47859로, 전체 학생들은 평균적으로 52.7750점을 얻었으며, 점수는 9.47859점의 표준편차를 가지고 있다. 표준오차 0.67024은 모집단 평균이 이 값에 따라 다를 수 있음을 보여준다. 95% 신뢰구간 51.4533에서 54.0967는 모집단 평균이 이 범위에 있을 확률이 95%임을 의미한다.

셋째, 성분-간 분산을 해석하면, 성분-간 분산에서 고정 효과 모형에서는 9.02511, 변량효과 모형에서는 3.27692이다. 이는 그룹 간 차이가 얼마나 큰지를 나타낸다. 값이 클수록 그룹 간 차이가 크다는 것을 의미한다. 고정 효과와 변량 효과를 비교함으로써, 데이터를 모델링할 때 어떤 접근이 더 적절한지 판단할 수 있다.

이 분석을 통해 각 그룹의 writing score가 통계적으로 유의미하게 다른지 여부를 평가할 수 있다. 평균값의 차이, 표준편차, 신뢰구간 등을 통해 각 그룹 간의 차이를 파악할 수 있으며, 이를 통해 교육 정책, 지원 프로그램 등 다양한 분야에서 유용한 정보를 얻을 수 있다. 예를 들어, Asian 그룹의 평균 점수가 다른 그룹보다 높은 것을 통해 특정 교육 프로그램의 효과를 평가할 수 있다.

5.2.2. 분산분석 동질성 검정

분산의 동질성 검정 (Levene's Test)은 ANOVA를 수행하기 전에 각 그룹의 분산이 서로 동일한지 확인하기 위한 과정이다. 분산의 동질성은 ANOVA의 중요한 가정 중 하나이다. Levene's Test는 이 가정을 확인하기 위한 일반적인 방법이다.

[표 28] 분산 분석 동질성 검정

분산의 동질성 검정			
writing score			
Levene 통계량	자유도1	자유도2	유의확률
.519	3	196	.670

Levene's Test의 기본 개념으로 귀무가설 (H0)은 각 그룹 간 분산이 동일하다. 즉, 동질적이다. 대립가설 (H1)은 적어도 한 그룹의 분산이 다르다. 즉, 동질적이지 않다.

제공된 Levene's Test 결과를 보면, Levene 통계량 0.519, 자유도1 (df1) 3,

자유도2 (df2) 196이고, 유의확률 (p-value) 0.670이다. Levene 통계량은 Levene's Test의 통계량 값이다. 이 값은 그룹 간 분산의 차이를 나타낸다. 이 값 자체만으로는 유의미성을 판단할 수 없고, 유의확률과 함께 해석해야 한다. 자유도 1 (df 1)는 그룹의 개수 - 1, 여기서는 4개의 그룹이므로 4 - 1 = 3이다. 자유도 2 (df 2)는 전체 샘플 크기 - 그룹의 개수, 여기서는 전체 샘플 크기 200에서 4개의 그룹을 빼면 196이다.

유의확률 (p-value) 0.670으로, 유의확률 (p-value) 0.670은 Levene's Test에서 얻어진 값이다. 일반적으로 유의수준 (α)을 0.05로 설정한다. 유의확률이 0.05보다 크면 귀무가설을 기각하지 않는다. 즉, 각 그룹 간 분산이 동질적이라고 결론 내린다. 유의확률이 0.05보다 작으면 귀무가설을 기각한다. 즉, 적어도 한 그룹의 분산이 다른 그룹과 유의미하게 다르다고 결론 내린다.

그러므로 제공된 Levene's Test 결과에서 p-value가 0.670이므로, 이는 0.05보다 크기 때문에 귀무가설을 기각하지 않는다. 따라서, 각 그룹 간의 분산은 동질적이라고 결론지을 수 있다. 이 결과는 ANOVA를 수행하는 데 있어서 각 그룹의 분산이 동질하다는 가정이 만족된다는 것을 의미하며, ANOVA 결과를 신뢰할 수 있음을 시사한다.

5.2.3. 분산분석 ANOVA

ANOVA 결과를 해석하면, ANOVA는 여러 집단 간 평균의 차이를 비교하여, 그 차이가 통계적으로 유의미한지 판단하는 방법이다.

제곱합 (Sum of Squares)은 데이터의 분산을 설명하는 데 사용한다. 집단-간 제곱합 (Between Groups)은 집단 간 차이에서 발생하는 총 변동량이다. 집단-내 제곱합 (Within Groups)은 집단 내부의 변동량이고, 전체 제곱합 (Total)은 총 변동량을 의미한다. 자유도 (df)는 제곱합을 계산하는 데 사용되는 데이터 포인트의 수로, 집단-간 자유도는 집단 수 - 1, 여기서는 4개의 집단이므로 4 - 1 = 3이다.

[표 29] 분산 분석 ANOVA

ANOVA					
writing score					
	제곱합	자유도	평균제곱	F	유의확률
집단-간	1914.158	3	638.053	7.833	.000
집단-내	15964.717	196	81.453		
전체	17878.875	199			

집단-내 자유도는 전체 데이터 포인트 수 - 집단 수, 즉 200 - 4 = 196이다. 평균제곱 (Mean Square)은 제곱합을 자유도로 나눈 값이다. 집단-간 평균제곱 (Mean Square Between Groups)은 1914.158 / 3 = 638.053이다. 집단-내 평균제곱 (Mean Square Within Groups)은 15964.717 / 196 = 81.453이다. F 값 (F value)은 집단 간 평균제곱을 집단 내 평균제곱으로 나눈 값으로, F 값은 638.053 / 81.453 = 7.833이다. 유의확률 (p-value)은 F 값이 우연히 발생할 확률이다. p-value는 .000이다.

그러므로 F 값과 유의확률 (p-value)에서, F 값 7.833은 매우 높은 값이다. 이는 집단 간 차이가 집단 내 변동보다 크다는 것을 의미한다. p-value가 .000으로 매우 작다. 일반적으로 유의수준 (α)을 0.05로 설정하므로, p-value가 0.05보다 작으면 귀무가설을 기각한다. p-value가 0.05보다 작으므로, 귀무가설을 기각한다. 따라서, 집단 간 평균에 유의미한 차이가 있다고 결론지을 수 있다.

ANOVA 결과는 집단 간 평균의 차이가 유의미하다는 것을 보여준다. 하지만, 어떤 집단 간에 차이가 있는지를 알기 위해서는 사후 분석 (Post-hoc test)을 수행해야 한다. 사후 분석은 집단 간 구체적인 차이를 확인하는 데 사용한다. 일반적인 사후 분석 방법으로는 Tukey's HSD, Bonferroni, Scheffé 등이 있다.

5.2.4. 분산분석 평균의 동질성 로버스트 검정

평균의 동질성 로버스트 검정은 ANOVA의 가정을 강화하기 위해 사용한다. 특히, 분산의 동질성 가정이 만족되지 않을 때 신뢰할 수 있는 결과를 제공하는 두 가지 일반적인 방법이 Welch와 Brown-Forsythe 검정이다.

1) Welch 검정과 Brown-Forsythe 검정의 기본 개념을 보면, 다음과 같다.
첫째, Welch 검정은 각 그룹의 분산이 다를 때 평균 간 차이를 비교하는 방법이다. 자유도가 조정되며, 분산이 동질적이지 않은 경우에도 신뢰할 수 있는 결과를 제공한다.
둘째, Brown-Forsythe 검정은 Levene's Test의 변형으로, 중앙값을 기준으로 분산을 비교한다. 이 방법도 분산의 동질성 가정이 만족되지 않는 상황에서 평균 간 차이를 비교하는 데 사용한다.
제공된 Welch 검정과 Brown-Forsythe 검정 결과를 보면, 다음과 같다.
Welch 검정의 통계량 (Statistic) 8.447, 자유도 1 (df 1) 3, 자유도 2 (df 2) 30.805, 유의확률 (p-value) .000이다.
Brown-Forsythe 검정의 통계량 (Statistic) 8.679, 자유도 1 (df 1) 3, 자유

도 2 (df 2) 58.523, 유의확률 (p-value) .000이다.

통계량과 유의확률 (p-value)에서 두 검정 모두 p-value가 .000으로 매우 작다. 일반적으로 유의수준 (α)을 0.05로 설정하므로, p-value가 0.05보다 작으면 귀무가설을 기각한다.

[표 30] 분산 분석 평균의 동질성 로버스트 검정

평균의 동질성 로버스트 검정				
writing score				
	통계량a	자유도1	자유도2	유의확률
Welch	8.447	3	30.805	.000
Brown-Forsythe	8.679	3	58.523	.000
a. 자동으로 F 분배합니다.				

귀무가설 (H0)인 모든 집단의 평균이 동일하다.를 기각하고, 대립가설 적어도 하나의 집단 평균이 다르다. 채택한다. 따라서, 집단 간 평균에 유의미한 차이가 있다고 결론지을 수 있다.

그러므로 ANOVA 결과와 분산의 동질성 검정 (Levene's Test), 평균의 동질성 로버스트 검정 (Welch, Brown-Forsythe) 모두 집단 간 평균에 유의미한 차이가 있음을 보여준다. Levene's Test 결과로 p-value = .670은 분산의 동질성이 만족된다고 결론지었으나, 평균의 동질성 검정에서도 동일한 결론이 나왔으므로, 결과가 일치하여 신뢰할 수 있다. 이러한 검정 결과를 종합하여, 각 그룹 간의 writing score 평균이 유의미하게 다르다고 해석할 수 있다.

다음 단계 분석으로 사후 분석 (Post-hoc test)을 실시한다. 어떤 그룹 간 차이가 유의미한지 구체적으로 확인하기 위해 수행한다. Tukey's HSD, Bonferroni, Scheffé 방법 등을 사용할 수 있다. 분석을 통해서 교육 정책, 프로그램 평가 등에 사용될 수 있다. 예를 들어, 특정 그룹의 성취도가 낮은 경우, 추가적인 지원 프로그램을 설계할 수 있다.

5.2.5. 분산분석 다중비교

다중비교 (Post-hoc test) 결과를 해석하면, 다중비교는 ANOVA 결과에서 집단 간 평균의 차이가 유의미한 경우, 어떤 집단 간에 차이가 있는지를 확인하기 위해 수행한다. 여기서는 Scheffé와 Dunnett T3 두 가지 방법의 결과를 제공하고 있다.

1) Scheffé 테스트 결과

유의미한 차이가 있는 경우는 Hispanic vs Asian의 평균 차이 -11.54167, p-value = .007. Hispanic 그룹이 Asian 그룹보다 평균 점수가 11.54167 낮고, 유의미한 차이가 있다. Hispanic vs White의 평균 차이 -7.59684, p-value = .003. Hispanic 그룹이 White 그룹보다 평균 점수가 7.59684 낮고, 유의미한 차이가 있다. Asian vs African-American의 평균 차이 9.80000, p-value = .042. Asian 그룹이 African-American 그룹보다 평균 점수가 9.80000 높고, 유의미한 차이가 있다.

[표 31] 분산 분석 다중비교

			다중비교				
			종속변수: writing score				
	(I) race	(J) race	평균차이(I-J)	표준오차	유의확률	95% 신뢰구간	
						하한	상한
Scheffe	hispanic	asian	-11.54167*	3.28613	.007	-20.8083	-2.2750
		african-amer	-1.74167	2.73249	.939	-9.4471	5.9638
		white	-7.59684*	1.98887	.003	-13.2053	-1.9884
	asian	hispanic	11.54167*	3.28613	.007	2.2750	20.8083
		african-amer	9.80000*	3.38783	.042	.2465	19.3535
		white	3.94483	2.82250	.583	-4.0144	11.9041
	african-amer	hispanic	1.74167	2.73249	.939	-5.9638	9.4471
		asian	-9.80000*	3.38783	.042	-19.3535	-.2465
		white	-5.85517	2.15276	.063	-11.9258	.2155
	white	hispanic	7.59684*	1.98887	.003	1.9884	13.2053
		asian	-3.94483	2.82250	.583	-11.9041	4.0144
		african-amer	5.85517	2.15276	.063	-.2155	11.9258
Dunnett T3	hispanic	asian	-11.54167*	2.91961	.004	-19.9870	-3.0963
		african-amer	-1.74167	2.68265	.986	-9.1603	5.6770
		white	-7.59684*	1.85246	.001	-12.7615	-2.4322
	asian	hispanic	11.54167*	2.91961	.004	3.0963	19.9870
		african-amer	9.80000*	3.16512	.029	.7720	18.8280
		white	3.94483	2.50059	.547	-3.7783	11.6680
	african-amer	hispanic	1.74167	2.68265	.986	-5.6770	9.1603
		asian	-9.80000*	3.16512	.029	-18.8280	-.7720
		white	-5.85517	2.21935	.080	-12.1743	.4640
	white	hispanic	7.59684*	1.85246	.001	2.4322	12.7615
		asian	-3.94483	2.50059	.547	-11.6680	3.7783
		african-amer	5.85517	2.21935	.080	-.4640	12.1743
*. 평균차이는 0.05 수준에서 유의합니다.							

유의미하지 않은 차이는 Hispanic vs African-American의 평균 차이 -1.74167, p-value = .939이지만, 유의미하지 않았다. Asian vs White의 평균 차이 3.94483, p-value = .583이지만, 유의미하지 않았다. African-American vs White의 평균 차이 -5.85517, p-value = .063이지만, 유의미하지 않았다.

2) Dunnett T3 테스트 결과를 보면, 유의미한 차이가 있는 항목은 Hispanic vs Asian의 평균 차이 -11.54167, p-value = .004이고, 유의미한 차이가 있다.

Hispanic vs White의 평균 차이 -7.59684, p-value = .001이고, 유의미한 차이가 있다. Asian vs African-American의 평균 차이 9.80000, p-value = .029이고, 유의미한 차이가 있다.

유의미하지 않은 차이에서 Hispanic vs African-American의 평균 차이 -1.74167, p-value = .986이지만, 유의미하지 않았다. Asian vs White의 평균 차이 3.94483, p-value = .547이지만, 유의미하지 않았다. African-American vs White의 평균 차이 -5.85517, p-value = .080이지만, 유의미하지 않았다.

그러므로 Hispanic 그룹은 Asian 그룹과 White 그룹에 비해 평균 점수가 유의미하게 낮았다. Asian 그룹은 African-American 그룹에 비해 평균 점수가 유의미하게 높았다. White 그룹은 Hispanic 그룹에 비해 평균 점수가 유의미하게 높았다. 따라서, Hispanic 그룹은 다른 그룹에 비해 평균 점수가 유의미하게 낮고, Asian 그룹은 African-American 그룹에 비해 평균 점수가 유의미하게 높았다. White 그룹 역시 Hispanic 그룹에 비해 유의미하게 높은 점수를 가졌다.

5.2.6. 분산분석 writing score

동질적 부분집합 분석은 ANOVA 후 사후검정(Post-hoc test)을 통해 그룹 간의 평균 차이를 확인하고, 서로 유의미한 차이가 없는 그룹을 식별하는 데 사용한다. 제공된 결과는 Scheffé 방법을 이용한 것이다.

[표 32] 분산 분석 writing score

writing score				
	race	N	유의수준 = 0.05에 대한 부분집합	
			1	2
Scheffea,b	hispanic	24	46.4583	
	african-amer	20	48.2000	
	white	145	54.0552	54.0552
	asian	11		58.0000
	유의확률		.061	.570
동질적 부분집합에 있는 집단에 대한 평균이 표시됩니다.				
a. 조화평균 표본크기 21.111을(를) 사용합니다.				
b. 집단 크기가 동일하지 않습니다. 집단 크기의 조화평균이 사용됩니다. I 유형 오차 수준은 보장되지 않습니다.				

동질적 부분집합은 서로 유의미한 차이가 없는 그룹을 하나의 부분집합으로 묶는다. 1번 부분집합은 hispanic, african-amer, white이고, 2번 부분집합은 white, asian이다.

유의확률에서 유의수준 0.05를 기준으로 동질적 부분집합 내에서 그룹 간 평균의 유의미한 차이를 나타내지 않는 p-value를 나타낸다. 1번 부분집합의 유의확률은 .061, 2번 부분집합의 유의확률은 .570로 나타나 있어, 이 두 부분집합 내에서는 그룹 간 유의미한 차이가 없다.

1번 부분집합의 유의확률 .061로 hispanic, african-amer, white 이 세 그룹 간의 평균 writing score는 유의미한 차이가 없다. 평균 점수에서 hispanic (46.4583), african-amer (48.2000), white (54.0552) 등이다.

2번 부분집합의 유의확률 .570로 white, asian 이 두 그룹 간의 평균 writing score는 유의미한 차이가 없다. 평균 점수는 white (54.0552), asian (58.0000) 이다.

유의미한 차이에서 hispanic vs asian에서 평균 차이 -11.54167, 즉, Scheffé 결과 참조하면, 유의미한 차이 있었다. hispanic vs white의 평균 차이 -7.59684 즉, Scheffé 결과 참조하면, 유의미한 차이 있었다. african-amer vs asian의 평균 차이 -9.80000 즉, Scheffé 결과 참조하면, 유의미한 차이 있었다.

그러므로 hispanic 그룹은 다른 그룹에 비해 writing score 평균이 유의미하게 낮고, asian 그룹은 다른 그룹에 비해 writing score 평균이 유의미하게 높다. white 그룹은 일부 그룹과 유의미한 차이가 있지만, 동질적 부분집합 1번과 2번 모두에 포함되어 있어 전체적인 writing score가 중간 정도라고 할 수 있다. 이 결과를 바탕으로 특정 그룹에 대한 교육적 지원이나 정책 수립에 참고할 수 있다. 예를 들어, hispanic 그룹에 대한 추가적인 지원이 필요할 수 있으며, asian 그룹의 높은 성취도를 유지하기 위한 전략을 고려할 수 있다.

< ANOVA 발견 에피소드의 예>

마케팅 캠페인의 효과 - 마케팅 전문가는 ANOVA를 활용하여 특정 인구 통계 또는 지역을 타겟팅하는 다양한 마케팅 캠페인에 대한 반응을 비교한다. ANOVA는 다양한 캠페인에 노출된 그룹에서 클릭률, 판매 수치 또는 브랜드 인지도 지표를 분석하여 캠페인 효과에서 통계적으로 유의미한 차이를 식별할 수 있다.

교육적 성취 및 사회경제적 배경 - 사회학자들은 ANOVA를 사용하여 사회경제적 배경과 교육적 성취 간의 관계를 분석한다. ANOVA는 다양한 사회경제적 배경의 그룹의 평균 시험 점수를 비교함으로써 교육적 성취도에서 통계적으로 유의미한 차이를 밝혀낼 수 있으며, 이는 교육의 잠재적 사회적 불평등에 대한 추가 조사를 촉구한다.

6. 포아송 회귀분석

6.1. 포아송 회귀분석 개념

통계학에서 포아송 회귀는 계수 데이터와 분할표를 모델링하는 데 사용되는 회귀 분석의 일반화 선형 모델(generalized linear model) 형태이다. 포아송 회귀는 응답 변수 Y가 포아송 분포를 갖는다고 가정하고 기대값의 로그가 알려지지 않은 매개변수의 선형 조합으로 모델링될 수 있다고 가정한다. 포아송 회귀 모델은 때때로 로그 선형 모델로 알려져 있으며 특히 분할표를 모델링하는 데 사용될 때 그렇다.

음 이항 회귀는 분산이 평균과 같다는 매우 제한적인 가정을 포아송 회귀의 인기 있는 일반화이다. 전통적인 음이항 회귀 모델은 포아송-감마 혼합 분포를 기반으로 한다. 이 모델은 감마 분포로 포아송 이질성을 모델링하기 때문에 인기가 있다.

포아송 회귀 모형은 로그를 (정준) 연결 함수(canonical link function)로 사용하고, 포아송 분포함수를 반응의 가정 확률 분포로 사용하는 일반화 선형 모형이다.

종속변수가 정규분포가 아닌 경우 해결방법은 먼저, 종속변수를 변수 변환하여 정규 분포인지를 확인한다. 변환된 종속변수를 가지고 선형회귀분석을 실시한다. 둘째, 종속변수의 왜도(skewness)가 2 이상으로 나타나고, 확률밀도함수의 오른쪽 부분에 긴 꼬리를 가지며 자료가 왼쪽에 더 많이 분포해 있는 경우, 포아송 회귀분석을 사용할 수 있다. 즉, 평균과 중앙값이 같으면 왜도는 0이 된되고, 정규분포는 대칭이므로 왜도가 없다. 즉, 포아송 회귀분석은 종속변수가 0 이상의 정수이고, 왜도가 큰 경우에 실시한다. 이것은 음이항 분포(negative regression analysis)와 매우 비슷하지만, 음이항 분포는 평균보다 분산이 크다라는 점에서 구분이 된다.

종속변수가 빈도변수이고, 분포유형이 포아송 로그 선형이어야 한다. 이 두 조건이 만족되면 포아송 회귀분석을 진행한다. 또한, 포아송 회귀분석의 기본가정은 첫째, 종속변수가 빈도변수이다. 만약, 반응변수가 셀 수 없는 것이라면, 포아송 회귀분석은 사용하기에 어려움이 발생한다. 둘째, 동일 구간에서 사건 발생의 확률은 동일해야 한다. 셋째, 어떤 구간에서 사건의 발생 유무가 다른 구간의 사건 발생 유무에 영향을 미치지 않아야 하고, 독립적이어야 한다. 넷째, 어떤 짧은 구간에서 두 개 이상의 결과가 동시에 나올 확률은 0일 경우에 활용한다.

6.2. 포아송 회귀분석 해석

여기서는 SPSS에서 출력을 설명하는 각주가 있는 포아송 회귀 분석의 예를 보여준다. 수집된 데이터는 316명의 학생에 대한 학업 정보다. 응답 변수는 학년 중 결석 일수(daysabs)다. 수학 표준화 시험 점수(mathnce), 언어 표준화 시험 점수(langnce) 및 성별(female) 과의 관계를 살펴본다.

포아송 모델에서 가정한 것처럼, 반응 변수는 카운트 변수이고, 각 대상은 동일한 관찰 시간을 갖는다. 피험자에 대한 관찰 시간이 다양하고 즉, 일부 피험자는 6개월 동안, 일부 피험자는 1년 동안, 나머지는 2년 동안 추적되었고, 노출 시간의 이러한 차이를 무시했다면 포아송 회귀 추정은 편향될 것이다.

모델은 모든 피험자가 동일한 후속 조치 시간을 가졌다고 가정한다. 또한 다른 카운트 모델 예를 들면, 음이항 모델 또는 영팽창 모델과 비교하여 포아송 모델이 적절한 모델로 간주한다. 즉, 응답변수가 과분산되지 않고 0의 개수가 과도하게 많지 않다고 가정한다.

SPSS에서 포아송 모델은 일반화 선형 모델의 하위 집합으로 처리한다. 이는 구문에 반영한다. 지정된 분포가 포아송이고 연결 함수가 로그인 경우 일반화 선형 모형은 포아송이다.


```
GENLIN daysabs WITH female mathnce langnce
  /MODEL  female mathnce langnce distribution = POISSON link = LOG
  /PRINT CPS HISTORY SOLUTION FIT.
```

6.2.1. 포아송 회귀분석 케이스 처리 요약

케이스 처리 요약(Table Case Processing Summary)은 분석에 사용된 데이터의 유효 케이스 수와 결측값 수를 보여준다.

포함됨 항에서 이는 모델에 포함된 데이터 세트의 관찰 수이다. 결과 변수와 모든 예측 변수에 유효하고 누락되지 않은 값이 있는 경우 관찰이 포함된다. 즉, 포함됨 (Included)에는 분석에 사용된 유효한 데이터의 수를 나타낸다. N은 유효한 데이터 케이스의 수는 316이다. 퍼센트는 유효한 데이터가 전체 데이터의 100.0%를 차지한다.

제외됨 항에서 이는 결과 또는 예측 변수의 데이터 누락으로 인해 모델에 포함되지 않은 데이터 세트의 관측치 수이다. 즉, 제외됨 (Excluded)에는 분석에서 제외된 데이터의 수를 나타낸다. N은 분석에서 제외된 데이터 케이스의 수는 0이다. 퍼센트는 제외된 데이터가 전체 데이터의 0.0%를 차지한다.

총계 항에서 이는 포함된 레코드와 제외된 레코드의 합계이다. 이는 데이터 세트의 총 관찰 수와 같다. 즉, 전체 (Total)에는 전체 데이터의 수를 나타낸다. N은 전체 데이터 케이스의 수는 316을 의미하고, 전체 데이터가 100.0%임을 나타낸다.

[표 33] 포아송 회귀분석 케이스 처리 요약

케이스 처리 요약		
	N	퍼센트
포함됨	316	100.0%
제외됨	0	0.0%
전체	316	100.0%

이 결과는 분석에 사용된 모든 데이터 케이스가 유효하며, 결측값이 없음을 나타낸다. 데이터 처리 및 분석에서 316개의 케이스가 모두 포함되었고, 제외된 케이스는 없기 때문에 데이터의 완전성을 확인할 수 있다.

분석에 사용된 모든 케이스가 유효함으로써, 데이터 손실 없이 완전한 분석을 수행할 수 있다. 결측값이 없으므로, 추가적인 결측값 처리 과정이 필요하지 않는다. 모든 데이터를 사용하여 분석을 수행했기 때문에, 결과의 신뢰성이 높다.

이러한 정보는 데이터 분석을 진행하는 데 있어 매우 중요하다. 결측값이 없는 데이터를 사용하면, 결과의 해석이 더 명확하고 신뢰성이 높아진다.

6.2.2. 포아송 회귀분석 반복 계산 과정

반복 기록 항에서 각 반복의 로그 가능성 목록이다. 이진 및 순서 로지스틱 회귀와 마찬가지로 포아송 회귀는 반복 절차인 최대 우도 추정을 사용한다. 첫 번째 반복 또는 반복 0이라고 함은 "null" 모델의 로그 우도이다. 목표는 로그 우도를 최대화하는 것이므로 각 반복에서 로그 우도가 증가한다. 연속된 반복 간의 차이가 매우 작은 경우 모델이 "수렴"되었다고 하며 반복이 중지되고 결과가 표시한다.

즉, 반복 계산 과정 테이블은 모형이 수렴하는 과정을 보여준다. 이는 일반적으로 회귀 분석이나 최대우도 추정과 같은 통계적 모델링 과정에서 사용한다. 주어진 테이블은 특정 모형의 반복적인 계산 과정을 나타내고 있다.

반복 (Iteration) 항은 각 반복 단계에서 모형이 업데이트 되는 과정을 나타낸다. 초기 단계부터 시작하여, 점수화와 Newton 방법을 통해 반복적으로 계산이 수행한다.

업데이트 유형 (Update Type) 항은 각 반복 단계에서 사용된 방법을 나타낸다. 초기는 초기 값을 설정하며, 점수화 (Scoring)는 점수 함수에 기반한 업데이트한다. Newton은 Newton-Raphson 방법에 기반한 업데이트 값을 의미한다.

단계 이분의 수 (Step Halving Count)는 각 반복 단계에서 단계 이분의 수를 나타내며, 이 경우 모두 0으로 설정되어 있다.

로그 우도 (Log Likelihood)은 모형의 로그 우도 값이 반복적으로 계산한다. 로그 우도 값이 수렴해가는 과정을 보여준다. 값이 감소하다가 또는 절대값이 작아지다가 최종적으로 -1544.348에서 수렴하게 된다.

[표 34] 포아송 회귀분석 반복 계산 과정

				반복계산과정					
반복	업데이트 유형	단계 이분의 수	로그 우도b			모수			
				(수정된모형)	female	mathnce	langnce	(척도)
0	초기	0	-2002.798	2.434330	.346041	-.002065	-.003038	1
1	점수화	0	-1574.112	2.127677	.369482	-.003013	-.005630	1
2	Newton	0	-1544.640	2.086644	.387592	-.003679	-.007552	1
3	Newton	0	-1544.348	2.090671	.391044	-.003788	-.007896	1
4	Newton	0	-1544.348	2.090778	.391102	-.003789	-.007902	1
5	Newtona	0	-1544.348	2.090778	.391102	-.003789	-.007902	1
중복 모수는 표시되지 않습니다. 모든 반복계산에서 중복 모수의 값은 항상 0입니다. 종속변수: daysabs 모형: (수정된 모형), female, mathnce, langnce									
a. 반복계산이 필요하지 않습니다. 최종 추정값은 반복계산 0의 닫힌 형식에서 얻어집니다.									
b. 전체 로그 우도 함수가 표시됩니다.									

모수 (Parameters) 항은 각 반복 단계에서 추정된 모수의 값이다. female은 2.434330에서 시작하여 최종적으로 2.090778에서 수렴하고, mathnce는 .346041에서 시작하여 최종적으로 .391102에서 수렴하며, langnce는 -.002065에서 시작하여 최종적으로 -.003789에서 수렴함을 보인다.

(척도) 항은 척도 매개변수는 모든 반복에서 1로 유지된다.

모든 수렴 기준이 만족된다는 마지막 반복 단계에서 모형이 수렴 기준을 모두 만족했음을 나타낸다.

이 테이블은 모형이 수렴하는 과정을 보여준다. 초기 값에서 시작하여 반복적으로 업데이트되고, 각 단계에서 로그 우도 값이 개선되는 과정을 통해 최종적으로 모형이 수렴하게 되며, 마지막 단계에서 모든 수렴 기준을 만족했으므로,

이 모형은 안정적으로 최종 모수 값을 도출하였음을 보여준다.

로그 우도는 모형의 적합성을 평가하는 지표로 사용한다. 값이 클수록 또는 덜 부정적일수록 모형이 데이터에 더 잘 맞는 것을 의미한다. 여기서는 -2002.798에서 시작하여 최종적으로 -1544.348에서 수렴하였다.

Newton 방법을 사용한 반복적 업데이트 과정을 통해 모수의 값을 최적화한다. 각 단계에서 모수의 변화량을 확인하여 모형이 점차 개선되는 과정을 확인할 수 있다. 이 반복 계산 과정은 모형이 데이터에 잘 맞도록 최적화되는 과정을 보여주며, 최종적으로 안정된 모수 값에 도달하게 된다.

6.2.3. 포아송 회귀분석 기울기 벡터 및 Hessian 행렬

기울기 벡터와 Hessian 행렬은 최적화 알고리즘에서 중요한 역할을 한다. 이들은 모형의 수렴을 평가하고 최적의 매개변수를 찾는 데 사용한다. 주어진 테이블은 최적화 과정의 마지막 평가 결과를 보여준다.

그래디언트 벡터와 헤시안 행렬 항은 우리 모델에서 k+1개의 매개변수를 추정한다. 여기서 k는 예측 변수의 수이다. 각 예측 변수에 대해 하나씩, 그리고 절편 매개변수는 하나다. 우리 모델의 로그 우도는 이러한 추정된 매개변수를 기반으로 계산한다. 그래디언트 벡터는 추정된 매개변수에 대한 로그 우도 함수의 편미분 벡터이고 헤시안 행렬은 추정된 매개변수에 대한 이 로그 우도의 2차 미분의 제곱 행렬이다. 모델 매개변수의 분산-공분산 행렬은 헤시안의 역의 음수다. 헤시안의 값은 모델의 수렴 문제를 시사할 수 있지만 SPSS에서 제공하는 반복 기록과 가능한 오류 메시지는 모델의 문제를 진단하는 데 더 유용한 도구이다.

[표 35] 포아송 기울기 벡터 및 Hessian 행렬

기울기 벡터 및 Hessian 행렬						
		모수				
		(수정된 모형)	female	mathnce	langnce	ln(척도)
기울기 벡터		.000	.000	.000	.000	.000
Hessian 행렬	(수정된 모형)	-1836.000	-1085.000	-78045.000	-81678.000	.000
	female	-1085.000	-1085.000	-46895.908	-52237.844	.000
	mathnce	-78045.000	-46895.908	-4494824.048	-4306625.547	.000
	langnce	-81678.000	-52237.844	-4306625.547	-4788322.908	.000

기울기 벡터 및 Hessian 행렬의 마지막 평가가 표시됩니다.
중복 모수는 표시되지 않습니다.

기울기 벡터 항에서 기울기 벡터는 모형의 목적 함수 예를 들면, 로그 우도 함수의 각 매개변수에 대한 1차 편미분 값이다. 최적화가 수렴되었을 때, 기울기 벡터의 값은 0에 가까워야 한다. 즉, 기울기 벡터의 값이 모두 0인 것으로 보아, 최적화 알고리즘이 수렴했음을 알 수 있다. 즉, 기울기 벡터 (Gradient Vector)는 모든 요소가 0이므로, 현재의 매개변수 값이 로그 우도 함수의 극값 (최대값 또는 최소값)에 도달했음을 나타낸다. 이는 모형이 수렴했음을 의미한다.

Hessian 행렬 항에서 Hessian 행렬은 목적 함수의 2차 편미분으로 구성된 행렬이다. 이 행렬은 매개변수 공간의 곡률 정보를 제공하며, 최적화 과정에서 사용한다. Hessian 행렬의 주어진 값들은 각 매개변수의 2차 편미분 값과 서로 다른 매개변수 간의 혼합 2차 편미분 값을 나타낸다.

즉, Hessian 행렬의 대각 요소는 각 매개변수의 2차 편미분 값이다. 예를 들어, `-1836.000`은 수정된 모형의 2차 편미분 값이다. 비대각 요소는 서로 다른 매개변수 간의 혼합 2차 편미분 값이다. 예를 들어, `-1085.000`은 수정된 모형과 female 간의 혼합 2차 편미분 값이다. Hessian 행렬이 음수 값을 가지는 경우, 이는 매개변수 공간의 곡률이 음수임을 나타낸다. 이는 로그 우도 함수가 오목함을 의미하며, 최적화 문제에서 최소화가 아닌 최대화 문제를 다루고 있음을 시사한다.

그러므로, 기울기 벡터가 0에 가까운 값이므로, 최적화가 성공적으로 이루어졌고 로그 우도 함수가 수렴했음을 알 수 있다. Hessian 행렬의 값은 매개변수 공간의 곡률 정보를 제공하며, 매개변수 간의 상호 작용을 평가하는 데 사용한다. 최적화 알고리즘의 마지막 단계에서 기울기 벡터와 Hessian 행렬이 제공한 정보는 모형이 잘 적합되었음을 확인하는 데 유용하다.

6.2.4. 포아송 회귀분석 적합성

적합도 평가 표는 회귀 모델의 적합성을 평가하는 여러 가지 통계량을 제공한다. 주어진 표는 모델의 다양한 적합도 지표를 보여준다. 이를 통해 모델이 데이터를 얼마나 잘 설명하는지를 평가할 수 있다.

편차 (Deviance) 항에서 편차는 모델의 오차를 측정하는 지표이다. 값이 작을수록 모델이 데이터를 잘 설명함을 의미한다. 편차의 값은 2227.301이며, 자유도는 312이다. 값/자유도는 7.139로, 이는 편차 값을 자유도로 나눈 값이다. 즉, 편차는 일반적으로 최종 모델의 로그 우도에 (-2)를 곱한 값으로 정의한다. 그러나 포아송 회귀 분석의 경우 SPSS는 편차를 다음과 같이 계산한다.

$$\sum_{i=1}^{N} 2\left(y_i \log \frac{y_i}{\hat{y}_i} - (y_i - \hat{y}_i)\right), \hat{y}_i \ is \ the \ predicted \ value \ of \ y_i$$

모델의 로그 우도는 -1547.971이다. 편차의 일반적인 공식은 (-2)(-1547.971) = 3095.942를 산출하는데, 이는 위의 공식을 사용하여 계산한 편차보다 크다.

[표 36] 포아송 회귀분석 적합성

적합도a			
	값	자유도	값/자유도
편차	2227.301	312	7.139
척도 편차	2227.301	312	
Pearson 카이제곱	2778.860	312	8.907
척도 Pearson 카이제곱	2778.860	312	
로그 우도b	-1544.348		
Akaike 정보 기준(AIC)	3096.697		
무한 표본 수정된 AIC(AICC)	3096.825		
베이지안 정보 기준(BIC)	3111.720		
일관된 AIC(CAIC)	3115.720		
종속변수: daysabs			
모형: (수정된 모형), female, mathnce, langnce			
a. 정보 기준은 가능한 작은 형태입니다.			
b. 전체 로그 우도 함수가 표시되고 계산 정보 기준에 사용됩니다.			

척도 편차 (Scaled Deviance) 항에서 척도 편차는 편차를 척도화한 값이다. 이 경우에는 편차와 동일하게 2227.301로 나타나 있다.

Pearson 카이제곱 항에서 Pearson 카이제곱은 모델 적합성을 평가하는 또 다른 지표이다. 값이 작을수록 모델이 데이터를 잘 설명함을 의미한다. Pearson 카이제곱의 값은 2778.860이며, 자유도는 312이다. 값/자유도는 8.907이다.

척도 Pearson 카이제곱 (Scaled Pearson Chi-Square) 항에서 척도 Pearson 카이제곱은 Pearson 카이제곱을 척도화한 값이다. 이 경우에는 Pearson 카이제곱과 동일하게 2778.860으로 나타나 있다. 즉, 피어슨 카이제곱 항은-결과 변수의 예측 값을 실제 값과 비교하는 적합도 측정이다. 다음과 같이 계산한다.

$$\sum_{i=1}^{N} \frac{(y_i - \hat{y}_i)^2}{\hat{y}_i}, \hat{y}_i \ is \ the \ predicted \ value \ of \ y_i$$

이 모델에는 스케일링이 없으므로 스케일링된 Pearson 카이제곱이 Pearson 카이제곱과 동일하다는 것을 알 수 있다.

로그 우도 (Log Likelihood) 항에서 로그 우도는 모델이 주어진 데이터를 설명할 가능성을 나타낸다. 값이 클수록, 절대값이 작을수록 모델이 데이터를 잘 설명함을 의미한다. 이 경우 로그 우도 값은 -1544.348이다.즉, 로그 우도 항에서 이는 최종 모델의 로그 우도이다.

AIC 항에서 이것은 Akaike 정보 기준으로, (-2 ln L + 2 k)로 정의된 적합도 측정값이다. 여기서 k는 모델의 매개변수 수이고, L은 최종 모델의 우도 함수다. Akaike 정보 기준 (AIC) 항에서 AIC는 모델의 적합성과 복잡성을 동시에 고려한 지표로, 값이 작을수록 더 나은 모델을 의미한다. AIC 값은 3096.697이다.

무한 표본 수정된 AIC (AICC) 항에서 AICC는 AIC의 변형으로, 작은 표본 크기에서 모델 선택의 편향을 줄이기 위해 수정된 지표이다. AICC 값은 3096.825이다.

베이지안 정보 기준 (BIC) 항에서 BIC는 모델의 적합성과 복잡성을 고려한 또 다른 지표로 값이 작을수록 더 나은 모델을 의미한다. BIC 값은 3111.720이다. 즉, BIC 항에서 이것은 베이지안 정보 기준이며 적합도 측정 기준으로 정의한다.

$$\frac{-2 \ln L + k \ln (n)}{n}$$

여기서 n은 총 관측치 수, k는 모델 매개변수 수, L은 최종 모델의 우도 함수이다.

일관된 AIC (CAIC) 항에서 CAIC는 AIC의 또 다른 변형으로, 모델 선택의 일관성을 높이기 위해 수정된 지표이다. CAIC 값은 3115.720이다.

종합적으로 해석하면, 모델의 적합성 평가에서 편차, Pearson 카이제곱, 그리고 로그 우도는 모두 모델의 적합성을 평가하는 데 사용된다. 이 값들이 작을수록 모델이 데이터를 잘 설명하고 있음을 의미한다. 모델 선택 기준에서 AIC, AICC, BIC, CAIC는 모델 선택 기준으로 사용된다. 값이 작을수록 더 나은 모델을 의미한다. 이 지표들을 통해 여러 모델을 비교하고 최적의 모델을 선택할 수 있다. 로그 우도에서 로그 우도 값이 -1544.348로 나타나 있으며, 이는 모델의 적합성을 평가하는 데 중요한 역할을 한다.

이 적합도 지표들을 통해 모델의 성능을 평가하고, 데이터를 얼마나 잘 설명하는지를 판단할 수 있다. 다양한 적합도 지표를 함께 고려하여 모델의 전반적인 적합성을 평가하는 것이 중요하다.

6.2.5. 포아송 회귀분석 매개변수 추정

B 항은 모델에 대한 추정된 포아송 회귀 계수다. 반응 변수는 카운트 변수이고 포아송 회귀 분석은 예상 카운트의 로그를 예측 변수의 함수로 모델링한다. 포아송 회귀 계수는 다음과 같이 해석할 수 있다. 예측 변수가 한 단위 변경되면 모델의 다른 예측 변수가 일정하게 유지되는 경우 예상 개수 로그의 차이는 각 회귀 계수에 따라 변경될 것으로 예상한다.

(절편) 항은 모델의 모든 변수가 0으로 평가될 때의 포아송 회귀 추정다. 수학 및 언어 테스트 점수가 0인 남성 또는 0으로 평가된 변수 여성의 경우 일수에 대한 예상 개수의 로그는 2.091 단위이다. mathnce 및 langnce를 0으로 평가하는 것은 그럴듯한 시험 점수 범위를 벗어난다. 테스트 점수가 평균 중심인 경우 절편은 자연스러운 해석을 갖게 된다. 즉 평균 수학 및 언어 테스트 점수를 가진 남성에 대한 예상 개수의 로그다.

여성 항은 모델에서 다른 변수가 일정하게 유지되는 경우 여성과 남성을 비교하는 추정된 포아송 회귀 계수다. 모델에서 다른 변수는 일정하게 유지하면서 기대 카운트 로그의 차이는 남성에 비해 여성의 경우 0.391 단위 더 높을 것으로 예상한다. 따라서 수학 및 언어 시험 점수가 동일한 두 학생 또는 남학생 1명, 여학생 1명을 고려하면 여학생이 남학생보다 로그 또는 일 결석의 예측 값이 더 높을 것이다. 따라서 여학생이 남학생보다 결석 일수가 더 많을 것으로 예상한다.

[표 37] 포아송 회귀분석 매개변수 추정

모수 추정값							
모수	B	표준오차	95% Wald 신뢰구간		가설검정		
			하한	상한	Wald 카이제곱	자유도	유의확률
(수정된 모형)	2.091	.0546	1.984	2.198	1466.350	1	.000
female	.391	.0486	.296	.486	64.629	1	.000
mathnce	-.004	.0013	-.006	-.001	8.095	1	.004
langnce	-.008	.0014	-.011	-.005	33.504	1	.000
(척도)	1a						
종속변수: daysabs 모형: (수정된 모형), female, mathnce, langnce a. 표시된 값으로 고정됩니다.							

mathnce 항은 모델에서 다른 변수가 일정하게 유지되는 경우 수학 표준화 시험 점수가 1단위 증가하는 것에 대한 포아송 회귀 추정치다. 학생이 수학시험 점수를 1점 높이면, 모델의 다른 변수는 상수로 유지하면서 기대 개수 로그의

차이는 0.004 단위만큼 감소할 것으로 예상한다. 언어 점수가 같은 동성 학생 2명을 고려한다면, 수학 점수가 더 높은 학생이 다른 학생보다 결석 일수가 더 적을 것으로 예상할 수 있다.

langnce 항은 모델에서 다른 변수가 일정하게 유지되는 경우 언어 표준화 시험 점수가 1단위 증가하는 것에 대한 포아송 회귀 추정치다. 학생이 언어 테스트 점수를 1점 높이면, 모델의 다른 변수를 상수로 유지하면서 기대 개수 로그의 차이는 0.008 단위만큼 감소할 것으로 예상한다. 수학 점수가 같은 동성 학생 2명을 고려한다면, 둘 중 언어 점수가 더 높은 학생이 다른 학생보다 결석 일수가 더 적을 것으로 예상할 수 있다.

표준 오차 항은 개별 회귀 계수의 표준 오차다. 이는 Wald Chi-Square 검정 통계량과 회귀 계수의 신뢰 구간계산에 모두 사용한다.

95% Wald 신뢰 구간 항은 다른 예측 변수가 모델에 있는 경우 개별 포아송 회귀 계수의 신뢰 구간(CI)다. 신뢰 수준이 95%인 주어진 예측 변수의 경우 반복 시행 시 CI의 95%가 "진정한" 모집단 포아송 회귀 계수를 포함할 것이라고 95% 확신한다고 말할 수 있다. B($z\alpha/2$)*(Std.Error)로 계산되며, 여기서 $z\alpha/2$는 표준 정규 분포의 임계값이다. CI는 z 검정 통계량과 동일하다. CI에 0이 포함되면 다른 예측 변수가 모델에 있는 경우 특정 회귀 계수가 0이라는 귀무가설을 기각하지 못한다. CI의 장점은 설명적이라는 것이다. "진정한" 매개변수가 어디에 있을 수 있는지와 점 추정치의 정밀도에 대한 정보를 제공한다.

Wald Chi-Square 항은 개별 회귀 계수에 대한 테스트 통계이다. 검정 통계량은 계수 B와 Std의 제곱 비율이다. 해당 예측 변수의 오차다. 검정 통계량은 B가 0이 아니라는 양측 대립가설에 대해 검정하는 데 사용되는 카이제곱 분포를 따른다.

자유도(df) 항에서 이 열에는 모델에 포함된 각 변수의 자유도가 나열된다. 각 변수에 대한 자유도는 1이다.

유의확률 항에서 이는 주어진 모델 내에서 나머지 예측 변수가 모델에 있는 경우 특정 예측 변수의 회귀 계수가 0이라는 귀무가설이 되는 확률 또는 계수의 p-값이다. 이는 예측 변수의 Wald Chi-Square 검정 통계를 기반으로 한다. 특정 Wald 검정 통계량이 귀무가설 하에서 관찰된 것보다 극단적이거나 그 이상일 확률은 p-값으로 정의되고 여기에 표시한다. 표준 오차의 추정치를 더 높은 정밀도로 살펴보면 테스트 통계를 계산하고 해당 통계가 SPSS에서 생성된 통계와 일치하는지 확인할 수 있다. 더 많은 소수 자릿수가 표시된 추정치를 보려면 SPSS 출력에서 매개변수 추정값 표를 클릭한 다음 관심 있는 숫자를 두 번 클릭하면, 구체적으로 확인할 수 있다.

(절편) 항에서 Wald 카이제곱 검정 통계량 검정(절편)은 다른 변수가 모델에

있고 0으로 평가될 때 0이며 (2.091/ 0.0546)*2 = 1466.350이며, 연관된 p-값은 < 0.0001이다. 알파 수준을 0.05로 설정하면 귀무가설을 기각하고 daysabs의 (절편)이 mathnce, langnce 및 female이 모델에 있고 0으로 평가될 때 0과 통계적으로 다르다는 결론을 내릴 수 있다.

여성 항은 남성과 여성 간의 daysabs에 대한 기대 계수의 로그 차이를 검정하는 Wald 카이 제곱검정 통계량은 다른 변수가 모델에 있는 경우 0이며, (0.391/0.0486)*2 = 64.629이며, 연관된 p-값은 <0.0001이다. 알파 수준을 0.05로 설정하면 귀무가설을 기각하고 mathnce와 langnce가 모델에 있는 경우 여성의 계수가 통계적으로 0과 다르다는 결론을 내릴 수 있다.

mathnce 항은 mathnce에 대한 기울기를 daysabs에서 검정하는 Wald 카이제곱 검정 통계량은 0이고, 다른 변수가 모델에 있는 경우 (-0.004/0.0013)*2= 8.095이며, 연관된 p-값은 0.053이다. 알파 수준을 0.05로 설정하면 귀무가설을 기각하지 못하고 langnce와 female 이 모델에 있는 경우, mathnce에 대한 포아송 회귀 계수가 0과 통계적으로 다르지 않다는 결론을 내릴 수 있다.

langnce 항은 다른 변수가 모델에 있는 경우 daysabs에 대한 langnce의 기울기를 검정하는 Wald 카이제곱 검정 통계량은 0이고, (-0.008/0.0014)*2= 33.504이며, 연관된 p-값은 <0.0001이다. 알파 수준을 0.05로 설정하면 귀무가설을 기각하고 mathnce와 female 이 모델에 있는 경우 langnce에 대한 포아송 회귀 계수가 통계적으로 0과 다르다는 결론을 내릴 수 있다.

위의 부분을 종합적으로 설명하면, 다음과 같다. 모수 추정값 표는 회귀 모델의 각 변수에 대한 계수(B), 표준오차, 신뢰구간, Wald 카이제곱 값 및 유의확률을 제공한다. 이 정보는 각 변수의 효과를 평가하는 데 사용한다. 수정된 모형의 계수는 2.091로, 이는 모델의 절편(Intercept)이다. 유의확률이 0.000이므로, 이 계수는 통계적으로 유의미하다. `female` 변수의 계수는 0.391로, 여성일 때 daysabs가 평균적으로 0.391일 더 높음을 의미한다. 유의확률이 0.000이므로, 이 계수는 통계적으로 유의미하다. `mathnce` 변수의 계수는 -0.004로, mathnce 점수가 1점 증가할 때 daysabs가 평균적으로 0.004일 감소함을 의미한다. 유의확률이 0.004이므로, 이 계수는 통계적으로 유의미하다. `langnce` 변수의 계수는 -0.008로, langnce 점수가 1점 증가할 때 daysabs가 평균적으로 0.008일 감소함을 의미한다. 유의확률이 0.000이므로, 이 계수는 통계적으로 유의미하다. 척도는 1로 고정되어 있다.

종합적으로 해석하면, 모형의 적합성에서 모든 모수 추정값의 유의확률이 0.05 미만으로, 각 변수는 통계적으로 유의미하게 daysabs에 영향을 미친다. 변수의 효과에서 `female` 변수가 양의 값을 가지며 유의미하므로, 여성이 남성보다 결석일수가 더 많음을 알 수 있다. `mathnce`와 `langnce` 변수는 음의 값을 가지며 유의미하므로, 수학과 언어 성적이 높을수록 결석일수가 감소함을 나타낸다. 신뢰구간에서 각 변수의 95% 신뢰구간이 0을 포함하지 않으므로, 추정된 계수 값이 통계적으로 유의미함을 추가로 확인할 수 있다.

그러므로 이 결과를 바탕으로, `female`, `mathnce`, `langnce` 변수가 daysabs(결석 일수)에 중요한 영향을 미친다고 결론지을 수 있다.

< 포아송 분석 발견 에피소드의 예>

교통사고 예측 - 교통 엔지니어는 푸아송 분포를 사용하여 특정 도로 구간에서 교통사고 빈도를 모델링한다. 과거 사고 데이터를 분석하여 주어진 시간 프레임, 예를 들면, 매시간, 매일 내에 특정 수의 사고가 발생할 확률을 추정할 수 있다. 이 정보는 안전 순찰을 위한 자원을 할당하고, 도로 인프라를 개선하고, 궁극적으로 사고를 예방하는 데 도움이 된다.

고객 서비스 전화 분석 - 고객 서비스 센터는 포아송 분포를 사용하여 통화량을 예측하고 인력을 최적화한다. 과거 통화 데이터를 분석하여 특정 기간 내에 특정 수의 통화를 받을 확률을 추정할 수 있다. 이를 통해 통화량을 효율적으로 처리하고 고객의 대기 시간을 최소화하기 위해 적절한 인력 수준을 예약할 수 있다.

보험 청구 모델링 - 보험 회사는 위험을 평가하고 보험료를 정하기 위해 푸아송 분포에 의존한다. 과거 청구 데이터를 분석함으로써 특정 기간 내에 보험 계약자가 특정 수의 청구를 제출할 확률을 추정할 수 있다. 이를 통해 수익성을 유지하면서 적절한 보험료를 정하는 데 도움이 된다.

출산율 이해 - 인구학자는 인구의 출산율을 모델링하기 위해 포아송 분포를 사용한다. 과거 출산 데이터를 분석함으로써 특정 기간, 예를 들면, 일일, 월간 내에 특정 수의 출산이 발생할 확률을 추정할 수 있다. 이를 통해 인구 증가 추세를 연구하고 미래 인구 통계에 대한 예측을 할 수 있다.

제조에서의 이상 현상 식별 - 제조 회사는 포아송 분포를 활용하여 잠재적 결함이나 생산 문제를 식별할 수 있다. 기계 오작동이나 제품 결함에 대한 과거 데이터를 분석하여 특정 기간 내 사고 수에 대한 기준 기대치를 설정할 수 있다. 예상 포아송 분포에서 벗어나면 생산 공정 내 잠재적 문제에 대한 추가 조사가 필요할 수 있다.

7. 주성분 분석

7.1. 주성분 분석 개념

Principal Component Analysis(PCA)는 데이터를 축소하여 분석을 쉽게 하고 시각화를 돕는 기법이다. 데이터가 가지고 있는 차원을 줄여주면서도 가장 중요한 정보는 최대한 유지하는 것이 목표이다. PCA는 다음과 같은 여러 분야에서 유용하게 사용한다.
- 탐색적 데이터 분석 (Exploratory Data Analysis)
- 시각화 (Visualization)
- 데이터 전처리 (Data Preprocessing)

7.1.1. 주성분 분석 원리

PCA는 데이터를 새로운 좌표계로 변환한다. 이때 새로운 좌표계의 축은 데이터의 변동을 최대한 잘 설명하는 방향으로 정해진다. 이러한 축을 주성분 (principal components)이라고 부른다. 주성분들은 원래 데이터의 변동을 설명하는 새로운 축으로, 서로 직교(orthogonal)하는 관계를 가진다.
1) 데이터의 변동을 최대한 설명하는 축 찾기
데이터의 변동이 가장 큰 방향을 첫 번째 주성분으로 설정한다. 두 번째 주성분은 첫 번째 주성분과 직각을 이루면서 남은 변동을 최대한 설명하는 방향으로 설정한다. 이렇게 순차적으로 데이터를 설명하는 축을 찾는다.

2) 축소된 차원
많은 경우에, 첫 두 개의 주성분만으로도 데이터의 대부분의 정보를 설명할 수 있다. 이를 이용해 2차원 평면에 데이터를 시각화하면, 데이터 간의 관계를 쉽게 파악할 수 있다.

3) 예시
다변량 정규분포에서 중심이 (1, 3)이고, 한 방향(0.866, 0.5)으로 표준 편차가 3인 데이터와 직교 방향으로 표준 편차가 1인 데이터를 가정해 보면, PCA를 통해 이러한 데이터의 주성분을 구하면, 이 주성분들은 데이터의 공분산 행렬 (covariance matrix)의 고유벡터(eigenvectors)가 된다. 이 주성분들은 데이터의 중심에서 출발하여 데이터의 변동을 설명하는 방향을 나타내며, 고유값 (eigenvalues)에 따라 크기가 결정된다.

4) 활용 분야
PCA는 다음과 같은 다양한 분야에서 사용된다.
인구 유전학 (Population Genetics)에서 유전자 데이터의 변이를 분석하여 집단 간의 유사성과 차이를 파악할 때 사용된다.
미생물 군집 연구 (Microbiome Studies)에서 미생물 데이터의 패턴을 분석하여 특정 환경에서의 미생물 군집 구조를 이해할 때 사용된다.
대기 과학 (Atmospheric Science)에서 기후 데이터의 패턴을 분석하여 기후변화의 요인을 파악할 때 사용한다.
PCA는 복잡한 데이터를 이해하고, 중요한 패턴을 파악하며, 시각화하는 데 매우 유용한 도구이다. 이를 통해 데이터를 더 명확하게 분석하고, 중요한 인사이트를 도출할 수 있다.

7.1.2. 주성분 분석 개요

Principal Component Analysis(PCA)는 데이터의 차원을 줄이면서 중요한 정보를 유지하는 기법이다. 원래 변수들로부터 가장 많은 변동을 설명하는 새로운 변수(주성분)를 만드는 방법이다. 주성분들은 서로 독립적이며, 원래 변수들의 선형 결합으로 구성한다.

1) 주성분 구하기
첫째, 첫 번째 주성분은 원래 변수들의 선형 결합으로 만들어지며, 데이터의 변동(분산)을 가장 많이 설명한다. 이는 데이터를 새로운 축으로 변환했을 때, 그 축을 따라 데이터가 가장 많이 퍼져 있는 방향을 의미한다.
둘째, 두 번째 주성분은 첫 번째 주성분의 영향을 제거한 후 남은 변동을 가장 잘 설명하는 방향으로 설정한다. 이는 첫 번째 주성분과 직각을 이루며, 남은 데이터의 변동을 최대한 설명한다.
셋째, 세 번째 주성분부터는 앞의 주성분들과 모두 직각을 이루며, 남은 변동을 최대한 설명하는 방향으로 설정한다. 이렇게 `p`개의 주성분이 모두 구해질 때까지 반복한다.

2) 주성분의 수학적 정의
주성분은 데이터의 공분산 행렬의 고유벡터(eigenvectors)로 정의한다. 고유벡터는 데이터의 방향성을 나타내며, 고유값(eigenvalues)은 그 방향으로의 변동 크기를 나타낸다. PCA는 공분산 행렬의 고유벡터를 계산하여 주성분을 구한다.

3) PCA와 관련된 다른 분석 기법
먼저, 요인 분석 (Factor Analysis)
PCA와 유사하지만, 데이터의 잠재적 구조를 더 잘 설명하기 위해 도메인 특화 가정을 포함한다. 약간 다른 행렬의 고유벡터를 구하는 방법이다.
둘째, 정준 상관 분석 (Canonical Correlation Analysis, CCA)
두 데이터셋 간의 상관 관계를 최적화하는 새로운 좌표계를 정의한다. PCA는 한 데이터셋 내의 분산을 최적화하는 좌표계를 정의한다.
셋째, Robust PCA
표준 PCA의 변형으로, 이상치(outliers)에 더 강건한 분석 방법이다. L1 노름 기반의 변형을 포함한다.

4) PCA의 주요 활용
먼저, 변수 간의 상관관계가 높은 경우
PCA는 상관관계가 높은 변수들을 독립적인 주성분으로 변환하여, 변수의 수를 줄이고 분석을 단순화한다.
둘째, 데이터 시각화
주성분 중 처음 두 개를 사용해 2차원 그래프를 그리면, 데이터의 군집 (cluster)이나 패턴을 쉽게 시각화할 수 있다.
셋째, 데이터 전처리
고차원 데이터를 낮은 차원으로 변환하여 계산 효율성을 높이고, 노이즈를 줄일 수 있다.
가령, 학생들의 성적 데이터를 분석한다고 하면, 학생들의 수학, 과학, 영어 점수는 서로 상관관계가 높을 수 있다. PCA를 사용하면 이 세 과목의 점수를 두 개의 주성분으로 변환할 수 있다. 첫 번째 주성분은 세 과목 점수의 전반적인 변동을 설명하고, 두 번째 주성분은 첫 번째 주성분의 영향을 제거한 후 남은 변동을 설명한다. 이를 통해 우리는 원래의 세 점수 대신 두 개의 주성분으로 학생들의 성적을 더 쉽게 분석할 수 있다.
PCA는 데이터의 차원을 줄이면서 중요한 변동을 최대한 유지하는 방법이다. 이는 데이터의 공분산 행렬을 고유값 분해하여 주성분을 구하고, 이를 통해 데이터의 주요 패턴을 시각화하고 분석하는 데 유용하다. PCA는 요인 분석, 정준 상관 분석 등과 밀접한 관련이 있으며, 다양한 변형 및 응용이 가능하다.

7.1.3. PCA 역사

1) 초기 발명

카를 피어슨(Karl Pearson)에서 PCA는 1901년 Karl Pearson에 의해 처음 발명되었다. 피어슨은 기계공학에서의 주축 정리(principal axis theorem)를 데이터 분석에 적용한 PCA를 고안했다.

2) 독립적 발전

해럴드 호팅(Harold Hotelling)으로 1930년대에 Harold Hotelling은 PCA를 독립적으로 발전시키고 이를 명명했다. 호팅은 다변량 통계 분석에서 PCA의 응용 가능성을 제시했다.

3) 다양한 명칭과 분야별 응용

PCA는 다양한 분야에서 사용되며, 각 분야에 따라 여러 가지 이름으로 불린다.

신호 처리(Signal Processing) 분야에서, 특히 이산 카루넨-로에베 변환(Discrete Karhunen-Loève Transform, KLT)의 신호 처리는 PCA와 동일한 개념이다. 다변량 품질 관리(Multivariate Quality Control) 분야에서 호텔링 변환(Hotelling Transform)은 제품 품질의 다변량 분석 즉, 주성분 분석과 동일한 과정을 사용한다. 기계공학(Mechanical Engineering)에서 고유 직교 분해(Proper Orthogonal Decomposition, POD)는 기계 시스템의 동적 분석이지만, 주성분 분석과 동일한 과정을 사용한다. 선형대수학(Linear Algebra)에서 특잇값 분해 (Singular Value Decomposition, SVD)은 PCA의 수학적 기초가 되는 방법이다. 19세기 말에 발명되었다. 고유값 분해 (Eigenvalue Decomposition, EVD)에서 PCA의 기초 개념 중 하나로, 데이터 공분산 행렬의 고유값 분해를 의미한다.

요인 분석(Factor Analysis)은 PCA와 유사한 방법이지만, 데이터의 잠재적 구조를 파악하기 위해 특정한 가정을 추가한다. 기상 과학(Meteorological Science)에서 경험적 직교 함수 (Empirical Orthogonal Functions, EOF)는 기후 데이터의 변동 패턴을 분석하는 데 주성분 분석과 동일한 과정을 사용한다. 구조 동역학(Structural Dynamics) 분야에서 경험적 모드 분석 (Empirical Modal Analysis)는 구조물의 동적 특성을 파악하기 위해 주성분 분석과 동일한 과정을 사용한다. 스펙트럴 분해 (Spectral Decomposition)의 소음 및 진동 분석에도 주성분 분석과 동일한 과정을 사용한다.

PCA는 다양한 학문 분야에서 독립적으로 발전해왔으며, 각 분야에서 다양한 이름으로 불리고 있다. 1901년 Karl Pearson에 의해 처음 발명된 이후, 1930년대에 Harold Hotelling에 의해 더욱 발전되었다. PCA는 데이터 분석, 신호 처리, 기계공학, 기상 과학 등 여러 분야에서 중요한 도구로 사용되고 있다. 각 분야에서 PCA는 데이터의 주요 패턴을 파악하고, 차원을 줄이며, 중요한 정보를 유지하는 데 활용한다.

7.1.4. PCA 이해

PCA를 직관적으로 이해하기 위해 다음과 같은 비유를 생각해 볼 수 있다.

1) 타원체에 데이터 맞추기

p-차원의 타원체에 데이터를 p-차원의 타원체에 맞춘다고 생각할 수 있다. 타원체의 각 축은 주성분(Principal Component)을 나타낸다. 타원체의 어떤 축이 작다면, 그 축을 따라 데이터의 분산도 작다는 의미다.

2) 데이터 중심 맞추기

중심 맞추기에서 먼저 각 변수의 값을 0으로 중심 맞추기 위해 각 변수의 평균을 빼준다. 이렇게 변환된 값들을 사용하여 원래 값 대신 PCA를 수행한다.

3) 공분산 행렬과 고유값, 고유벡터

공분산 행렬 계산에서 변환된 데이터의 공분산 행렬을 계산한다.

고유값과 고유벡터에서 공분산 행렬의 고유값(eigenvalues)과 고유벡터(eigenvectors)를 계산한다. 고유벡터는 타원체의 축 방향을 나타낸다. 각 고유벡터를 단위 벡터로 정규화한다.

4) 축의 해석

타원체 축에서 상호 직교하는 단위 고유벡터는 데이터에 맞춰진 타원체의 축으로 해석될 수 있다. 이러한 기저(basis)를 선택하면 공분산 행렬은 대각화된 형태로 변환되며, 대각 원소는 각 축의 분산을 나타낸다.

5) 분산의 비율

분산 비율에서 각 고유벡터가 나타내는 분산 비율은 해당 고유값을 모든 고유값의 합으로 나누어 계산할 수 있다.

6) 시각적 해석

바이플롯(Biplot)으로 사용하며, 이는 데이터를 주성분 축에 투영한 후, 각 데이터 포인트를 2차원 또는 3차원으로 시각화한다. 데이터의 주요 패턴과 군집을 시각적으로 확인할 수 있다.

또한, 스크리 플롯(Scree Plot)을 활용한다. 각 주성분이 설명하는 분산의 정도를 나타내는 그래프다. 일반적으로 설명되는 분산이 큰 주성분부터 순서대로 표시한다. 이 플롯을 통해 몇 개의 주성분을 사용할지 결정할 수 있다.

그러므로 PCA는 데이터를 새로운 좌표계로 변환하여 가장 큰 분산을 설명하는 방향(주성분)을 찾는 과정이다. 이를 위해 먼저 데이터를 0으로 중심 맞추고, 공분산 행렬을 계산한 후, 고유값과 고유벡터를 이용하여 타원체를 데이터에 맞춘다. 주성분은 타원체의 축을 나타내며, 각 축은 데이터의 분산을 설명한다. 바이플롯과 스크리 플롯을 통해 PCA의 결과를 시각적으로 해석할 수 있다. PCA는 데이터를 단순화하고 주요 패턴을 파악하는 데 매우 유용한 도구이다.

7.2. PCA 해석

이 페이지는 출력을 설명하는 각주와 함께 주성분 분석의 예를 보여준다. 이 예시에 사용된 데이터는 James Sidanius 교수가 수집한 것이고, 각주를 활용하여 다운받을 수 있다. 데이터 명은 m255.sav이고, 데이터 세트를 다운로드할 수 있다.7)

7.2.1. PCA 개요와 이유

주성분 분석은 데이터 축소 방법이다. 상관관계가 있는 12개의 변수가 있다고 가정하면, 주성분 분석을 사용하여 12개의 측정값을 몇 개의 주성분으로 축소할 수 있다.

이 예에서 가장 관심이 있는 것은 구성 요소 점수 즉, 데이터 세트에 추가되는 변수를 얻거나 데이터의 차원을 살펴보는 것이다. 예를 들어 두 개의 구성 요소가 추출되고 이 두 구성 요소가 전체 분산의 68%를 차지하는 경우 구성 요소 공간의 두 차원이 분산의 68%를 차지한다고 말할 수 있다.

요인 분석과 달리 주성분 분석은 일반적으로 잠재적 변수를 식별하는 데 사용되지 않는다. 따라서 구성 요소에 대한 로딩은 요인 분석의 요인으로 해석되지 않는다.

요인 분석과 마찬가지로 주성분 분석은 이 예에서 보여진 것처럼 원시 데이터에서 수행하거나 상관 관계 또는 공분산 행렬에서 수행할 수 있다. 원시 데이터

---

7) https://stats.oarc.ucla.edu/spss/output/principal_components/

를 사용하는 경우 절차는 사용자가 지정한 대로 원래 상관 관계 행렬 또는 공분산 행렬을 만든다. 상관 행렬을 사용하면 변수가 표준화되고 총 분산은 분석에 사용된 변수의 수와 같아진다. 각 표준화된 변수의 분산이 1이기 때문이다. 공분산 행렬을 사용하면 변수는 원래 메트릭에 그대로 유지한다. 그러나 분산과 척도가 유사한 변수를 사용해야 한다. 공통 분산을 분석하는 요인 분석과 달리 주성분 분석의 원래 행렬은 총 분산을 분석한다. 또한 주성분 분석은 각 원래 측정값이 측정 오류 없이 수집된다고 가정한다.

주성분 분석은 큰 표본 크기가 필요한 기법이다. 주성분 분석은 관련 변수의 상관 행렬을 기반으로 하며 상관 관계는 일반적으로 안정화되기 전에 큰 표본 크기가 필요하다.

예를 들면, Tabachnick과 Fidell(2001, 588페이지)은 표본 크기에 대한 Comrey와 Lee(1992)의 조언을 인용하면, 50개 사례는 매우 나쁨, 100개는 나쁨, 200개는 보통, 300개는 좋음, 500개는 매우 좋음, 1000개 이상은 매우 좋음이다. 경험에 따르면, 계산상의 어려움을 피하기 위해 변수당 최소 10개의 관찰치가 필요하다[8].

이 예에서는 원본 및 재생산된 상관 행렬과 스크리 플롯을 포함한 많은 옵션을 포함했다. 이러한 모든 옵션을 사용하고 싶지 않을 수도 있지만, 분석에 대한 설명을 돕기 위해 여기에 포함했다.

7.2.2. PCA 기술 통계량

```
factor
 /variables item13 item14 item15 item16 item17 item18 item19 item20
item21 item22 item23 item24
 /print initial correlation det kmo repr extraction univariate
 /format blank(.30)
 /plot eigen
 /extraction pc
 /method = correlate.
```

이 기술통계량 표는 특정 평가 항목에 대한 학생들의 평가 점수를 요약한 것이다. 각 항목에 대해 평균, 표준편차, 분석에 포함된 응답 수가 제공된다.

항목별 통계량을 설명하면, 다음과 같다. 1) INSTRUC WELL PREPARED (강사의 준비성)에서 강사가 강의 준비를 잘 했다고 느끼는 정도를 평가한 항목이다. 평균이 4.46으로 높은 편이다. 2) INSTRUC SCHOLARLY GRASP (강사의 학문적 이해)에서 강사가 학문적 내용을 잘 이해하고 있다는 평가이다. 평균이 4.53으로 매

---

8) https://stats.oarc.ucla.edu/spss/output/principal_components/ 참조

우 높다. 3) INSTRUCTOR CONFIDENCE (강사의 자신감)에서 강사의 자신감을 평가한 항목이다. 평균이 4.45로 높다. 4) INSTRUCTOR FOCUS LECTURES (강의 집중도)에서 강의가 집중적으로 잘 진행되는지를 평가한 항목이다. 평균이 4.28이다. 5) INSTRUCTOR USES CLEAR RELEVANT EXAMPLES (명확하고 관련된 예시 사용)에서 강사가 명확하고 관련된 예시를 잘 사용하는지를 평가한 항목이다. 평균이 4.17이다. 6) INSTRUCTOR SENSITIVE TO STUDENTS (학생들에 대한 강사의 민감도)에서 강사가 학생들의 필요와 반응에 민감하게 반응하는지를 평가한 항목이다. 평균이 3.93이다. 7) INSTRUCTOR ALLOWS ME TO ASK QUESTIONS (질문을 허용하는 강사)에서 강사가 학생들의 질문을 잘 받아주는지를 평가한 항목이다. 평균이 4.08이다. 8) INSTRUCTOR IS ACCESSIBLE TO STUDENTS OUTSIDE CLASS (강사의 접근성)에서 강사가 수업 외 시간에 학생들에게 접근이 용이한지를 평가한 항목이다. 평균이 3.78이다.

[표 38] PCA 기술통계량

기술통계량			
	평균	표준편차	분석수
1	4.46	.729	1365
2	4.53	.700	1365
3	4.45	.732	1365
4	4.28	.829	1365
5	4.17	.895	1365
6	3.93	1.035	1365
7	4.08	.964	1365
8	3.78	.909	1365
9	3.77	.984	1365
10	3.61	1.116	1365
11	3.81	.957	1365
12	3.67	.926	1365

9) INSTRUCTOR AWARE OF STUDENTS UNDERSTANDING (학생 이해도에 대한 강사의 인식)에서 강사가 학생들의 이해도를 잘 파악하고 있는지를 평가한 항목이다. 평균이 3.77이다. 10) I AM SATISFIED WITH STUDENT PERFORMANCE EVALUATION (학생 성과 평가에 대한 만족도)에서 학생들이 자신들의 성과 평가에 만족하는지를 평가한 항목이다. 평균이 3.61이다. 11) COMPARED TO OTHER INSTRUCTORS, THIS INSTRUCTOR IS (다른 강사와의 비교)에서 다른 강사들과 비교했을 때 이 강사가 어떠한지를 평가한 항목이다. 평균이 3.81이다. 12) COMPARED TO OTHER COURSES THIS COURSE WAS (다른 강의와의 비교)에서 다른 강의들과 비교했을 때 이 강의가 어떠한지를 평가한 항목이다. 평균이 3.67이다.

평균은 각 항목에 대한 평균 점수로 1에서 5까지의 척도로 평가되었고, 평균이 4에 가까운 항목은 학생들이 긍정적으로 평가한 항목이다. 표준편차는 각 항목 점수의 분산 정도를 나타낸다. 표준편차가 작을수록 점수가 평균 근처에 집중되어 있음을 의미하고, 클수록 다양한 평가가 존재함을 의미한다. 분석수는 각 항목에 대한 응답 수로 모두 1365명으로 동일한 강사 평가 설문에 응답했다.

대체로 강사와 강의에 대한 평가가 긍정적임을 알 수 있다. 평균 점수가 4 이상인 항목이 많으며, 특히 강사의 학문적 이해, 준비성, 자신감이 높은 평가를 받았다. 반면, 학생들의 성과 평가에 대한 만족도와 수업 외 접근성에 대한 항목은 상대적으로 낮은 평가를 받았다. 이는 개선이 필요한 부분으로 보인다.

[표 38]은 /print 하위 명령에서 단변량옵션을 사용했기 때문에 출력된다. 주성분 분석에서 실제로 사용된 사례 수를 확인하는 유일한 방법은 /print 하위 명령에서 단변량옵션을 포함하는 것이다. 주성분 분석에 사용된 변수에 누락된 값이 있는 경우 분석에 사용된 사례 수는 데이터 파일의 총 사례 수보다 적다.

기본적으로 SPSS는 불완전한 사례를 목록별로 삭제한다. 주성분 분석이 상관관계(공분산이 아님)에서 수행되는 경우 변수의 평균 또는 표준 편차가 매우 다르다는 것은 크게 문제가 되지 않는다. 변수가 다른 척도로 측정될 때 종종 그런 경우가 발생한다.

7.2.3. PCA 상관관계

이 상관행렬은 각 항목 간의 상관관계를 나타낸다. 상관계수는 -1에서 1 사이의 값을 가지며, 1에 가까울수록 강한 양의 상관관계를, -1에 가까울수록 강한 음의 상관관계를 의미한다. 0에 가까울수록 상관관계가 거의 없음을 나타낸다.

상관행렬에서 유의할 점으로 강한 상관관계로 상관계수가 0.5 이상인 경우는 강한 상관관계를 나타낸다. 예를 들어, "INSTRUC WELL PREPARED"와 "INSTRUC SCHOLARLY GRASP"의 상관계수는 0.661로 강한 양의 상관관계를 보인다. 이는 준비성이 좋은 강사가 학문적으로도 뛰어날 가능성이 높다는 것을 의미한다.

상대적으로 낮은 상관관계로 0.3 이하의 상관계수는 상대적으로 약한 상관관계를 나타낸다. 예를 들어, "INSTRUCTOR ALLOWS ME TO ASK QUESTIONS"와 "INSTRUC WELL PREPARED"의 상관계수는 0.286로 약한 상관관계를 보인다.

매우 강한 상관관계로 "COMPARED TO OTHER INSTRUCTORS, THIS INSTRUCTOR IS"와 "COMPARED TO OTHER COURSES THIS COURSE WAS"의 상관계수는 0.705로 매우 강한 양의 상관관계를 보인다. 이는 특정 강사에 대한 평가와 그 강의에 대한 평가가 밀접하게 관련되어 있음을 의미한다.

이 상관행렬을 통해 강사 평가 항목 간의 상관관계를 파악할 수 있다. 예를 들어, 강사의 준비성, 학문적 이해, 자신감은 서로 강한 상관관계를 가지고 있으며, 이는 좋은 강사가 여러 면에서 긍정적인 평가를 받을 가능성이 높다는 것을 시사한다. 반면, 일부 항목 간의 상관관계는 비교적 낮아 강사 평가에서 특정 면이 다른 면과 독립적으로 평가될 수 있음을 보여준다. 이런 상관행렬을 통해 교육 기관은 강사 평가 항목 간의 관계를 이해하고, 특정 항목에서의 개선이 다른 항목에도 긍정적인 영향을 미칠 수 있는지를 파악할 수 있다.

[표 39] PCA 상관관계

상관행렬a													
		1	2	3	4	5	6	7	8	9	10	11	12
상관관계	1	1.000	.661	.600	.566	.577	.409	.286	.304	.476	.333	.564	.454
	2	.661	1.000	.635	.500	.552	.433	.320	.315	.449	.333	.565	.443
	3	.600	.635	1.000	.505	.587	.457	.359	.356	.509	.369	.582	.435
	4	.566	.500	.505	1.000	.586	.405	.335	.317	.452	.363	.459	.430
	5	.577	.552	.587	.586	1.000	.555	.449	.417	.595	.450	.613	.521
	6	.409	.433	.457	.405	.555	1.000	.627	.521	.554	.536	.569	.474
	7	.286	.320	.359	.335	.449	.627	1.000	.446	.499	.484	.444	.374
	8	.304	.315	.356	.317	.417	.521	.446	1.000	.425	.383	.410	.357
	9	.476	.449	.509	.452	.595	.554	.499	.425	1.000	.507	.598	.500
	10	.333	.333	.369	.363	.450	.536	.484	.383	.507	1.000	.493	.444
	11	.564	.565	.582	.459	.613	.569	.444	.410	.598	.493	1.000	.705
	12	.454	.443	.435	.430	.521	.474	.374	.357	.500	.444	.705	1.000

a. 행렬식 = .002

1. INSTRUC WELL PREPARED; 2. INSTRUC SCHOLARLY GRASP; 3. INSTRUCTOR CONFIDENCE; 4. INSTRUCTOR FOCUS LECTURES; 5. INSTRUCTOR USES CLEAR RELEVANT EXAMPLES; 6. INSTRUCTOR SENSITIVE TO STUDENTS; 7. INSTRUCTOR ALLOWS ME TO ASK QUESTIONS; 8. INSTRUCTOR IS ACCESSIBLE TO STUDENTS OUTSIDE CLASS; 9. INSTRUCTOR AWARE OF STUDENTS UNDERSTANDING; 10. I AM SATISFIED WITH STUDENT PERFORMANCE EVALUATION; 11. COMPARED TO OTHER INSTRUCTORS, THIS INSTRUCTOR IS; 12. COMPARED TO OTHER COURSES THIS COURSE WAS

위의 표는 /print 하위 명령에 키워드 상관관계를 포함했기때문에 출력에 포함되었다. 이 표는 원래 변수(/variables 하위 명령에 지정함)간의 상관관계를 제공한다. 주성분 분석을 수행하기 전에 변수 간의 상관관계를 확인해야 한다. 상관관계가 너무 높은 경우(예: .9 이상) 두 변수가 동일한 것을 측정하는 것처럼 보이기 때문에 분석에서 변수 중 하나를 제거해야 한다.

또 다른 대안은 어떤 방식으로든 변수를 결합하는 것이다. 아마도 평균을 취하는 방식으로 변수를 결합한다. 상관관계가 너무 낮으면(예: .1 미만) 하나 이상의 변수가 하나의 주성분에만 로드될 수 있다. 즉, 자체 주성분을 만들 수 있다. 분석의 전체 요점은 항목(변수) 수를 줄이는 것이므로 이는 도움이 되지 않는 경우도 있다.

7.2.4. PCA KMO와 Bartlett의 검정

KMO(Kaiser-Meyer-Olkin)와 Bartlett의 구형성 검정은 데이터의 요인 분석 가능성을 평가하는 두 가지 주요 통계 검정이다. 여기서 제공된 KMO 측정값과

Bartlett 검정 결과를 바탕으로 데이터가 요인 분석에 적합한지를 해석할 수 있다.

KMO(Kaiser-Meyer-Olkin) 측도 값 0.934, KMO 값은 0에서 1 사이의 값을 가지며, 0.5 이상이면 요인 분석을 수행하기에 적절하다고 평가한다. 0.9 이상은 매우 적합하다. 다른 기준에 따르면 "대단히 훌륭한" 수준이다. 이 데이터셋의 KMO 값은 0.934로 매우 높아 요인 분석에 매우 적합하다. Kaiser-Meyer-Olkin 샘플링 적정성 측정-항에서 이 측정은 0과 1 사이에서 변하며, 1에 가까운 값이 더 좋다. 제안된 최소값은 .6이다.

Bartlett의 구형성 검정에서 근사 카이제곱 값 8676.712, 자유도 66, 유의확률 0.000이다. Bartlett의 검정은 상관행렬이 단위 행렬 즉, 모든 변수가 서로 상관관계가 없다는 가설인지 여부를 테스트한다. Bartlett의 구형성 검정 항에서 이것은 상관 행렬이 단위 행렬이라는 귀무가설을 검정한다. 단위 행렬은 모든 대각선 요소가 1이고 모든 비대각선 요소가 0인 행렬이다. 이 귀무가설을 기각하려고 한다. 이러한 테스트를 종합하면, 주성분 분석 또는 요인 분석을 실시하기 전에 통과해야 하는 최소한의 기준을 제공한다.

유의확률이 0.05보다 작으면 귀무가설 즉, 상관관계가 없다를 기각하고, 상관관계가 있는 것으로 판단하여 요인 분석이 적합하다고 결론을 내린다. 여기서 유의확률이 0.000이므로, 상관행렬이 단위 행렬이 아니며 요인 분석이 적합하다.

[표 40] KMO와 Bartlett의 검정

KMO와 Bartlett의 검정		
표본 적절성의 Kaiser-Meyer-Olkin 측도.		.934
Bartlett의 구형성 검정	근사 카이제곱	8676.712
	자유도	66
	유의확률	.000

주어진 KMO 값(0.934)과 Bartlett의 검정 결과(유의확률 0.000) 모두 요인 분석을 수행하기에 매우 적합한 데이터임을 보여준다. 이러한 결과는 데이터가 요인 구조를 갖추고 있으며, 요인 분석을 통해 데이터 내의 숨겨진 구조를 발견할 가능성이 높다는 것을 시사한다. 이제 요인 분석을 통해 변수들 간의 상관관계를 이해하고, 데이터의 차원을 축소하여 주요 요인을 도출할 수 있다. 이러한 분석은 교육 데이터의 특성을 파악하고, 향후 교육 프로그램의 개선에 도움이 될 수 있다.

7.2.5. PCA 공통성

요인 분석에서 공통성(communalities)은 각 변수가 공통 요인에 의해 설명되는 분산의 비율을 나타낸다. 초기 공통성 값은 모든 변수가 공통 요인에 의해 설명될 수 있는 최대치를 나타내기 때문에 1로 설정한다. 추출된 공통성 값은 실제로 공통 요인에 의해 설명된 각 변수의 분산 비율을 나타낸다.

여기서 제공된 공통성 표는 주성분 분석(PCA)을 통해 각 변수의 분산이 얼마나 공통 요인에 의해 설명되는지를 보여준다.

높은 공통성 값에는 `INSTRUC WELL PREPARED` (0.731), `INSTRUC SCHOLARLY GRASP` (0.690), `INSTRUCTOR CONFIDENCE` (0.652), `INSTRUCTOR SENSITIVE TO STUDENTS` (0.704) 등은 공통 요인에 의해 많은 분산이 설명됨을 의미한다. 공통성 값이 높은 변수는 공통 요인에 의해 잘 설명되며, 이러한 변수는 요인 분석 결과에서 중요한 역할을 할 가능성이 높다.

[표 41] PCA 공통성

공통성		
	초기	추출
INSTRUC WELL PREPARED	1.000	.731
INSTRUC SCHOLARLY GRASP	1.000	.690
INSTRUCTOR CONFIDENCE	1.000	.652
INSTRUCTOR FOCUS LECTURES	1.000	.549
INSTRUCTOR USES CLEAR RELEVANT EXAMPLES	1.000	.661
INSTRUCTOR SENSITIVE TO STUDENTS	1.000	.704
INSTRUCTOR ALLOWS ME TO ASK QUESTIONS	1.000	.658
INSTRUCTOR IS ACCESSIBLE TO STUDENTS OUTSIDE CLASS	1.000	.494
INSTRUCTOR AWARE OF STUDENTS UNDERSTANDING	1.000	.601
I AM SATISFIED WITH STUDENT PERFORMANCE EVALUATION	1.000	.557
COMPARED TO OTHER INSTRUCTORS, THIS INSTRUCTOR IS	1.000	.673
COMPARED TO OTHER COURSES THIS COURSE WAS	1.000	.509
추출 방법: 주성분 분석.		

낮은 공통성 값에는 `INSTRUCTOR IS ACCESSIBLE TO STUDENTS OUTSIDE CLASS` (0.494), `COMPARED TO OTHER COURSES THIS COURSE WAS` (0.509) 등은 공통 요인에 의해 설명되는 분산이 상대적으로 적음을 의미한다. 공통성 값이 낮은 변수는 공통 요인에 의해 덜 설명되며, 이는 이러한 변수들이 개별적 특성을 더 많이 가지거나 다른 잠재 요인을 가지고 있을 가능성이 있음을 시사한다.

이 정보는 데이터의 요인 구조를 이해하는 데 매우 유용하며, 변수들이 공통 요인에 의해 얼마나 잘 설명되는지를 보여준다. 이를 통해 교육 프로그램 평가에서 중요한 요소들을 파악하고 개선 방안을 도출하는 데 도움이 될 수 있다.

각 항목별로 설명을 하면, 다음과 같다.

공통성 항에서 이는 주성분(예: 기본 잠재 연속체)으로 설명할 수 있는 각 변수의 분산의 비율이다. h2로도 표시되며 제곱 요인 로딩의 합으로 정의할 수 있다.

초기 항에서 정의에 따라 주성분 분석에서 공통성의 초기 값은 1이다.

추출 항에서 이 열의 값은 주성분으로 설명할 수 있는 각 변수의 분산 비율을 나타낸다. 높은 값을 갖는 변수는 공통 인자 공간에서 잘 표현되는 반면, 낮은 값을 갖는 변수는 잘 표현되지 않는다. 이 예에서는 특별히 낮은 값이 없다. 이는 저장한 구성 요소 수에서 재현된 차이다. 재현된 상관 행렬의 대각선에서 이러한 값을 찾을 수 있다.

7.2.6. PCA 설명된 총분산

설명된 총분산 표는 주성분 분석(PCA) 결과에서 각 주성분(요인)이 데이터의 분산을 얼마나 설명하는지 보여준다. 아래는 각 성분이 설명하는 분산의 양과 누적 설명 비율에 대한 설명이다.

주요 내용을 요약하면, 첫 번째 주성분에서 초기 고유값 6.249, 설명된 분산 비율 52.076%, 누적 설명 비율 52.076%, 이 주성분이 전체 데이터 변동성의 52.076%를 설명한다. 두 번째 주성분에서 초기 고유값 1.229, 설명된 분산 비율 10.246%, 누적 설명 비율 62.322%이고, 이 주성분이 추가적으로 10.246%의 변동성을 설명하여, 첫 번째 주성분과 합쳐 전체 데이터 변동성의 62.322%를 설명한다. 그 외의 주성분들에서 세 번째 주성분부터는 각각의 설명된 분산 비율이 5% 이하로 떨어지며, 추가적으로 설명되는 변동성이 급격히 감소한다. 전체 12개의 성분이 있지만, 첫 두 성분이 대부분의 데이터 변동성을 설명하고 있다.

주성분 선택에서 첫 번째와 두 번째 주성분이 전체 데이터 변동성의 62.322%를 설명하므로, 데이터 차원 축소 시 이 두 개의 주성분을 사용하면 원본 데이터의 상당 부분을 유지할 수 있다.

분산 설명력에서 첫 두 주성분의 높은 설명력은 데이터의 구조를 잘 대표하며, 이후 주성분들은 비교적 적은 추가 정보를 제공한다는 것을 의미한다.

차원 축소의 효율성에서 주성분 분석을 통해 차원을 축소하면 데이터 분석 및 시각화의 효율성을 높일 수 있다. 이 결과를 통해 데이터의 주요 구조를 이해하고, 데이터의 차원을 효과적으로 축소하여 분석의 효율성을 높일 수 있다.

구성 항목을 설명하면, 다음과 같다.

구성 요소 항에서 주성분 분석 중에 입력된 변수만큼 많은 구성 요소가 추출된다. 이 예에서는 12개의 변수를 사용했으므로 12개의 구성 요소가 있다.

초기 고유값 항에서 고유값은 주성분의 분산이다. 상관행렬을 이용하여 주성분 분석을 하였기 때문에 변수들이 표준화되어 있는데, 이는 각 변수의 분산이

1이고 전체 분산은 분석에 사용된 변수의 개수(이 경우에는 12)와 같다는 것을 의미한다.

전체 항에서 이 열에는 고유값이 들어 있다. 첫 번째 구성 요소는 항상 가장 많은 분산을 설명하고, 따라서 가장 높은 고유값을 가진다. 다음 구성 요소는 가능한 한 많은 남은 분산을 설명하고, 이런 식으로 계속된다. 따라서 각 연속 구성 요소는 점점 더 적은 분산을 설명한다.

[표 42] PCA 설명된 총분산

성분	설명된 총분산					
	초기 고유값			추출 제곱합 적재량		
	전체	% 분산	누적 %	전체	% 분산	누적 %
1	6.249	52.076	52.076	6.249	52.076	52.076
2	1.229	10.246	62.322	1.229	10.246	62.322
3	.719	5.992	68.313			
4	.613	5.109	73.423			
5	.561	4.676	78.099			
6	.503	4.192	82.291			
7	.471	3.927	86.218			
8	.389	3.240	89.458			
9	.368	3.066	92.524			
10	.328	2.735	95.259			
11	.317	2.645	97.904			
12	.252	2.096	100.000			
추출 방법: 주성분 분석.						

% 분산 항에서 이 열에는 각 주성분이 차지하는 분산 백분율이 포함한다.

누적 % 항에서 이 열에는 현재 및 모든 이전 주성분이 설명하는 분산의 누적 백분율이 포함한다. 예를 들어 세 번째 행에는 68.313이라는 값이 표시된다. 이는 처음 세 가지 구성요소가 전체 분산의 68.313%를 차지한다는 것을 의미한다. 이것은 주성분 분석이기 때문에 모든 분산은 참 분산과 공분산으로 간주된다. 즉, 변수는 오류 없이 측정되었다고 가정하므로 오류 분산이 없다.

제곱 로딩의 추출 합계 항에서 테이블 절반의 세 열은 테이블 왼쪽의 동일한 행에 제공된 값을 정확하게 재현한다. 표의 오른쪽에 재현되는 행의 수는 고유값이 1 이상인 주성분의 수에 따라 결정된다.

7.2.7. PCA

스크리 도표를 기반으로 주성분 분석 결과를 해석하면 다음과 같다. 첫 번째 주성분에서 고유값이 가장 높으며, 약 6.2이다. 이는 첫 번째 주성분이 데이터의 대부분을 설명하고 있음을 나타낸다. 첫 번째 주성분이 데이터 분산의 52.076%를 설명한다. 두 번째 주성분에서 고유값이 약 1.2로, 첫 번째 주성분에 비해 현저히 낮지만 여전히 중요한 정보를 제공한다. 두 번째 주성분이 추가로 10.246%의 분산을 설명하여, 두 주성분이 총 62.322%의 분산을 설명한다.

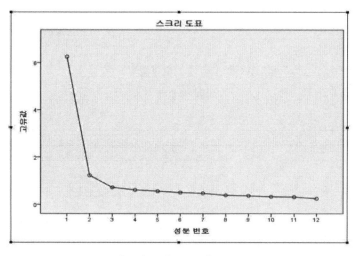

[그림 20] 스크리 도표

세 번째 주성분 이후에서 세 번째 주성분부터 고유값이 1 이하로 떨어지며, 이후 성분들은 데이터의 분산을 설명하는 데에 큰 기여를 하지 않음을 보여준다. 스크리 도표에서 엘보우 (Elbow) 포인트가 나타나는 지점인 두 번째 성분 이후부터 성분의 기여도가 급격히 감소한다.

그러므로, 스크리 도표에 따르면, 첫 번째와 두 번째 주성분이 데이터의 대부분을 설명할 수 있으며, 세 번째 성분 이후부터는 추가적인 설명력이 미미하다. 따라서, 두 개의 주성분으로 데이터를 요약하는 것이 적절하다. 이 분석 결과를 통해 두 개의 주성분을 선택하여 데이터를 축소할 수 있으며, 이는 데이터의 주요 특성을 대부분 유지하면서도 차원을 줄이는 효과적인 방법이 된다.

다시 설명하면, 스크리 플롯은 고유값을 성분 번호에 대한 그래프로 나타낸다. 바로 위에 있는 표의 처음 두 열에서 이러한 값을 볼 수 있다. 세 번째 성분부터는 선이 거의 평평하다는 것을 알 수 있는데, 이는 각각의 연속적인 성분이 전체 분산에서 점점 더 작은 양을 차지하고 있음을 의미한다. 일반적으로 고유값이 1보다 큰 주성분만 유지하는 데 관심이 있다. 고유값이 1보다 작은 성분은 원래 변수(분산이 1임)보다 분산이 적으므로 거의 사용되지 않는다. 따라서 주성분 분석의 요점은 상관 행렬의 분산을 재분배하여(고유값 분해 방법을 사용) 분산을 추출된 첫 번째 성분으로 재분배하는 것이다.

7.2.8. PCA 성분행렬

성분 행렬 (Principal Component Matrix)을 해석하면, 다음과 같다. 성분 행렬은 각 변수와 주성분 간의 상관관계를 나타내며, 각 성분이 원본 변수의 분산을 얼마나 잘 설명하는지를 보여준다. 여기서 두 개의 주성분이 추출되었다.

[표 43] PCA 성분행렬

성분행렬a		
	성분	
	1	2
1	.727	-.449
2	.724	-.408
3	.746	-.308
4	.685	
5	.806	
6	.755	.366
7	.641	.497
8	.593	.378
9	.763	
10	.651	.364
11	.819	
12	.714	
추출 방법: 주성분 분석.		
a. 추출된 2 성분		
1. INSTRUC WELL PREPARED; 2. INSTRUC SCHOLARLY GRASP; 3. INSTRUCTOR CONFIDENCE; 4. INSTRUCTOR FOCUS LECTURES; 5. INSTRUCTOR USES CLEAR RELEVANT EXAMPLES; 6. INSTRUCTOR SENSITIVE TO STUDENTS; 7. INSTRUCTOR ALLOWS ME TO ASK QUESTIONS; 8. INSTRUCTOR IS ACCESSIBLE TO STUDENTS OUTSIDE CLASS; 9. INSTRUCTOR AWARE OF STUDENTS UNDERSTANDING; 10. I AM SATISFIED WITH STUDENT PERFORMANCE EVALUATION; 11. COMPARED TO OTHER INSTRUCTORS, THIS INSTRUCTOR IS; 12. COMPARED TO OTHER COURSES THIS COURSE WAS		

성분 1에서 대부분의 변수들이 성분 1에 높은 적재값을 보인다. 특히 `INSTRUCTOR USES CLEAR RELEVANT EXAMPLES` (.806), `COMPARED TO OTHER INSTRUCTORS, THIS INSTRUCTOR IS` (.819)와 같은 변수들이 성분 1과 강한 상관관계를 가진다. 성분 1은 주로 강의 준비, 교수의 자신감, 명확한 예시 사용 등 교수의 전반적인 강의 능력과 관련이 깊다.

성분 2에서 성분 2는 일부 변수와의 상관관계가 높지만, 성분 1보다는 약하다. `INSTRUCTOR SENSITIVE TO STUDENTS` (.366), `INSTRUCTOR ALLOWS ME TO ASK QUESTIONS` (.497), `INSTRUCTOR IS ACCESSIBLE TO STUDENTS OUTSIDE CLASS` (.378)와 같은 변수들이 성분 2와 상관관계를 보인다. 성분 2는 주로 학생들과의 상호작용과 접근성 관련 요소를 반영한다.

그러므로 주성분 1 (성분 1)에서 이 성분은 강의 준비, 교수의 자신감, 명확한 예시 사용 등의 강의 품질에 대한 전반적인 평가를 주로 설명한다. 성분 1의 높은 적재값을 가진 변수들은 교수의 전문성과 강의 준비 상태를 평가하는데 중요한 역할을 한다.

주성분 2 (성분 2)에서 이 성분은 교수와 학생 간의 상호작용, 접근성, 그리고 질문 허용 여부 등 학생들과의 관계를 설명한다. 성분 2의 높은 적재값을 가진 변수들은 학생들의 학습 환경과 교수와의 상호작용에 대한 만족도를 반영한다.

그러므로, 두 개의 주성분을 통해 전체 데이터의 62.322%의 분산을 설명할 수 있다. 주성분 1은 주로 강의 준비와 교수의 전문성에 관련된 요소들을, 주성분 2는 주로 학생과의 상호작용에 관련된 요소들을 설명한다. 이를 통해 교육 평가 데이터의 주요 구조를 파악하고, 분석을 간소화할 수 있다.

주어진 표의 각 항목별로 해석을 하면, 다음과 같다.

구성 요소 매트릭스 항에서 이 테이블에는 변수와 구성 요소 간의 상관 관계인 구성 요소 로딩이 포함되어 있다. 이는 상관관계이므로 가능한 값의 범위는 -1에서 +1까지다. /format 하위 명령에서 공백(.30)옵션을 사용했다. 이 옵션은 SPSS에 .3 이하인 상관관계를 인쇄하지 않도록 지시한다. 이렇게 하면 어쨌든 의미가 없을 수도 있는 낮은 상관관계를 제거하여 출력을 더 쉽게 읽을 수 있다.

구성 요소 항에서 이 제목 아래의 열은 추출된 주요 구성 요소이다. SPSS에서 제공하는 각주에서 볼 수 있듯이 (a.) 두 개의 성분 또는 고유값이 1보다 큰 두 성분이 추출되었다. 일반적으로 요인 분석에서 추출된 요인을 해석하는 방식으로 구성 요소를 해석하려고 시도하지 않는다. 오히려 대부분의 사람들은 데이터 축소에 사용되는 구성요소 점수에 관심이 있다. 기본 잠재 연속성을 찾는 요인 분석과 반대에 해당한다. /save 하위 명령을 사용하면 다른 분석에 사용할 수 있도록 구성요소 점수를 데이터 세트에 저장할 수 있다.

7.2.9. PCA 재연된 상관계수

재연된 상관계수(Reproduced Correlations)와 잔차를 해석하면, 다음과 같다.

재연된 상관계수 행렬은 주성분 분석을 통해 얻은 성분 점수를 사용하여 원본 데이터의 상관 행렬을 재구성한 것이다. 잔차는 관측된 상관계수와 재연된 상관계수 간의 차이를 나타내며, 주성분이 데이터를 얼마나 잘 설명하는지 평가하는 데 사용한다.

재연된 상관계수에서 재연된 상관계수는 주성분 분석을 통해 얻은 성분들이 원본 데이터의 상관구조를 잘 설명하고 있음을 보여준다. 높은 공통성 또는 재연된 상관계수의 대각선 값은 해당 변수가 주성분에 의해 잘 설명되고 있음을 나타낸다.

잔차에서 잔차 값은 원본 상관계수와 재연된 상관계수 간의 차이를 나타낸다. 절대값이 0.05보다 큰 잔차는 28개(42%)이며, 이는 주성분이 일부 상관관계를 완벽하게 설명하지 못함을 나타낸다.

[표 44] PCA 재연된 상관계수

		\multicolumn{12}{c}{재연된 상관계수}
		1	2	3	4	5	6	7	8	9	10	11	12
재연된 상관계수	1	.731a	.710	.681	.625	.634	.385	.243	.261	.495	.310	.614	.517
	2	.710	.690a	.666	.611	.627	.397	.261	.275	.498	.323	.609	.515
	3	.681	.666	.652a	.598	.634	.451	.325	.326	.528	.374	.624	.531
	4	.625	.611	.598	.549a	.582	.414	.299	.300	.485	.344	.573	.488
	5	.634	.627	.634	.582	.661a	.570	.465	.438	.601	.487	.665	.575
	6	.385	.397	.451	.414	.570	.704a	.666	.586	.626	.625	.604	.541
	7	.243	.261	.325	.299	.465	.666	.658a	.568	.556	.599	.505	.460
	8	.261	.275	.326	.300	.438	.586	.568	.494a	.503	.524	.470	.425
	9	.495	.498	.528	.485	.601	.626	.556	.503	.601a	.546	.620	.545
	10	.310	.323	.374	.344	.487	.625	.599	.524	.546	.557a	.519	.467
	11	.614	.609	.624	.573	.665	.604	.505	.470	.620	.519	.673a	.584
	12	.517	.515	.531	.488	.575	.541	.460	.425	.545	.467	.584	.509a
잔차b	1		−.048	−.081	−.058	−.057	.024	.043	.043	−.019	.023	−.050	−.063
	2	−.048		−.031	−.111	−.075	.036	.059	.040	−.049	.010	−.045	−.072
	3	−.081	−.031		−.093	−.048	.006	.034	.030	−.019	−.005	−.041	−.096
	4	−.058	−.111	−.093		.004	−.010	.036	.017	−.033	.019	−.114	−.058
	5	−.057	−.075	−.048	.004		−.016	−.015	−.021	−.006	−.037	−.052	−.055
	6	.024	.036	.006	−.010	−.016		−.039	−.065	−.071	−.089	−.034	−.067
	7	.043	.059	.034	.036	−.015	−.039		−.121	−.057	−.115	−.061	−.086
	8	.043	.040	.030	.017	−.021	−.065	−.121		−.078	−.141	−.061	−.068
	9	−.019	−.049	−.019	−.033	−.006	−.071	−.057	−.078		−.040	−.022	−.046
	10	.023	.010	−.005	.019	−.037	−.089	−.115	−.141	−.040		−.026	−.022
	11	−.050	−.045	−.041	−.114	−.052	−.034	−.061	−.061	−.022	−.026		.120
	12	−.063	−.072	−.096	−.058	−.055	−.067	−.086	−.068	−.046	−.022	.120	

추출 방법: 주성분 분석.
a. 재연된 공통성
b. 관측된 상관계수와 재연된 상관계수 간의 잔차가 계산되었습니다. 절대값이 0.05보다 큰 28 (42.0%) 비중복 잔차가 있습니다.
1. INSTRUC WELL PREPARED; 2. INSTRUC SCHOLARLY GRASP; 3. INSTRUCTOR CONFIDENCE; 4. INSTRUCTOR FOCUS LECTURES; 5. INSTRUCTOR USES CLEAR RELEVANT EXAMPLES; 6. INSTRUCTOR SENSITIVE TO STUDENTS; 7. INSTRUCTOR ALLOWS ME TO ASK QUESTIONS; 8. INSTRUCTOR IS ACCESSIBLE TO STUDENTS OUTSIDE CLASS; 9. INSTRUCTOR AWARE OF STUDENTS UNDERSTANDING; 10. I AM SATISFIED WITH STUDENT PERFORMANCE EVALUATION; 11. COMPARED TO OTHER INSTRUCTORS, THIS INSTRUCTOR IS; 12. COMPARED TO OTHER COURSES THIS COURSE WAS[9]

그러므로, 주성분 분석을 통해 데이터의 주요 구조를 잘 설명할 수 있었으며, 두 개의 성분이 데이터의 상당 부분(62.322%)을 설명한다. 잔차 분석을 통해 몇 몇 변수 간의 상관관계를 주성분이 완벽하게 설명하지 못하는 부분을 확인할 수 있지만, 전반적으로 주성분 분석이 효과적으로 데이터의 구조를 파악하고 있음을 알 수 있다.

각 항목별로 설명을 하면, 다음과 같다.

재현된 상관 관계 전체 표에서 이 테이블에는 두 개의 테이블이 포함되어 있

---

9) 1. 강사 준비 잘 되어 있음; 2. 강사 학문적 파악; 3. 강사 자신감; 4. 강사 초점 강의; 5. 명확한 관련 사례 사용; 6. 학생들에게 민감한 강사; 7. 강사가 질문할 수 있도록 함; 8. 강사는 수업 외 학생들에게 접근 가능함; 9. 강사가 학생들의 이해를 인식함; 10. 학생 수행 평가에 만족함; 11. 다른 강사들과 비교했을 때, 본 강사는; 12. 본 강좌는 다른 강좌와 비교했을 때

다. 테이블 상단 부분의 재현 상관 관계와 테이블 하단 부분의 잔차다.

재현된 상관관계 항에서 재현된 상관행렬은 추출된 구성요소를 기반으로 한 상관행렬이다. 재현된 행렬의 값이 원래 상관 행렬의 값에 가능한 한 가깝기를 원한다. 이는 원본 행렬과 재현된 행렬 간의 차이가 포함된 잔차 행렬이 0에 가까워지기를 원한다는 의미이다.

재현된 행렬이 원래 상관 행렬과 매우 유사한 경우 추출된 구성 요소가 원래 상관 행렬의 많은 분산을 설명하고 이러한 몇 가지 구성 요소가 원본 데이터를 잘 표현한다는 것을 알 수 있다. 재현된 상관 행렬의 대각선에 있는 숫자는 추출됨이라는 레이블이 붙은 열의 공동체 테이블에 표시된다.

잔차 항에서 SPSS(a.)에서 제공하는 첫 번째 각주에 명시된 대로, 표의 이 부분에 있는 값은 원래 상관 관계 또는 출력 시작 부분의 상관 관계 표에 표시됨과 마찬가지로 재현된 상관 관계 간의 차이를 나타낸다. 이 표의 상단 부분에 표시되어 있다. 예를 들어 1번 문항과 2번 문항 사이의 원래 상관 관계는 .661이고 이 두 변수 사이의 재현된 상관 관계는 .710이다. 잔차는 -.048 = .661 - .710이다.

< PCA 분석 발견 에피소드의 예>

암 연구에서의 유전자 발현 분석 – 생물학자는 PCA를 사용하여 종양 샘플의 유전자 발현 데이터를 분석한다. PCA를 적용하면 특정 암 유형이나 질병 진행과 관련이 있을 수 있는 유전자의 기본 클러스터를 식별할 수 있다. 이를 통해 암 생물학과 표적 치료법 개발에 대한 새로운 통찰력을 얻을 수 있다.

얼굴 인식을 위한 이미지 압축 – 얼굴 인식과 같은 컴퓨터 비전 애플리케이션은 종종 PCA에 의존하여 고차원 이미지 데이터를 압축한다. PCA는 눈 사이의 거리나 턱선 모양과 같은 얼굴의 가장 중요한 특징을 식별하고 중복된 정보를 제거한다. 이를 통해 인식 시스템에서 얼굴 데이터를 효율적으로 저장하고 더 빠르게 처리할 수 있다.

기후 데이터의 기본 추세 식별 – 기후 과학자들은 PCA를 사용하여 온도, 강수량, 바람 패턴 과 같은 방대한 기후 측정 데이터 세트를 분석한다. PCA를 적용하면 기후 데이터의 기본 추세와 패턴을 식별하여 자연적 기후 변동성과 온실가스 배출과 같은 인간 활동의 영향을 구별하는 데 도움이 된다.

8. 요인 분석

8.1. 요인 분석이란?

요인 분석(Factor Analysis)은 관찰된 변동성이 많은 변수들 사이의 변동성을 더 적은 수의 잠재 요인으로 설명하려는 통계 기법이다. 사용하는 이유는 많은 질문이나 항목이 있을 때, 이 질문들이 몇 가지 공통된 주제나 요인에 의해 설명될 수 있는지 알아보기 위해 사용한다. 사용하는 방법은 질문들이 공통된 주제로 묶일 수 있는지 찾아보고, 그 주제들이 각 질문에 얼마나 영향을 미치는지 확인한다. 그 결과로 몇 가지 주요 주제(요인)를 찾아내어, 원래의 많은 질문들을 몇 가지 요인으로 줄일 수 있다. 예를 들어, 학생들이 받은 여러 수업에 대한 평가를 분석할 때, 요인 분석을 통해 '교수의 전문성', '강의의 명확성'과 같은 몇 가지 주요 요인으로 나눌 수 있다. 이렇게 하면 전체적인 평가를 몇 가지 중요한 요인으로 요약할 수 있다.

요인 분석은 관찰된 변동성이 많은 변수들 사이의 변동성을 더 적은 수의 잠재 요인으로 설명하려는 통계 기법이다. 예를 들어, 여섯 개의 관찰된 변수가 두 개의 잠재 요인에 의해 주로 설명될 수 있다고 가정할 수 있다. 요인 분석은 이러한 잠재 요인에 대한 반응에서의 공동 변동성을 찾는다. 관찰된 변수들은 잠재 요인의 선형 결합으로 모델링되고 여기에 "오차" 항이 추가된다. 따라서 요인 분석은 '변수 오차 모델'의 특수한 경우로 생각할 수 있다.

1) 요인 적재량(Factor Loading)

변수의 요인 적재량은 해당 변수가 특정 요인과 얼마나 관련이 있는지를 정량화한 것이다. 쉽게 말해, 요인 적재량이 높을수록 그 변수는 해당 요인에 더 크게 영향을 받는다.

2) 목적

요인 분석의 일반적인 목적은 관찰된 변수들 사이의 상호 의존성을 이해하고, 이를 통해 데이터셋의 변수 수를 줄이는 것이다. 많은 변수들이 소수의 잠재 요인을 반영한다고 생각될 때 요인 분석이 유용하다.

3) 응용 분야

요인 분석은 심리측정학, 성격 심리학, 생물학, 마케팅, 제품 관리, 운영 연구, 금융, 기계 학습 등 다양한 분야에서 흔히 사용된다. 특히 많은 수의 관찰된 변수가 잠재 요인에 의해 설명될 수 있는 경우, 요인 분석은 이러한 잠재 요인을 찾아내어 변수 집합을 줄이는 데 도움이 된다.

4) 용도

요인 분석은 변수들이 체계적으로 상호 의존성을 보일 때 사용되며, 목표는 공통성을 생성하는 잠재 요인을 찾아내는 것이다. 이 기법은 특히 심리학적 테스트나 설문조사에서 많은 항목들이 몇 가지 공통된 요인에 의해 설명될 수 있는 경우에 유용하다.

8.1.1. 요인 분석 개념

요인 분석의 중요한 개념을 설명하면, 다음과 같다.

1) 관찰된 변수와 잠재 요인

우리가 여러 개의 변수, 예를 들면, 설문조사 질문들을 관찰한다. 이 변수들은 실제로는 더 적은 수의 숨겨진 요인, 예를 들면, '교수의 전문성', '강의의 명확성'에 의해 설명될 수 있다. 각 사람이 관찰된 변수들을 가지고 있고, 이 변수들은 몇 개의 숨겨진 요인들과 관련이 있다.

2) 요인 적재량(Factor Loading)

각 변수는 특정 요인과 어느 정도 관련이 있다. 이 관계를 나타내는 숫자가 요인 적재량이다. 요인 적재량이 높을수록 그 변수는 해당 요인에 더 큰 영향을 받는다.

3) 모델 설명

관찰된 각 변수는 여러 요인의 선형 결합, 즉, 가중치가 적용된 합으로 설명될 수 있다. 예를 들어, "강의 준비가 잘 되어 있다"는 변수는 '교수의 전문성' 요인과 '강의의 명확성' 요인의 영향을 받을 수 있다.

4) 요인의 합

각 변수는 여러 요인의 합으로 생각할 수 있다. 예를 들어, "강의 준비가 잘 되어 있다"는 평가 점수는 '교수의 전문성' 점수와 '강의의 명확성' 점수의 조합으로 만들어진다. 이렇게 변수들을 요인들의 조합으로 생각함으로써, 많은 변수를 더 적은 수의 요인으로 요약할 수 있다.

5) 오차 항

실제로는 모든 변수를 요인들로 완벽하게 설명할 수 없기 때문에, 설명되지 않은 부분은 오차 항으로 남겨둔다. 즉, 변수 = 요인들의 조합 + 오차 항이다.

6) 요인의 독립성

요인들은 서로 독립적이고, 서로 상관관계가 없도록 설정한다. 이렇게 해야 각 요인이 서로 다른 고유한 정보를 제공한다.

예를 들어, 설문조사에서 10개의 질문이 있다면, 이 질문들은 '교수의 전문성'과 '강의의 명확성' 같은 2~3개의 요인으로 요약될 수 있다. 요인 분석을 통해 어떤 질문들이 어떤 요인과 관련이 있는지, 그리고 각 요인이 전체 설문조사 점수에 얼마나 기여하는지 알 수 있다.

8.1.2. 요인 분석의 종류

탐색적 요인 분석 (EFA)과 확인적 요인 분석 (CFA)은 모두 다변량 통계 분석 기법으로, 관측 가능한 변수들 간의 관계를 분석하고 잠재된 요인들을 추출하는 데 활용된다. 하지만, 두 가지 분석 방식은 목적, 가정, 활용 방식 등에서 차별적인 특징을 가지고 있다.

EFA와 CFA는 모두 다변량 통계 분석 기법으로, 변수들 간의 관계를 분석하고 잠재된 요인을 추출하는 데 활용한다. 하지만, 두 가지 분석 방식은 목적, 가정, 활용 방식 등에서 차별적인 특징을 가지고 있다. 따라서 연구 목적과 상황에 맞는 적절한 분석 방식을 선택하는 것이 중요하다.

1) 탐색적 요인 분석 (Exploratory Factor Analysis, EFA)

항목들 간의 복잡한 상호관계를 파악하고, 통일된 개념의 일부인 항목들을 그룹화한다. 연구자는 요인들 간의 관계에 대한 사전 가정이 없다.

기존에 명확하게 정의되지 않은 변수들 간의 관계를 탐색하고, 잠재된 요인들을 그룹화하여 새로운 변수를 추출하는 데 초점을 맞춘다. 연구자가 미리 가진 가설보다는 데이터 자체에서 나타나는 패턴을 기반으로 분석을 진행한다.

변수들 간의 상관관계가 존재한다고 가정하지만, 요인의 구조나 수에 대한 명확한 가정은 가지고 있지 않다. 새로운 가설을 도출하거나, 기존 측정 도구를 개선하는 데 활용한다. 탐색적인 분석을 통해 예상치 못한 요인들을 발견하거나, 변수들 간의 새로운 관계를 파악하는 데 유용하다.

연구자가 미리 가정한 요인 구조가 없기 때문에, 분석 결과를 통해 새로운 요인 구조를 도출할 수 있다. 예를 들어, 설문조사 응답자들의 만족도를 분석하는 과정에서, EFA를 통해 업무 만족도, 팀워크 만족도, 처우 만족도 등의 세 가지 요인을 도출할 수 있다.

2) 확인적 요인 분석 (Confirmatory Factor Analysis, CFA)
항목들이 특정 요인들과 연관되어 있다는 가설을 테스트한다. 구조방정식 모델링(SEM)을 사용하여 측정 모델을 테스트한다. 여기서 요인에 대한 적재량을 통해 관찰된 변수와 잠재 변수 간의 관계를 평가할 수 있다. 측정 오류를 수용할 수 있고, 가설 모델을 실제 데이터와 비교하여 요인 간의 상관관계와 관찰된 변수의 요인 적재량을 분석한다.

이미 정의된 이론이나 가설을 기반으로 측정 도구의 타당성을 검증하고, 요인 간의 관계를 확인하는 데 목적이 있다. 기존 연구 결과나 이론적 토대를 바탕으로 요인 모델을 설정하고, 이를 실제 데이터와 비교하여 모델의 적합성을 평가한다.

연구자가 설정한 요인 모델이 정확하고, 변수들이 각 요인에 적절하게 적재된다는 가정을 한다. 측정 오류의 영향을 고려하고, 모델의 적합도를 검증한다. 설문지, 척도 등의 측정 도구의 신뢰성과 타당성을 평가하는 데 주로 사용한다. 또한, 요인 간의 상관관계를 분석하여 변수들의 구조를 이해하고, 이론 모델을 검증하는 데 활용한다.

연구자가 설정한 요인 모델이 정확하다는 가정을 기반으로 분석을 진행하기 때문에, 모델의 적합도가 낮으면 연구 결과를 신뢰하기 어렵다. 예를 들어, 학습 성취도를 측정하는 도구의 타당성을 검증하는 과정에서, CFA를 통해 모델의 적합도가 낮게 나타난다면, 도구의 구성이나 측정 방법을 수정해야 할 수도 있다.

3) 각 분석 방식의 활용
EFA 활용한 부분의 예를 들면, 소비자들의 구매 행동 데이터를 분석하여 구매 패턴을 파악하고, 새로운 마케팅 전략을 수립하고자 한다. 설문조사 응답자들의 의견을 분석하여 서비스 만족도를 평가하고, 서비스 개선 방향을 모색하고자 한다. 심리 검사 결과를 분석하여 개인의 성격 특성을 파악하고, 맞춤형 상담 프로그램을 개발하고자 한다.

CFA 활용의 예시를 들면, 설문조사 척도의 신뢰성 및 타당성을 검증하여 측정 도구의 질을 향상시키고자 한다. 학습 성취도 평가 도구의 요인 구조를 분석하여 평가 도구의 타당성을 검증하고, 개선 방향을 모색하고자 한다. 고객 만족도 모델을 검증하여 기업의 서비스 품질을 평가하고, 고객 만족도를 높일 수 있는 전략을 수립하고자 한다.

4) 항목별 상세 비교

[표 45] EFA와 CFA의 항목별 상세 비교

항목	EFA	CFA
목적	잠재 요인 탐색 및 그룹화	측정 도구 타당성 검증 및 요인 관계 확인
가정	요인 구조 및 수 미정	요인 모델 사전 설정
활용 방식	새로운 가설 도출, 측정 도구 개선	측정 도구 신뢰성 및 타당성 평가, 요인 간 상관관계 분석, 이론 모델 검증
요인 추출 방법	PCA, CFA, 공통 요인 분석, 이미지 요인 분석, 알파 요인 분석 등 다양한 방법 활용 가능	주로 공통 요인 분석 사용
모델 평가	요인 적재량, 공통 분산, 설명 분산 등을 사용하여 모델 적합성 평가	적합도 지수 ($\chi2$, TLI, CFI, RMSEA 등) 사용하여 모델 적합성 평가
장점	데이터 기반 탐색적 분석으로 새로운 변수 및 관계 발견 가능	이론 기반 분석으로 측정 도구의 타당성을 검증하고 요인 간의 관계를 명확하게 파악 가능
단점	사전 가설 없이 분석하기 때문에 결과 해석에 주의 필요	측정 오류 및 자료 수집 오류에 민감
적합한 상황	변수들 간의 관계가 명확하지 않은 경우, 새로운 측정 도구 개발 단계	기존 측정 도구의 타당성을 검증하거나, 이론 모델을 검증하는 경우

추가로 고려할 사항을 보면, EFA는 탐색적 분석이며, CFA는 확인적 분석이라는 점을 명심해야 한다. EFA는 미지의 영역을 탐험하는 데 유용한 반면, CFA는 이미 정의된 영역을 검증하는 데 적합하다.

연구 문제와 연구 가설에 따라 적절한 분석 방법을 선택해야 한다. 명확한 가설이 없는 경우 EFA를 사용하고, 기존 가설을 검증하고자 하는 경우 CFA를 사용하는 것이 일반적이다.

샘플 크기는 두 분석 방법 모두 중요한 요소이다. 일반적으로 CFA는 EFA보다 더 큰 샘플 크기를 요구한다

8.1.3. 요인 분석의 요인 추출 방법

요인 분석은 다변량 통계 분석 기법 중 하나로, 관측 가능한 변수들 간의 상관관계를 분석하고 잠재된 요인들을 추출하는 데 활용된다. 요인은 관측 가능한 변수들로 설명할 수 없는 공통된 변동성을 나타내는 추상적인 개념이다. 요인 분석을 통해 변수들 간의 관계를 보다 효율적으로 이해하고, 측정 도구의 타당성을 평가하며, 새로운 가설을 도출하는 데 도움을 받을 수 있다.

본 도서에서는 다섯 가지 주요 요인 추출 방식인 주성분 분석 (PCA), 정준 요

인 분석 (CFA), 공통 요인 분석 (CFA), 이미지 요인 분석 (IFA), 알파 요인 분석 (AFA) 등을 비교 설명한다. 다음은 요인 추출 방법을 설명하면, 다음과 같다.

1) 주성분 분석 (Principal Component Analysis, PCA)
변수들의 분산을 최대한 설명하는 요인을 추출하여 데이터의 변이성을 요약하는 데 초점을 맞춘다. 즉, 관측 가능한 변수들 간의 공통적인 패턴을 파악하고, 변수들 간의 관계를 단순화하는 데 활용한다. 최대한의 분산을 추출하는 요인 가중치를 계산한다. 유의미한 분산이 더 이상 남지 않을 때까지 연속적으로 요인 추출을 진행한다. 이후 요인 모델을 회전하여 분석한다.

먼저, 분석 대상인 변수들의 공분산 행렬을 계산한다. 공분산 행렬은 각 변수 간의 상관관계를 나타내는 행렬로서, 변수들이 서로 얼마나 밀접하게 관련되어 있는지 파악하는 데 중요한 역할을 한다. 다음으로, 공분산 행렬을 고유값 분해하여 고유값과 고유벡터를 추출한다. 고유값은 요인의 중요도를 나타내는 지표이며, 고유벡터는 요인의 방향을 나타내는 벡터다.

고유값과 고유벡터를 기반으로 요인을 추출한다. 일반적으로, 고유값이 1보다 큰 고유벡터만을 선택하여 요인으로 활용한다. 이는 변수들의 분산 중에서도 상대적으로 큰 비중을 차지하는 요인만을 추출하기 위함이다.

선택된 요인들을 보다 효과적으로 해석하기 위해 요인 회전을 수행할 수 있다. 요인 회전은 기존의 요인들을 새로운 축으로 변환하는 과정이며, 이를 통해 요인들 간의 간단하고 명확한 관계를 도출할 수 있다.

장점으로, 데이터의 변이성을 효율적으로 요약하고, 핵심적인 요인들을 파악하는 데 유용하다. 상대적으로 계산 과정이 간단하고, 해석하기 쉽다. 다양한 분야에서 활용될 수 있으며, 특히 탐색적 연구 단계에서 데이터의 패턴을 파악하는 데 효과적이다.

단점으로 추출된 요인들이 항상 명확한 의미를 가지는 것은 아니며, 해석이 어려울 수 있다. 측정 오류를 고려하지 않기 때문에, 측정 결과의 신뢰성이 낮을 수 있다. 요인의 수를 미리 결정해야 하며, 적절한 수를 선택하지 못하면 분석 결과가 유효하지 않을 수 있다.

주의 사항으로 주성분 분석은 탐색적 요인 분석 기법으로서, 변수들 간의 상관관계를 기반으로 요인을 추출하기 때문에, 요인들의 의미 해석에는 신중해야 한다. 추출된 요인들이 실제로 존재하는 개념을 반영하는지 확인하기 위해서는 추가적인 검증 과정이 필요할 수 있다. 주성분 분석은 측정 오류를 고려하지 않기 때문에, 측정 결과의 신뢰성이 높은 경우에만 사용하는 것이 좋다.

2) 정준 요인 분석 (Canonical Factor Analysis)

관찰된 변수와 가장 높은 정준 상관을 갖는 요인을 찾는다. 데이터의 임의 재스케일링에 영향을 받지 않는다.

사용하는 목적은 두 그룹 간의 차이를 최대한 설명하는 요인을 추출하여 그룹 간의 차이를 분석하는 데 활용한다.

사용하는 방법으로 두 그룹의 변수 공분산 행렬의 차이를 기반으로 요인을 추출한다. 즉, 각 그룹에서 변수들이 서로 얼마나 밀접하게 관련되어 있는지 비교하고, 이를 통해 그룹 간의 차이를 나타내는 요인을 추출한다.

장점으로 두 그룹 간의 차이를 명확하게 파악하고, 이를 설명하는 요인을 도출하는 데 유용하다. 예를 들어, 실험군과 대조군 학생들의 학습 성취도를 비교 분석하는 경우, 정준 요인 분석을 통해 어떤 요인들이 실험군 학생들의 학습 성취도 향상에 영향을 미쳤는지 파악할 수 있다.

단점으로 한 그룹만으로는 분석이 불가능하다는 점이다. 반드시 두 그룹 이상의 데이터를 비교해야만 분석을 수행할 수 있다.

활용 사례를 보면, 학습 성취도에 영향을 미치는 요인을 실험군과 대조군 학생들을 비교하여 분석하는 경우, 두 회사의 직원들의 만족도를 비교하여 회사별 만족도 차이를 나타내는 요인을 파악하는 경우와 두 지역의 주민들의 건강 상태를 비교하여 지역 간 건강 상태 차이를 나타내는 요인을 분석하는 경우에 활용할 수 있다.

[표 46] 요인 추출 방법 비교

방법	설명	장점	단점
주성분 분석 (PCA)	관측 가능한 변수들의 분산을 최대한 설명하는 요인을 추출	데이터의 변이성을 요약하는 데 효과적.	요인의 의미 해석이 어려움
정준 요인 분석 (CFA)	두 그룹 간의 차이를 최대한 설명하는 요인을 추출	그룹 간의 차이를 분석하는 데 유용	한 그룹만으로는 분석이 불가능
공통 요인 분석 (CFA)	변수들의 공통 분산을 설명하는 최소한의 요인을 추출	변수들 간의 공통적인 패턴을 파악하는 데 적합	요인의 수를 미리 결정
이미지 요인 분석 (IFA)	각 변수를 다른 변수들로부터 예측된 값으로 회귀 분석하여 요인을 추출	측정 오류의 영향을 줄이는 데 도움	계산 과정이 복잡하고, 해석이 어려움
알파 요인 분석 (AFA)	요인의 신뢰도를 최대화하는 요인을 추출	신뢰도가 높은 요인을 추출하는 데 효과	

3) 공통 요인 분석 (Common Factor Analysis)

변수 집합의 공통 분산(상관)을 설명할 수 있는 최소한의 요인을 찾는다. 주축 요인 분석(Principal Axis Factoring, PAF) 또는 주요인 분석(Principal Factor Analysis, PFA)으로도 불린다.

사용하는 목적은 변수들의 공통 분산을 설명하는 최소한의 요인을 추출하여 변수들 간의 공통적인 패턴을 파악하는 데 활용한다.

사용하는 방법은 변수들의 공분산 행렬을 기반으로 요인을 추출한다. 공통 요인 분석은 변수들의 공통 분산만을 설명하는 요인을 추출하기 때문에, 주성분 분석보다 적은 수의 요인으로 데이터의 변이성을 설명할 수 있다.

장점으로 변수들 간의 공통적인 패턴을 효율적으로 파악하고, 측정 도구의 타당성을 평가하는 데 유용하다. 또한, 적은 수의 요인으로 데이터를 설명하기 때문에, 모델의 해석이 용이하다는 장점이 있다.

단점으로 요인의 수를 미리 결정해야 한다는 점이다. 적절한 요인의 수를 결정하지 못하면, 분석 결과가 유효하지 않을 수 있다.

활용 사례로는 설문지의 문항들을 분석하여 문항들이 측정하고자 하는 요인을 적절하게 측정하는지 평가하는 경우, 소비자들의 구매 패턴을 분석하여 주요 구매 요인을 파악하고, 이를 기반으로 마케팅 전략을 수립하는 경우나 투자자들의 투자 행동을 분석하여 투자 결정에 영향을 미치는 주요 요인을 파악하는 경우에 활용할 수 있다.

4) 이미지 요인 분석 (Image Factoring)

실제 변수 대신 예측된 변수의 상관행렬에 기반한다. 각 변수를 다른 변수들로부터 다중 회귀를 사용하여 예측한다.

사용하는 목적은 측정 오류의 영향을 고려하여 요인을 추출하여 측정 결과의 신뢰성을 높이는 데 활용한다. 즉, 이미지 요인 분석은 측정 오류를 추정하고 제거함으로써 측정 결과의 신뢰성을 높인다. 측정 오류는 설문 조사 응답자의 오해, 기억 오류, 무관심, 사회적 바람직성 등 다양한 요인으로 발생할 수 있으며, 이는 분석 결과의 정확성을 떨어뜨릴 수 있다. 이미지 요인 분석은 이러한 측정 오류의 영향을 최소화하여 보다 정확한 요인 구조를 파악하는 데 도움을 준다. 측정 오류가 줄어들면 측정 도구의 신뢰도가 향상된다. 신뢰도가 높은 측정 도구는 동일한 측정을 반복했을 때 일관된 결과를 얻을 수 있다는 것을 의미하며, 이는 연구 결과의 신뢰성을 높이는 데 중요한 요소이다.

사용하는 방법은 각 변수를 다른 변수들로부터 예측된 값으로 회귀 분석하여 요인을 추출한다. 즉, 측정 오류를 추정하고, 이를 제거한 후 요인을 추출한다. 즉, 각 변수를 다른 변수들로부터 예측 변수로 사용하여 다중 회귀 분석을 수행한다. 이 과정에서 측정 오류를 추정하고 제거한다. 또한, 회귀 분석을 통해 예측된 값과 실제 관측 값의 차이를 계산하여 잔차를 얻는다. 잔차는 측정 오류를 나타내는 지표이며, 이를 사용하여 요인을 추출한다. 잔차 행렬을 기반으로 요인 분석을 수행하여 측정 오류의 영향을 최소화한 요인을 추출한다.

장점으로 측정 오류의 영향을 줄여 측정 결과의 신뢰성을 높일 수 있다는 장점이 있다. 또한, 다른 요인 추출 방식들과 달리, 사전에 요인의 수를 결정할 필요가 없다. 요인 구조 명확화로, 측정 오류의 영향이 줄어들면 보다 명확하고 정확한 요인 구조를 파악할 수 있다. 신뢰도 향상으로 측정 도구의 신뢰도를 향상시켜 연구 결과의 신뢰성을 높일 수 있다. 사전 요인 수 결정 불필요로 다른 요인 추출 방식들과 달리, 사전에 요인의 수를 결정할 필요가 없다.

단점으로 계산 복잡으로 다중 회귀 분석과 요인 분석 과정이 복잡하여 계산적으로 어려움이 있을 수 있다. 해석 어려움으로 잔차를 기반으로 추출된 요인을 해석하는 것이 어려울 수 있다. 샘플 크기 영향으로 충분한 샘플 크기가 확보되지 않은 경우, 분석 결과가 유효하지 않을 수 있다. 일반적으로 다른 요인 추출 방식들보다 더 큰 샘플 크기를 요구한다.

활용 사례를 보면, 심리학적 검사에서 측정 오류의 영향이 큰 심리학적 검사 도구의 신뢰도를 높이는 데 활용한다. 예를 들어, 우울증 척도의 문항들을 분석하여 척도의 신뢰도를 높이고, 척도를 개선하는 데 활용할 수 있다. 경제학 연구에서 경제 지표들의 측정 오류를 고려하여 경제 모델을 분석하는 데 활용한다. 예를 들어, 소비자 물가 지수 (CPI)의 측정 오류를 고려하여 실제 물가 상승률을 추정하는 데 활용할 수 있다.

5) 알파 요인 분석 (Alpha Factoring)
요인의 신뢰도를 최대화한다. 변수를 무작위로 샘플링한 것으로 가정한다. 다른 방법들은 사례를 샘플링하고 변수를 고정한 것으로 가정한다.

목적은 요인의 신뢰도를 최대화하는 요인을 추출하여 신뢰도가 높은 측정 도구를 개발하는 데 활용된다.

방법은 변수들의 신뢰도 분석 결과를 기반으로 요인을 추출한다. 신뢰도 분석은 측정 도구가 얼마나 일관되게 측정 결과를 얻는지를 평가하는 지표이다. AFA는 신뢰도가 높은 변수들을 그룹화하여 요인을 추출하기 때문에, 측정 도구의 신뢰성을 높일 수 있다.

장점은 신뢰도가 높은 측정 도구를 개발하는 데 유용하다. 또한, 다른 요인 추출 방식들과 달리, 사전에 요인의 수를 결정할 필요가 없다.

단점은 요인의 의미 해석이 어려울 수 있다는 단점이 있다. 또한, 샘플 크기가 충분히 크지 않으면 분석 결과가 유효하지 않을 수 있다.

활용 사례를 보면, 설문지의 문항들을 분석하여 문항들의 신뢰도를 높이고, 문항들을 수정하거나 제거하는 데 활용하는 경우나 척도의 문항들을 분석하여 척도의 신뢰도를 높이고, 척도를 개선하는 데 활용하는 경우, 심리학적 검사 도구의 문항들을 분석하여 검사 도구의 신뢰도를 높이고, 검사 도구를 개선하는 데 활용하는 경우에 활용 할 수 있다.

6) 요인 회귀 모델 (Factor Regression Model)

요인 회귀 모델은 요인 분석과 회귀 분석을 결합한 통계 모델이다. 요인 분석을 통해 관측 가능한 변수들 간의 공통적인 패턴을 파악하고 요인을 추출한 후, 추출된 요인들을 종속 변수에 대한 설명 변수로 활용하여 회귀 분석을 수행한다. 또는, 요인의 일부가 알려진 하이브리드 요인 모델로 볼 수 있다. 즉, 요인 회귀 모델은 단순히 변수들 간의 상관관계를 분석하는 회귀 분석보다는, 변수들 간의 내재된 관계를 파악하고 이를 기반으로 종속 변수를 예측하는 데 유용하다.

요인 회귀 모델은 다음과 같은 두 단계로 구성된다. 1단계에서 요인 분석을 한다. 관측 가능한 변수들 간의 상관관계를 분석하여 공통적인 패턴을 파악하고 요인을 추출한다. 주성분 분석, 탐색적 요인 분석, 확인적 요인 분석 등 다양한 요인 추출 방식을 활용할 수 있다.

2단계에서 회귀 분석을 한다. 추출된 요인들을 종속 변수에 대한 설명 변수로 활용하여 회귀 분석을 수행한다. 일반적인 선형 회귀 모델, 로지스틱 회귀 모델, 푸아송 회귀 모델 등을 사용할 수 있다.

장점으로 변수 간 내재된 관계 파악할 수 있다. 단순히 변수들 간의 상관관계를 분석하는 회귀 분석보다, 변수들 간의 내재된 관계를 파악하여 보다 정확한 예측 모델을 구축할 수 있다. 또한, 차원 축소로 다수의 관측 변수들을 적은 수의 요인으로 변환함으로써 모델의 복잡성을 줄이고 해석을 용이하게 한다. 다양한 종속 변수 유형 활용 가능성으로 연속형 종속 변수뿐만 아니라 범주형 종속 변수에도 적용할 수 있다. 측정 오류 감소로 요인 분석 과정에서 측정 오류를 일부 고려할 수 있어 측정 결과의 신뢰성을 높일 수 있다.

단점으로 모델 선택 및 해석 어려움이 있다. 적절한 요인 추출 방식과 회귀 모델을 선택하고 해석하는 데 어려움이 있을 수 있다. 샘플 크기 영향으로 충분한 샘플 크기가 확보되지 않은 경우, 분석 결과가 유효하지 않을 수 있다. 일반적으로 다른 회귀 분석 모델들보다 더 큰 샘플 크기를 요구한다. 다중 공선 문제로 요인들 간의 상관관계가 높은 경우 다중 공선 문제가 발생하여 모델의 정확성이 저하될 수 있다.

활용 사례를 보면, 소비자 행동 분석처럼 소비자들의 구매 패턴을 분석하여 주요 구매 요인을 파악하고, 이를 기반으로 마케팅 전략을 수립하는 데 활용한다. 학업 성취도 분석에서 학생들의 학업 성취도에 영향을 미치는 요인을 파악하고, 이를 기반으로 교육 프로그램을 개선하는 데 활용한다. 인지 능력 평가에서 인지 능력 검사 도구의 문항들을 분석하여 검사 도구의 신뢰도를 높이고, 검사 도구를 개선하는 데 활용한다. 경제 성장 분석에서 경제 성장에 영향을 미치는 요인을 파악하고, 이를 기반으로 경제 정책을 수립하는 데 활용한다.

그러므로, 요인 분석은 다양한 방법과 목적을 가지고 있으며, 각각의 방법은 데이터를 더 잘 이해하고, 요약하고, 설명하기 위해 사용한다. 탐색적 요인 분석은 데이터 구조를 탐색하는 데 중점을 두고, 확인적 요인 분석은 가설을 테스트하고 확인하는 데 중점을 둔다. 요인 추출 방법 또한 다양하며, 각 방법은 데이터의 특성과 연구 목적에 따라 선택한다.

8.2. 요인 분석 하기

SPSS는 다양한 통계 분석 기능을 제공하며, 그 중에서도 요인 분석, 대응 일치 분석, 최적화 척도법은 변수들 간의 관계를 파악하고 데이터를 효율적으로 요약하는 데 유용한 도구이다. 하지만 각 분석 방식마다 특징과 활용 목적이 다르기 때문에, 연구 목적과 데이터의 특성에 맞는 적절한 방식을 선택하는 것이 중요하다.

8.2.1. 요인 분석

변수들 간의 공통적인 패턴을 파악하고, 변수들 간의 관계를 단순화하여 데이터의 변이성을 요약하는 데 초점을 맞춘다. 즉, 관측 가능한 변수들 간의 공통적인 패턴을 파악하고, 변수들 간의 관계를 단순화하는 데 활용된다.

변수들의 공분산 행렬을 기반으로 요인을 추출한다. 공분산 행렬은 변수들 간의 상관 관계를 나타내는 행렬이며, 이를 분석하여 변수들이 서로 얼마나 밀접하게 관련되어 있는지 파악할 수 있다. 요인 분석은 변수들의 분산을 최대한 설명하는 요인들을 순차적으로 추출한다. 즉, 첫 번째 요인은 변수들의 분산 중에서 가장 큰 비중을 차지하는 부분을 설명하고, 두 번째 요인은 첫 번째 요인으로 설명되지 않은 분산 중에서 가장 큰 비중을 차지하는 부분을 설명하는 방식으로 진행된다.

요인 분석의 장점으로 데이터의 변이성을 효율적으로 요약하고, 핵심적인 요인들을 파악하는 데 유용하다. 상대적으로 계산 과정이 간단하고, 해석하기 쉽다. 다양한 분야에서 활용될 수 있으며, 특히 탐색적 연구 단계에서 데이터의 패턴을 파악하는 데 효과적이다.

요인 분석의 단점으로 추출된 요인들이 항상 명확한 의미를 가지는 것은 아니며, 해석이 어려울 수 있다. 측정 오류를 고려하지 않기 때문에, 측정 결과의 신뢰성이 낮을 수 있다. 요인의 수를 미리 결정해야 하며, 적절한 수를 선택하지 못하면 분석 결과가 유효하지 않을 수 있다.

요인분석은 분석 메뉴 - 차원축소 - 요인분석, 대응일치분석, 최적화 척도법가 있다. 요인분석을 선정한다.

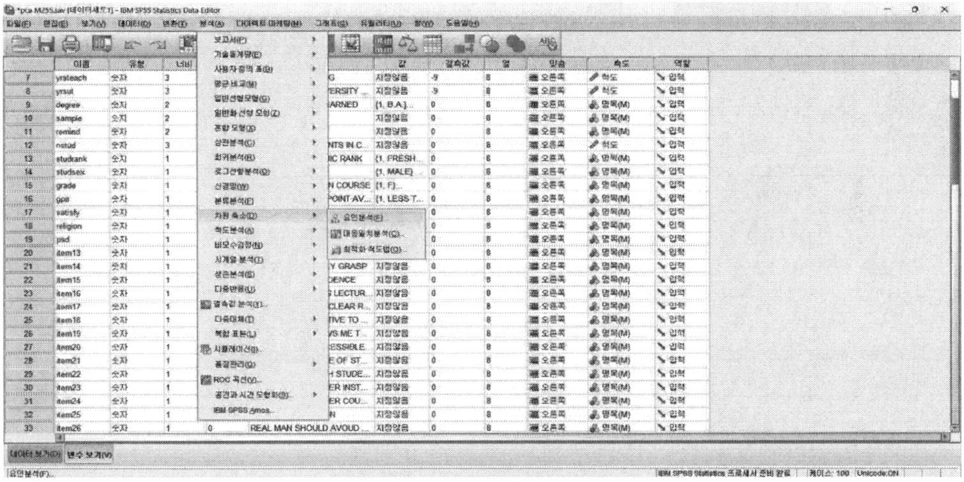

[그림 21] 요인 분석 시작

요인 분석 활용 사례를 보면, 설문 조사 응답자들의 만족도를 평가하기 위해 5개 문항의 평균 점수를 계산하는 경우, 고객들의 구매 패턴을 분석하여 주요 구매 요인을 파악하고, 이를 기반으로 마케팅 전략을 수립하는 경우, 주식 시장 데이터를 분석하여 주요 시장 변동 요인을 파악하고, 투자 전략을 수립하는 경우 등에 활용할 수 있다.

8.2.2. 대응 일치 분석

대응 일치 분석은 두 그룹 이상의 변수들 간의 관계를 비교 분석하고, 그룹 간의 차이를 파악하는 데 활용된다. 특히, 각 그룹 내 변수들의 공통적인 패턴과 그룹 간 차별적인 패턴을 탐색하는 데 효과적이다.

대응 일치 분석 방법으로 1) 두 그룹 이상의 데이터를 준비한다. 각 그룹은 서로 비교하고자 하는 특정한 기준에 따라 분류되어야 한다. 변수들은 범주형 변수와 연속형 변수 모두 허용되지만, 범주형 변수의 경우 충분한 카테고리 수준을 가져야 한다.

2) 각 그룹에 대해 별도로 요인 분석을 수행한다. 이 과정에서 공분산 행렬 또는 상관 행렬을 사용하여 각 그룹 내 변수들 간의 공통적인 패턴을 파악하고 요인을 추출한다.

3) 두 그룹에서 추출된 요인들을 하나의 행렬로 통합한다. 이 행렬은 두 그룹 간의 요인들의 상관 관계를 나타낸다.

4) 통합된 행렬을 기반으로 두 그룹 간의 공통적인 요인과 그룹별 고유한 요인을 파악하고 해석한다. 공통적인 요인은 두 그룹 모두에게 영향을 미치는 기저적인 요인을 나타내며, 그룹별 고유한 요인은 각 그룹만을 특징짓는 차별적인 요인을 나타낸다.

즉, 두 그룹의 변수들 간의 상관 관계를 나타내는 행렬을 기반으로 요인을 추출한다. 이 행렬은 두 그룹의 변수들이 서로 얼마나 밀접하게 관련되어 있는지, 그리고 두 그룹 간의 상관 관계가 어떻게 다른지를 나타낸다. 대응 일치 분석은 두 그룹 간의 공통적인 요인과 그룹별 고유한 요인을 추출한다.

대응 일치 분석 장점으로 두 그룹 간의 차이를 명확하게 파악하고, 이를 설명하는 요인을 도출하는 데 유용하다. 즉, 두 그룹 간의 변수들 간의 관계를 비교 분석함으로써, 각 그룹의 특징과 그룹 간 차이점을 명확하게 파악할 수 있다. 요인 분석보다 더 직관적인 해석이 가능하다. 즉, 요인 분석 결과를 그래프나 표로 시각화하여 쉽게 이해하고 해석할 수 있다. 다양한 분야에서 활용될 수 있으며, 특히 집단 간 비교 연구에 효과적이다. 예를 들면, 마케팅, 심리학, 사회학, 교육 등 다양한 분야에서 그룹 간 비교 분석에 활용될 수 있다.

대응 일치 분석 단점으로 두 그룹 이상의 데이터가 필요하다. 즉, 두 그룹 이상의 데이터가 필요하기 때문에, 데이터 수집 및 준비 과정이 복잡할 수 있다. 요인의 수를 미리 결정해야 하며, 적절한 수를 선택하지 못하면 분석 결과가 유효하지 않을 수 있다. 즉, 적절한 요인 수를 선택하는 것이 분석 결과의 유효성에 중요한 영향을 미치지만, 명확한 기준이 없어 어려움을 겪을 수 있다. 해석에 주관적인 판단이 개입될 수 있다. 즉, 분석 결과 해석 과정에서 연구자의 주관적인 판단이 개입될 수 있어 신중하게 해석해야 한다.

대응 일치 분석 활용 사례로는 남성과 여성의 소비 패턴 비교에서 남성과 여성 고객들의 구매 행동, 선호하는 제품, 소비 결정 요인 등을 비교 분석하여 성별에 따른 마케팅 전략을 수립하는 데 활용할 수 있다.

집단 간 학업 성취도 비교에서 서로 다른 학업 수준의 학생 집단이나, 남녀 학생, 특정 지역 학생들의 학업 성취도를 비교 분석하여 교육 프로그램 개선 방향을 모색하는 데 활용할 수 있다.

시장 반응에 따른 고객 구매 패턴 비교에서 시장 반응에 따라 고객들의 구매 패턴이 어떻게 변화하는지 분석하여, 시장 상황에 맞는 효과적인 마케팅 전략을 수립하는 데 활용할 수 있다.

정치적 성향에 따른 투표 행태 비교에서 좌파, 우파, 중도 등 다양한 정치적 성향을 가진 유권자들의 투표 행태를 비교 분석하여 선거 결과를 예측하거나, 정치적 메시지를 전달하는 데 활용할 수 있다.

주의할 사항으로 대응 일치 분석은 두 그룹 간의 차이를 분석하는 데 유용한 도구이지만, 그룹 간 차이가 실제로 존재하는지 확인하기 위해서는 추가적인 검증 과정이 필요할 수 있다.

8.2.3. 최적화 척도법

최적화 척도법 (Optimal Scaling)은 SPSS에서 제공하는 요인 분석 기법 중 하나로, 범주형 변수들의 관계를 분석하고 변수들 간의 패턴을 파악하는 데 특화된 방식이다. 기존 요인 분석 방식들이 연속형 변수에 기반한 분석을 수행하는 반면, 최적화 척도법은 범주형 변수의 특성을 고려하여 변수들 간의 관계를 보다 정확하게 분석하고 해석하도록 한다.

1) 최적화 척도법의 목적
범주형 변수들 간의 관계를 분석하고, 변수들 간의 패턴을 파악하는 데 활용한다. 즉, 명목척도, 순서척도와 같은 범주형 변수들의 관계를 효과적으로 분석하고, 변수들 간의 내재된 패턴을 파악한다.

데이터 시각화로 범주형 변수 데이터를 시각화하여 변수들 간의 관계를 직관적으로 파악하고 이해하도록 한다.

변수 간 거리 측정으로 범주형 변수들 간의 거리를 측정하여 변수들 간의 유사성을 정량적으로 분석한다.

척도 개발 등에서 설문 조사 문항과 같은 범주형 척도를 개발하고 개선하는 데 활용된다.

2) 최적화 척도법의 방법
범주형 변수들의 카테고리 수준을 최적화하여 새로운 변수를 생성하고, 이를 기반으로 요인 분석을 수행한다. 즉, 범주형 변수들이 서로 얼마나 유사한지를 고려하여 카테고리 수준을 조정하고, 이를 통해 변수들 간의 관계를 명확하게 파악하도록 한다.

먼저, 데이터 준비로 범주형 변수 데이터를 준비한다. 변수들은 명목척도, 순서척도 모두 허용되지만, 충분한 카테고리 수준을 가져야 한다.

둘째, 초기 척도 설정에서 각 변수의 카테고리에 초기 척도 값을 할당한다. 초기 척도 값은 임의로 설정하거나, 사전 지식을 기반으로 설정할 수 있다.

셋째, 반복적인 척도 최적화로 다음 과정을 반복적으로 수행하여 척도 값을 최적화한다. 또한, 변수 간 거리 계산으로 현재 척도 값을 기반으로 변수들 간의 거리를 계산한다. 목적 함수 설정에서 변수들 간의 관계를 반영하는 목적 함수를 설정한다. 일반적으로 변수들 간의 거리가 최대한 작아지는 방향으로 척도 값을 조정하는 것을 목표로 한다. 척도 값 조정으로 목적 함수를 최소화하도록 척도 값을 조정한다.

넷째, 최종 척도 도출로 반복적인 척도 최적화 과정을 통해 도출된 최종 척도 값을 사용한다.

3) 최적화 척도법의 장점

범주형 변수 분석에 특화되어 있다. 범주형 변수의 특성을 고려하여 변수들 간의 관계를 보다 정확하게 분석하고 해석할 수 있다.

직관적 해석이 가능하다. 척도 값을 통해 변수들 간의 관계를 직관적으로 파악하고 이해할 수 있다.

다양한 활용 가능성이 있다. 척도 개발, 시장 조사 분석, 고객 만족도 평가 등 다양한 분야에서 활용될 수 있다.

4) 최적화 척도법의 단점

계산이 복잡하다. 반복적인 척도 최적화 과정을 수행하기 때문에 계산적으로 복잡할 수 있다.

해석이 어렵다. 최적화된 척도 값 자체의 의미를 해석하는 데 어려움이 있을 수 있다.

샘플 크기에 영향을 받는다. 충분한 샘플 크기가 확보되지 않은 경우, 분석 결과가 유효하지 않을 수 있다.

5) 최적화 척도법의 활용 사례

소비자들의 구매 선호도 분석에서 소비자들이 제품을 선택할 때 고려하는 요인들을 파악하고, 이를 기반으로 마케팅 전략을 수립하는 데 활용한다.

고객 만족도 평가에서 고객들이 제품이나 서비스에 대해 얼마나 만족하는지 평가하고, 서비스 개선 방향을 모색하는 데 활용한다.

시장 세분화에서 시장을 소비자들의 특성이나 구매 패턴에 따라 그룹화하고, 각 그룹에 맞는 마케팅 전략을 세우는 데 활용한다.

[표 47] 분석방식 비교

분석 방식	목적	방법	장점	단점
요인 분석	변수들 간의 공통적인 패턴 파악, 데이터 변이성 요약	변수의 공분산 행렬 기반 요인 추출	데이터 변이성 효율적 요약, 계산 및 해석 간편, 다양한 분야 활용 가능	추출 요인 해석 어려움, 측정 오류 고려 불가, 요인 수 미리 결정 필요
대응 일치 분석	두 그룹 간의 변수 관계 비교, 그룹 간 차이 파악	두 그룹 변수 간의 상관 관계 행렬 기반 요인 추출	그룹 간 차이 명확 파악, 직관적 해석 가능, 다양한 분야 활용 가능	두 그룹 이상 데이터 필요, 요인 수 미리 결정 필요, 해석에 주관적 판단 개입 가능성
최적화 척도법	범주형 변수들 간의 관계 분석, 변수들 간의 패턴 파악	범주형 변수 카테고리 수준 최적화 후 요인 분석 수행	범주형 변수 데이터 분석 가능, 직관적 해석 가능, 비선형적 관계 파악 가능	카테고리 수준 최적화 과정 주관적, 해석에 주관적 판단 개입 가능성, 샘플 크기 영향

　　반드시 연구 목적, 가설, 데이터의 특성 등을 고려하여 적절한 분석 방식을 선택해야 한다. 각 분석 방식마다 고유한 가정이 있으므로, 분석 결과를 해석할 때는 이를 염두에 두어야 한다. 분석 결과는 통계적 유의성뿐만 아니라 실제적인 의미도 함께 고려해야 한다.

　　SPSS에서 제공하는 요인 분석, 대응 일치 분석, 최적화 척도법은 각각 다양한 목적과 특징을 가지고 있다. 연구 목적과 데이터의 특성을 정확하게 파악하고, 이에 맞는 분석 방식을 선택하는 것이 매우 중요하다.

8.2.4. 요인 분석 변수

　　요인분석에서 변수를 선정한다. 선택변수를 선정할 수 있다.

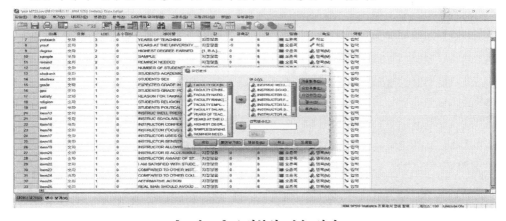

[그림 22] 요인분석 변수 설정

　　주어진 변수를 12개를 1. INSTRUC WELL PREPARED; 2. INSTRUC SCHOLARLY GRASP; 3. INSTRUCTOR CONFIDENCE; 4. INSTRUCTOR FOCUS LECTURES; 5.

INSTRUCTOR USES CLEAR RELEVANT EXAMPLES; 6. INSTRUCTOR SENSITIVE TO STUDENTS; 7. INSTRUCTOR ALLOWS ME TO ASK QUESTIONS; 8. INSTRUCTOR IS ACCESSIBLE TO STUDENTS OUTSIDE CLASS; 9. INSTRUCTOR AWARE OF STUDENTS UNDERSTANDING; 10. I AM SATISFIED WITH STUDENT PERFORMANCE EVALUATION; 11. COMPARED TO OTHER INSTRUCTORS, THIS INSTRUCTOR IS; 12. COMPARED TO OTHER COURSES THIS COURSE WAS 선정한다.

8.2.5. 요인 분석 기술통계

요인분석 기술통계에서 통계량 박스에 일변량 기술통계, 초기해법이 있다. 상관행렬 박스에는 계수, 역모형, 유의수준, 재연된 상관행렬, 행렬식, 역-이미지, KMO와 Bartlett의 구형성 검정 항목이 있다.

[그림 23] 요인분석 기술통계

1) 일변량 기술통계
변수 항목에서 이 항목은 요인 분석에 사용된 모든 변수들을 나열한다. 각 변수는 고유한 이름으로 표시되며, 이는 변수를 식별하고 이해하는 데 도움이 된다. 변수 이름은 사용자가 직접 지정하거나, 데이터셋에서 자동으로 가져온 이름일 수 있다.

유효 수 N에서 이 항목은 각 변수의 유효 사례 수를 나타낸다. 유효 사례는 분석에 사용될 수 있는 데이터 포인트를 의미하며, 누락값이나 이상치가 제외된 값을 나타낸다. N 값은 각 변수에 사용 가능한 데이터의 양을 보여주는 중요한 지표다.

평균 항목에서 이 항목은 각 변수의 평균값을 나타낸다. 평균값은 데이터 세트의 중심 경향을 나타내는 통계량으로, 모든 데이터 포인트의 합을 데이터 포인트 개수로 나눈 값이다. 평균값은 변수들의 값들이 어느 정도 수준인지를 간략하게 파악하는 데 도움이 된다.

표준 편차 항목에서 이 항목은 각 변수의 데이터가 평균값으로부터 얼마나 퍼져 있는지를 나타낸다. 표준 편차는 데이터 포인트들의 분산 정도를 나타내는 통계량으로, 평균값에서 각 데이터 포인트의 거리의 제곱 평균의 제곱근이다. 표준 편차 값이 클수록 데이터 포인트들이 평균값으로부터 더 넓게 퍼져 있음을 의미하며, 반대로 값이 작을수록 데이터 포인트들이 평균값에 더 가까이 밀집되어 있음을 의미한다.

최소값 항목에서 이 항목은 각 변수의 최소값을 나타낸다. 최소값은 데이터 세트에서 관측된 가장 작은 값을 의미한다. 최소값은 변수의 값들이 어느 정도 낮은 수준까지 내려갈 수 있는지를 나타내는 지표이다.

최대값 항목에서 이 항목은 각 변수의 최대값을 나타낸다. 최대값은 데이터 세트에서 관측된 가장 큰 값을 의미한다. 최대값은 변수의 값들이 어느 정도 높은 수준까지 올라갈 수 있는지를 나타내는 지표이다.

누락 항목에서 이 항목은 각 변수의 누락 사례 수를 나타낸다. 누락 사례는 분석에 사용할 수 없는 데이터 포인트를 의미하며, 다양한 이유로 발생할 수 있다. 누락 사례 수가 많은 경우, 분석 결과의 신뢰성에 영향을 미칠 수 있으므로 주의가 필요하다.

2) 초기 해법

고유 값 항목에서 각 요인의 고유 값은 해당 요인이 설명하는 분산량을 나타낸다. 요인 분석에서는 데이터 변수들 간의 공통적인 패턴을 몇 개의 요인으로 추출하고, 각 요인이 전체 변수들의 분산 중 얼마나 많은 부분을 설명하는지를 파악하는 것이 중요하다. 일반적으로 고유 값이 높을수록 해당 요인이 더 많은 분산량을 설명하고, 따라서 더 중요한 요인임을 의미한다.

% of Variance 항목에서 각 요인의 % of Variance는 해당 요인이 설명하는 분산 비율을 백분율로 나타낸다. 이는 고유 값을 전체 변수들의 총 분산량으로 나누어 계산한다. % of Variance를 통해 각 요인이 전체 분산 중 얼마나 중요한 역할을 하는지를 비교 분석할 수 있다. 일반적으로 설명력이 높은 요인, 즉 % of Variance 값이 높은 요인을 우선적으로 고려하는 것이 좋다.

누적 % 항목에서 누적 %는 지금까지 추출된 모든 요인들이 누적적으로 설명하는 분산 비율의 합계를 백분율로 나타낸다. 즉, 첫 번째 요인부터 K번째 요인까지 모든 요인들이 함께 설명하는 분산량을 보여준다. 누적 %를 통해 추출된 요인들이 전체 변수들의 분산을 얼마나 정도 설명하는지 파악할 수 있으며, 이를 기반으로 요인 추출의 적절성을 판단할 수 있다. 일반적으로 누적 %가 70% 이상이면 요인 추출이 적절하다고 판단한다.

총 설명 분산 항목에서 총 설명 분산은 모든 요인들이 총체적으로 설명하는 분산량을 나타낸다. 이는 모든 요인의 고유 값을 합산하여 계산한다. 총 설명 분산은 변수들 간의 공통적인 패턴이 얼마나 많은 분산량을 가지는지를 보여주는 지표이다. 일반적으로 총 설명 분산이 높을수록 요인 분석 모델이 적합하다는 것을 의미한다.

주의할 사항으로 고유 값과 % of Variance는 절대적인 값보다는 비교적으로 해석하는 것이 중요하다. 즉, 다른 요인들과의 비교를 통해 각 요인의 중요도를 평가해야 한다.

누적 %는 추출된 요인들이 전체 분산을 얼마나 설명하는지를 보여주지만, 모델의 적합성을 판단하는 유일한 기준은 아니다. 다른 지표들과 함께 종합적으로 고려해야 한다.

총 설명 분산은 모델의 적합성을 평가하는 데 도움이 되는 지표이지만, 절대적인 기준으로 사용해서는 안 된다. 데이터의 특성, 분석 목적 등을 고려하여 적절하게 해석해야 한다.

3) 상관행렬
(1) 계수
계수 항목에는 변수 이름을 제공한다. 이는 요인 분석에 사용된 변수들을 모두 표시한다. 상관 계수를 제공한다. 각 변수와 다른 모든 변수들 간의 상관 관계를 나타낸다. 상관 관계의 값은 −1에서 1 사이의 값을 가지며, −1에 가까울수록 음의 상관 관계, 0에 가까울수록 무관계, 1에 가까울수록 양의 상관 관계를 나타낸다.

상관 행렬을 통해 변수들 간의 상호 작용 방식을 파악하고, 이를 기반으로 변수들을 그룹화하거나 요인 분석 모델을 구축하는 데 활용할 수 있다. 특정 변수가 다른 변수들과 얼마나 강한 상관 관계를 가지는지를 확인하여, 해당 변수가 분석 결과에 미치는 영향력을 평가하는 데 도움이 된다. 음의 상관 관계를 통해 변수들 간의 잠재적인 갈등이나 상충 관계를 파악하고, 이를 해결하기 위한 전략을 수립하는 데 활용할 수 있다.

(2) 역모형
역모형 항목에서 또한 변수 이름을 제공한다. 이는 요인 분석에 사용된 변수들을 모두 표시한다. 또한, 역모형의 적재량을 제공한다. 각 변수가 모든 요인들에 얼마나 기여하는지를 나타낸다. 즉, 각 셀에 표시된 역모형 적재량은 해당 변수가 각 요인에 얼마나 기여하는지를 나타낸다. 역모형 값은 각 변수의 요인 적재량을 나타낸다. 요인 적재량이 클수록 해당 변수가 해당 요인을 잘 설명하는 것을 의미한다. 역모형 적재량 값이 클수록 해당 변수가 해당 요인을 잘 설명하는 것을 의미한다. 일반적으로 절대값 0.5 이상 또는 0.7 이상을 기준으로 해당 변수가 해당 요인에 중요하게 기여한다고 판단한다.

역모형을 통해 각 변수가 어떤 요인에 가장 많이 기여하는지를 파악하고, 이를 기반으로 요인의 의미를 명확하게 해석할 수 있다. 중요도가 높은 변수들을 중심으로 분석을 진행하거나, 모델을 단순화하는 데 활용할 수 있다. 기여도가 낮은 변수들을 제외하거나, 변수들을 재구성하는 등의 조치를 취하여 모델의 적합성을 높이는 데 도움이 된다.

(3) 유의 수준

유의 수준 항목에서 요인 분석에 사용된 변수들을 모두 표시하고, 그 변수에 따른 유의 수준을 제공한다. 즉, 각 변수와 모든 요인들 간의 상관 관계의 통계적 유의성을 나타낸다. 유의 수준이 낮을수록 해당 상관 관계가 더 유의미하다는 것을 의미한다. 일반적으로 유의 수준 0.05를 기준으로 판단한다. 유의 수준이 0.05보다 작으면 해당 상관 관계가 통계적으로 유의미하다고 판단한다.

유의 수준을 통해 각 변수와 요인들 간의 상관 관계가 실제로 존재하는지 여부를 판단하고, 이를 기반으로 분석 결과의 신뢰성을 평가할 수 있다. 통계적으로 유의미한 상관 관계만을 고려하여 요인 분석 모델을 구축하거나, 해석하는 데 도움을 제공한다.

(4) 재연된 상관행렬

재연된 상관행렬 항목에서 요인 분석에 사용된 변수들을 모두 표시하고, 그에 따른 재연된 상관행렬을 제공한다. 즉, 요인 분석을 통해 추출된 요인들을 기반으로 계산된 상관 행렬을 나타낸다. 이는 실제 관측된 상관 행렬과 비교하여 요인 분석 모델의 적합성을 평가하는 데 사용한다. 즉, 각 셀에 표시된 재연된 상관 계수는 요인 분석 모델을 통해 추출된 요인들만을 사용하여 계산된 상관 관계를 나타낸다.

이를 활용하는 방안으로 재연된 상관 행렬을 실제 관측된 상관 행렬과 비교하여 요인 분석 모델의 적합성을 평가하는 데 사용할 수 있다. 두 행렬의 차이가 크면 모델이 적합하지 않다는 것을 의미하며, 이 경우 모델을 개선하거나 다른 분석 방법을 사용해야 할 수도 있다. 재연된 상관 행렬을 통해 요인 분석 모델이 실제 데이터의 관계를 얼마나 잘 설명하는지를 파악할 수 있다.

(5) 행렬식

행렬식 항목에서 요인 분석에 사용한 변수의 상관 행렬의 행렬식을 제공한다. 행렬식이 0이면 상관 행렬이 역행렬을 가지지 않고, 이는 요인 분석 모델이 적합하지 않다는 것을 의미한다.

이를 활용하는 방법을 보면, 행렬식이 0이면 상관 행렬이 역행렬을 가지지 않고, 이는 요인 분석 모델이 적합하지 않다는 것을 의미한다. 따라서 행렬식을 확인하여 요인 분석 모델의 적합성을 평가하는 데 활용할 수 있다. 하지만, 행렬식만으로는 모델의 적합성을 판단하기 어려울 수 있으며, 다른 지표들과 함께 종합적으로 고려해야 한다.

(6) 역-이미지

역-이미지 항목에서 요인 분석에 사용된 변수들을 모두 표시하고, 그에 따른 역-이미지를 제공한다. 즉, 각 변수가 요인들에 얼마나 영향을 받는지를 나타내고, 역-이미지 값은 각 변수의 요인 척도 값을 나타낸다. 즉, 역-이미지 값이 제공된다. 각 셀에 표시된 역-이미지 값은 해당 변수가 각 요인에 의해 얼마나 영향을 받는지를 나타낸다. 역-이미지 값은 각 변수의 요인 척도 값을 나타낸다.

활용하는 방법으로 역-이미지를 통해 각 변수가 어떤 요인에 의해 가장 많이 영향을 받는지를 파악하고, 이를 기반으로 요인의 의미를 명확하게 해석할 수 있다. 중요도가 높은 요인에 의해 영향을 많이 받는 변수들을 중심으로 분석을 진행하거나, 모델을 단순화하는 데 활용할 수 있다. 영향력이 낮은 요인에 의해 영향을 많이 받는 변수들을 제외하거나, 변수들을 재구성하는 등의 조치를 취하여 모델의 적합성을 높이는 데 도움이 된다.

(7) KMO와 Bartlett의 구형성 검정

KMO 검정은 Kaiser-Meyer-Olkin 검정의 약자로, 요인 분석 모델의 적합성을 평가하는 지표다.

KMO 값은 0에서 1 사이의 값을 가지며, 값이 클수록 요인 분석 모델이 적합하다는 것을 의미한다. 일반적으로 KMO 값이 0.5 이상이면 요인 분석 모델을 수행하는 것이 적절하다고 판단한다.

Bartlett의 구형성 검정에서 카이제곱은 귀무가설이 참일 때 카이제곱 검정 통계량의 예상 분포를 따르는 값을 나타낸다. 자유도는 검정 통계량의 자유도를 나타낸다. 유의 수준은 귀무가설이 참일 때 검정 통계량이 관측된 값보다 더 크거나 같을 확률을 나타낸다. p-값은 실제 관측된 검정 통계량의 유의 수준을 나타낸다.

KMO 값이 0.5 이상이고 Bartlett의 구형성 검정의 p-값이 0.05보다 크면 요인 분석 모델이 적합하다는 것을 의미한다. KMO 값이 0.5 미만이거나 Bartlett의 구형성 검정의 p-값이 0.05보다 작으면 요인 분석 모델이 적합하지 않다는 것을 의미하며, 이 경우 요인 분석을 수행하기 전에 데이터를 변환하거나 변수를 제거하는 등의 조치를 취해야 할 수도 있다.

[표 48] 통계량과 상관행렬 비교

항목	통계량	상관행렬	활용
변수	✓	✓	변수들의 특성 및 분포 파악
기술통계	✓		변수들의 평균, 표준 편차, 최소값, 최대값, 누락 사례 파악
초기 해법	✓		요인들의 설명력 및 누적 설명력 파악
계수		✓	변수들 간의 상관 관계 파악
역모형		✓	변수들이 각 요인에 얼마나 기여하는지 파악
유의 수준		✓	변수들 간의 상관 관계의 통계적 유의성 평가
재연된 상관행렬		✓	요인 분석 모델의 적합성 평가
행렬식		✓	요인 분석 모델의 적합성 평가
역-이미지		✓	변수들이 요인들에 의해 얼마나 영향을 받는지 파악
KMO와 Bartlett의 구형성 검정	✓	✓	요인 분석 모델의 적합성 평가

SPSS 요인 분석 기술통계는 요인 분석 결과를 이해하고 해석하는 데 중요한 정보를 제공한다. 통계량 박스와 상관행렬 박스에 제공되는 다양한 통계량들을 종합적으로 분석함으로써 요인 분석 모델의 적합성을 평가하고, 변수들 간의 관계 및 요인들의 특성을 명확하게 파악할 수 있다.

특히, 위에서 설명한 통계량들 외에도 다양한 통계량들이 제공될 수 있으며, 이는 사용된 SPSS 버전 및 분석 옵션에 따라 다를 수 있다. 통계량들을 해석할 때는 분석 결과의 다른 측면들과 함께 종합적으로 고려해야 한다.

8.2.6. 요인 분석 요인추출

요인분석 요인추출에서 방법은 주성분이고, 분석 박스에는 상관행렬, 공분산 행렬이 있고, 표시 박스에는 회전하지 않은 요인 해법, 스크리도표가 있고, 추출 박스에는 고유값 기준(다음 값보다 큰 고유값 1) 고정된 요인 수 (추출할 요인) 항이 있다. 수렴을 위한 최대 반복은 25회이다.

요인 분석에서 주성분 분석(PCA)을 사용하여 요인을 추출하는 과정에서, 다양한 설정 및 옵션들이 존재한다.

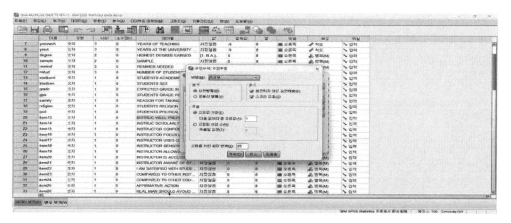

[그림 24] 요인분석 요인추출

1) 상관행렬 및 공분산 행렬

상관행렬과 공분산 행렬은 모두 변수들 간의 관계를 나타내는 중요한 통계적 지표이지만, 각각 고유한 특징과 활용 방법을 가지고 있다. 이는 변수 간의 관계를 이해하고 요인을 추출하는 기초 데이터로 사용한다.

활용 방법으로 상관행렬은 표준화된 변수들 간의 상관 관계를 나타낸다. 주로 변수들이 다른 단위를 가질 때 사용한다.

공분산 행렬은 변수들의 공분산을 나타낸다. 변수들이 동일한 단위를 가질 때 주로 사용한다.

상관행렬을 사용할지 공분산 행렬을 사용할지는 데이터의 특성과 목적에 따라 결정한다. 상관행렬은 데이터가 다른 단위를 가질 때 적합하다. 공분산 행렬은 데이터가 동일한 단위를 가질 때 적합하다.

상관행렬 사용 기준으로 데이터가 다른 단위를 가질 때, 예를 들어, 키와 몸무게를 비교할 때, 키는 cm 단위, 몸무게는 kg 단위로 측정될 수 있다. 이 경우 서로 다른 단위를 가진 변수들 간의 상대적인 관계를 비교하기 위해 상관행렬을 사용하는 것이 적합하다. 또한, 변수들 간의 상대적인 변화량 비교할 때, 변수들이 서로 다른 척도를 가지고 있을 때, 상대적인 변화량을 비교하기 위해 상관행렬을 사용하는 것이 유용하다.

공분산 행렬 사용 기준으로 데이터가 동일한 단위를 가질 때, 예를 들어, 모두 cm 단위로 측정된 키와 팔길이를 비교할 때, 공분산 행렬을 사용하여야 한다. 즉, 변수들이 서로 비교 가능한 척도를 가지고 있을 때, 공분산 행렬을 사용하여 변수들 간의 절대적인 관계를 파악하는 것이 유용하기 때문이다.

변수들 간의 평균값 차이 비교하고자 할 때, 공분산을 통해 변수들 간의 평균값 차이를 비교하고, 이를 해석하는 데 활용할 수 있다. 예를 들어, 두 그룹 간의 키와 몸무게의 차이를 비교할 때 공분산 행렬을 사용할 수 있다.

변수들 간의 공동 변동성 분석하고자 할 때, 공분산 행렬을 통해 변수들 간의 공동 변동성을 파악하고, 이를 기반으로 변수들 간의 관계를 모델링하는 데 활용할 수 있다.

주의 사항으로 먼저, 상관 계수와 공분산의 해석 차이가 존재한다. 상관 계수는 무차원 지표이며, 공분산은 단위를 가진 지표이다. 따라서 두 지표를 직접 비교해서는 안 된다. 둘째, 표본 크기의 영향에서 차이가 있다. 공분산은 표본 크기에 영향을 받는다. 표본 크기가 클수록 공분산 값도 커지는 경향이 있다. 셋째, 요인 분석 시 단위 고려에서 주의해야 한다. 요인 분석을 수행할 때는 데이터의 단위를 고려하여 상관행렬 또는 공분산 행렬을 적절하게 선택해야 한다. 일반적으로 동일한 단위로 측정된 변수들로 구성된 데이터의 경우 공분산 행렬을 사용하는 것이 좋다.

2) 회전하지 않은 요인 해법

요인을 추출할 때 회전을 적용하지 않은 상태의 요인 적재량을 제공한다.

활용 방법으로 초기 요인 구조를 이해하기 위해 사용한다. 회전되지 않은 요인 해법을 통해 각 변수의 초기 요인 적재량을 파악한다.

기준점으로 회전되지 않은 상태에서의 요인 적재량을 통해 어떤 변수가 어떤 요인에 더 크게 기여하는지 초기 파악이 가능하다. 이후 요인 해석을 명확히 하기 위해 회전을 적용할 수 있다.

3) 스크리 도표

요인 수를 결정하는 데 도움을 준다.

활용 방법으로 스크리 도표는 고유값을 내림차순으로 정렬한 그래프로, 요인 수를 결정할 때 사용하는 시각적 도구이다. 스크리 도표에서 급격한 고유값 감소 지점을 찾아 요인 수를 결정한다.

기준점은 엘보우 포인트에서 즉, 고유값의 급격한 감소가 멈추고 완만해지는 지점을 찾는다. 이 지점까지의 요인 수를 선택하는 것이 일반적이다.

4) 고유값 기준 (다음 값보다 큰 고유값 1)

요인 수를 결정하는 기준을 제공한다.

활용 방법으로 고유값이 1보다 큰 요인을 선택한다. 이는 요인이 최소한 하나의 변수보다 더 많은 분산을 설명해야 한다는 의미이다.

기준점으로 고유값이 1보다 큰 요인만을 선택한다. 이는 Kaiser 기준(Kaiser Criterion)이라고도 한다. 선택된 요인은 데이터의 분산을 유의미하게 설명한다.

5) 고정된 요인 수 (추출할 요인 수)

사전에 결정된 요인 수만큼 요인을 추출한다.

활용 방법으로 연구자가 미리 결정한 요인 수를 입력하여 요인을 추출한다. 이 방법은 사전 지식이나 이론적 배경에 기반하여 요인 수를 결정할 때 사용된다.

기준점으로 연구 목적이나 이론적 배경에 따라 추출할 요인 수를 결정한다. 추출할 요인 수는 충분히 설명 가능한 수준이어야 한다.

6) 수렴을 위한 최대 반복 (25회)

반복 알고리즘이 수렴할 때까지의 최대 반복 횟수를 설정한다.

활용 방법으로 반복 알고리즘이 수렴하지 않는 경우, 최대 반복 횟수까지 반복한다. 일반적으로 25회는 충분한 수의 반복으로 간주된다.

기준점으로 최대 반복 횟수는 데이터와 문제의 복잡성에 따라 다를 수 있다. 수렴하지 않으면 최대 반복 횟수를 늘리거나 다른 초기 값을 사용할 수 있다.

이러한 설정과 옵션들을 종합적으로 고려하여 요인 분석을 수행하면, 데이터의 잠재 요인을 효과적으로 추출하고 해석할 수 있다.

8.2.7. 요인 분석 요인 추출 방법 비교

요인 분석의 추출 방법을 비교하면, 다음과 같다. 요인 분석은 다수의 변수들 간의 상관 관계를 분석하여 잠재된 공통 요인들을 추출하는 통계 기법이다. 요인 분석을 통해 얻은 결과는 변수들 간의 구조를 이해하고, 데이터를 해석하는 데 도움을 준다.

요인분석의 방법에는 주성분, 가중되지 않은 최소제곱, 일반화 최소제곱, 최대우도, 주축 요인 추출, 이미지 요인 추출 등이 있다.

1) 주성분 분석 (PCA)

변수들 간의 공분산 행렬을 기반으로 최대한 많은 분산을 설명하는 요인들을 추출한다. 즉, 변수들 간의 공통적인 패턴을 파악하는 데 초점을 맞춘다.

장점으로 계산이 간편하고 해석이 용이하다. 데이터의 차원을 축소하여 분석을 용이하게 한다. 탐색적 요인 분석의 기본적인 방법으로 널리 사용된다.

단점으로 요인들이 서로 직교하지 않을 수 있으며, 변수들의 고유한 특성을 반영하지 못할 수 있다. 변수들 간의 상관 관계가 강하지 않은 경우 적합하지 않을 수 있다.

　활용 방법으로 탐색적 요인 분석에서 변수들 간의 구조를 파악하고, 잠재적인 요인들을 탐색하는 데 사용한다. 데이터 시각화에서 변수들 간의 관계를 시각적으로 표현하는 데 사용한다.

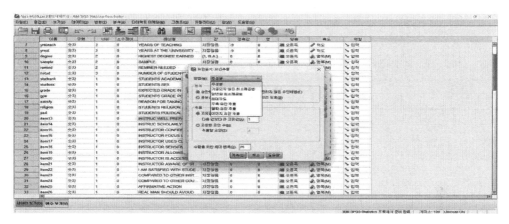

[그림 25] 요인분석 요인추출 (2)

　2) 가중되지 않은 최소제곱 (WLS)
　변수들 간의 상관 행렬을 기반으로 최대한 많은 상관 관계를 설명하는 요인들을 추출한다. 즉, 변수들 간의 선형적 관계를 강조한다.
　장점으로 주성분 분석보다 변수들 간의 상관 관계를 더 잘 반영한다. 변수들 간의 상관 관계가 강한 경우 적합하다.
　단점으로 계산이 다소 복잡하고, 요인들이 서로 직교하지 않을 수 있다. 변수들 간의 비선형적 관계를 반영하지 못할 수 있다.
　활용 방법으로 탐색적 요인 분석에서 변수들 간의 구조를 파악하고, 잠재적인 요인들을 탐색하는 데 사용한다. 변수들 간의 상관 관계 분석에서 변수들 간의 선형적 관계를 정량적으로 분석하는 데 사용한다.

　3) 일반화 최소제곱 (GLS)
　변수들 간의 가중된 상관 행렬을 기반으로 요인들을 추출한다. 즉, 변수들 간의 측정 오차를 고려하여 요인들을 추출한다.
　장점으로 변수들의 측정 오차를 고려하여 요인들을 추출할 수 있다. 측정 오차가 큰 변수들이 있는 경우 적합하다.
　단점으로 계산이 매우 복잡하고, 모델 식별이 어려울 수 있다. 변수들 간의 측정 오차에 대한 정보가 정확해야 한다.

활용 방법으로 탐색적 요인 분석에서 변수들 간의 구조를 파악하고, 잠재적인 요인들을 탐색하는 데 사용한다. 확인적 요인 분석에서 요인 모델의 적합성을 평가하고, 모델을 개선하는 데 사용한다.

4) 최대 우도 (ML)

요인 모델이 관측된 데이터를 생성할 가능성이 최대가 되도록 요인들을 추출한다. 즉, 데이터 분포에 대한 가정을 기반으로 요인들을 추출한다.

장점으로 데이터 분포에 대한 가정이 적지 않다. 비정상적인 데이터 분포에도 적용할 수 있다.

단점으로 계산이 매우 복잡하고, 모델 식별이 어려울 수 있다. 데이터 분포에 대한 가정이 정확해야 한다.

활용 방법으로 확인적 요인 분석에서 요인 모델의 적합성을 평가하고, 모델을 개선하는 데 사용한다.

5) 주축 요인 추출

주성분 분석과 유사하지만, 요인들의 고유값을 기준으로 요인들을 선택한다. 즉, 설명력이 높은 요인들을 우선적으로 선택한다.

장점으로 특정 요인에 대한 중요도를 고려하여 요인들을 추출할 수 있다. 변수들의 수가 많은 경우 유용하다.

단점으로 주성분 분석과 동일한 단점을 가지고 있다.

활용 방법으로 탐색적 요인 분석에서 변수들 간의 구조를 파악하고, 잠재적인 요인들을 탐색하는 데 사용한다.

6) 이미지 요인 추출

이미지 요인 추출 (Image Factor Analysis)은 변수들 간의 상관 관계를 기반으로 요인들을 추출하고, 각 요인이 변수들을 얼마나 잘 설명하는지를 평가하는 통계 기법이다. 즉, 요인과 변수들 간의 관계를 시각적으로 표현하여 데이터 구조를 더 정확하게 파악하고 이해하는 데 도움을 준다.

변수들 간의 상관 행렬을 기반으로 요인들을 추출하고, 각 요인이 변수들을 얼마나 잘 설명하는지를 평가한다. 즉, 요인과 변수들 간의 관계를 시각적으로 표현한다.

장점으로 변수들 간의 구조를 더 정확하게 파악할 수 있다. 요인과 변수들 간의 관계를 시각적으로 이해하는 데 도움이 된다.

단점으로 이미지 요인 추출은 다른 요인 분석 방법들에 비해 계산이 다소 복잡하고, 특히 변수들의 수가 많을 경우 많은 시간과 계산 자원이 필요할 수 있다. 이미지 요인 추출 결과를 해석하는 데에는 전문적인 지식과 경험이 필요하며, 특히 시각적 표현을 통해 얻은 정보를 정량적인 수치로 변환하거나 해석하는 과정에서 어려움을 겪을 수 있다. 이미지 요인 추출 결과는 사용자의 선택에 따라 달라질 수 있으며, 특히 요인 수 결정이나 시각적 표현 방식 선택 과정에서 주관적인 판단이 개입될 수 있다.

활용 방법으로 탐색적 요인 분석에서 변수들 간의 구조를 파악하고, 잠재적인 요인들을 탐색하는 데 사용한다. 확인적 요인 분석에서 요인 모델의 적합성을 평가하고, 모델을 개선하는 데 사용한다. 변수 중요도 분석에서 각 변수가 요인에 얼마나 기여하는지를 분석하여 변수들의 중요도를 평가하는 데 사용한다. 데이터 시각화에서 변수들 간의 관계를 시각적으로 표현하여 데이터를 쉽게 이해하고 해석하는 데 사용한다.

이미지 요인 추출을 수행하는 데 사용할 수 있는 다양한 소프트웨어들이 있다. 대표적인 소프트웨어로는 R로 다양한 통계 분석 기능을 제공하는 무료 오픈소스 소프트웨어이다. SPSS로 통계 분석 분야에서 널리 사용되는 상용 소프트웨어이다.

7) 데이터 특성

탐색적 요인 분석은 변수들 간의 구조를 파악하고, 잠재적인 요인들을 탐색하고자 할 때 사용하고, 확인적 요인 분석은 이미 요인 모델이 설정되어 있으며, 모델의 적합성을 평가하고자 할 때 사용한다.

데이터 특성에 따라 분류하면, 변수들 간의 상관 관계를 활용하여 변수들 간의 상관 관계가 강한 경우 WLS, GLS, 또는 ML 방법을 사용하는 것이 좋다. 변수들의 측정 오차를 활용하여 변수들의 측정 오차가 큰 경우 GLS 방법을 사용하는 것이 좋다. 데이터 분포를 활용하여, 데이터 분포가 정상적인 경우 PCA, WLS, 또는 GLS 방법을 사용할 수 있으며, 데이터 분포가 비정상적인 경우 ML 방법을 사용하는 것이 좋다. 변수들의 수에 따라서 변수들의 수가 많은 경우 주축 요인 추출 또는 이미지 요인 추출 방법을 사용하는 것이 좋다.

연구자의 경험 및 이해도에 따라, PCA는 계산이 간편하고 해석이 용이하기 때문에 초보 연구자에게 적합하다. WLS, GLS, 및 ML 방법은 계산이 다소 복잡하고, 모델 식별 및 해석이 어려울 수 있으므로 경험이 풍부한 연구자에게 적합하다. 주축 요인 추출 및 이미지 요인 추출 방법은 전문적인 지식이 필요하기 때문에 숙련된 연구자에게 적합하다.

그러므로 요인 분석은 다양한 방법들이 있으며, 각 방법마다 장단점과 적합한 상황이 다르다. 연구 목적, 데이터 특성, 연구자의 경험 및 이해도를 고려하여 적절한 요인 분석 방법을 선택하는 것이 중요하다.

8) 주요 요인 분석 방법 비교

요인 분석에는 다양한 방법들이 있으며, 각 방법마다 장단점과 적합한 상황이 다르다. 여기에서 주요 요인 분석 방법들을 비교 분석하고, 각 방법의 특징, 장점, 단점, 활용 방법 등을 비교하면, 다음 표와 같다.

[표 49] 주요 요인 분석 방법 비교

방법	특징	장점	단점	활용 방법
주성분 분석 (PCA)	변수들 간의 공분산 행렬을 기반으로 최대한 많은 분산을 설명하는 요인들을 추출	계산이 간편하고 해석이 용이	요인들이 서로 직교하지 않을 수 있으며, 변수들의 고유한 특성을 반영하지 못함	탐색적 요인 분석
가중되지 않은 최소제곱 (WLS)	변수들 간의 상관 행렬을 기반으로 최대한 많은 상관 관계를 설명하는 요인들을 추출	주성분 분석보다 변수들 간의 상관 관계를 더 잘 반영	계산이 다소 복잡하고, 요인들이 서로 직교하지 않을 수 있음	탐색적 요인 분석
일반화 최소제곱 (GLS)	변수들 간의 가중된 상관 행렬을 기반으로 요인들을 추출	변수들의 측정 오차를 고려하여 요인들을 추출	계산이 매우 복잡하고, 모델 식별이 어려움	탐색적 요인 분석, 확인적 요인 분석
최대 우도 (ML)	요인 모델이 관측된 데이터를 생성할 가능성이 최대가 되도록 요인들을 추출	데이터 분포에 대한 가정이 많음	계산이 매우 복잡하고, 모델 식별이 어려움	확인적 요인 분석
주축 요인 추출	주성분 분석과 유사하지만, 요인들의 고유값을 기준으로 요인들을 선택	특정 요인에 대한 중요도를 고려하여 요인들을 추출	주성분 분석과 동일한 단점	탐색적 요인 분석
이미지 요인 추출	변수들 간의 상관 행렬을 기반으로 요인들을 추출하고, 각 요인이 변수들을 얼마나 잘 설명하는지를 평가	변수들 간의 구조를 더 정확하게 파악	계산이 다소 복잡하고, 해석이 어려움	탐색적 요인 분석

8.2.8. 요인 분석 요인 회전

요인 분석에서 요인 회전은 추출된 요인들을 더욱 이해하기 쉽도록 변환하는 과정이다. 요인 회전을 통해 요인과 변수들 간의 관계를 명확하게 드러내고, 요인들의 의미를 더욱 정확하게 해석할 수 있도록 한다.

1) 주요 요인 회전 방법
다양한 요인 회전 방법들이 있으며, 각 방법마다 특징과 장단점이 있다.
(1) 지정하지 않음 (No Rotation)
요인 회전을 수행하지 않고, 추출된 요인들을 그대로 사용한다. 장점은 계산이 간편하고, 원래의 데이터 구조를 유지한다. 단점은 요인과 변수들 간의 관계가 명확하지 않을 수 있으며, 요인들의 의미 해석이 어려울 수 있다.

(2) 쿼티맥스 (Quartimax)
특징은 요인들이 가능한 한 많은 변수들로부터 최소한의 공통 분산을 설명하도록 회전한다. 장점은 요인들이 서로 독립적이 되도록 하여 해석을 용이하게 한다. 단점은 변수들 간의 상관 관계를 충분히 반영하지 못할 수 있으며, 요인들의 의미 해석이 어려울 수 있다.

(3) 베리맥스 (Varimax)
특징은 요인들이 가능한 한 많은 변수들로부터 최대 분산을 설명하도록 회전한다. 장점은 요인들이 변수들에 대한 설명력을 극대화하도록 하여 해석을 용이하게 한다. 단점은 요인들이 서로 독립적이지 않을 수 있으며, 변수들 간의 상관 관계를 충분히 반영하지 못할 수 있다.

(4) 이쿼맥스 (Equimax)
특징은 쿼티맥스와 베리맥스의 장점을 결합하여 요인 회전을 수행한다. 장점은 요인들이 변수들에 대한 설명력을 높이고, 서로 독립적이 되도록 하여 해석을 용이하게 한다. 단점은 계산이 다소 복잡하고, 해석이 어려울 수 있다.

(5) 직접 오블라민 (Oblimin)
특징은 요인들 간의 상관 관계를 허용하여 회전을 수행한다. 장점은 요인들 간의 실제 관계를 반영하여 해석을 정확하게 할 수 있도록 한다. 단점은 계산이 매우 복잡하고, 해석이 어려울 수 있으며, 요인 회전 결과가 유일하지 않을 수 있다.

(6) 프로맥스 (Promax)
특징은 직접 오블라민과 유사하지만, 요인들이 변수들에 대한 설명력을 높이도록 추가적인 회전을 수행한다. 장점은 요인들 간의 실제 관계를 반영하면서도, 변수들에 대한 설명력을 높여 해석을 용이하게 한다. 단점은 계산이 매우 복잡하고, 해석이 어려울 수 있으며, 요인 회전 결과가 유일하지 않을 수 있다.

2) 활용 방법
탐색적 요인 분석에서 변수들 간의 구조를 파악하고, 잠재적인 요인들을 탐색하는 데 사용한다.
확인적 요인 분석에서 요인 모델의 적합성을 평가하고, 모델을 개선하는 데 사용한다.

요인 해석에서 요인과 변수들 간의 관계를 명확하게 드러내고, 요인들의 의미를 더욱 정확하게 해석하는 데 사용한다.

3) 적절한 요인 회전 방법 선택

적절한 요인 회전 방법은 연구 목적, 데이터 특성, 연구자의 경험 및 이해도에 따라 결정해야 한다. 탐색적 요인 분석에서 일반적으로 베리맥스 또는 쿼티맥스 방법을 사용하는 것이 좋다. 확인적 요인 분석에서 일반적으로 직접 오블라민 또는 프로맥스 방법을 사용하는 것이 좋다. 하지만, 요인들 간의 상관 관계가 강하게 예상되는 경우 베리맥스 또는 쿼티맥스 방법을 사용할 수도 있다.

데이터 특성에 따라, 변수들 간의 상관 관계가 강한 경우 베리맥스 방법을 사용하는 것이 좋고, 변수들 간의 상관 관계가 약한 경우 쿼티맥스 방법을 사용하는 것이 좋다.

연구자의 경험 및 이해도에 따라, 초보 연구자는 베리맥스 또는 쿼티맥스와 같은 비교적 간단한 방법을 사용하는 것이 좋고, 경험이 풍부한 연구자는 직접 오블라민 또는 프로맥스와 같은 복잡한 방법을 사용할 수 있다.

4) 회전 해석 및 적재량 도표

회전 해석에서 요인 회전 결과는 회전 전후의 요인 적재량을 비교하여 해석해야 한다. 회전 후 요인 적재량이 높아지고, 변수들이 특정 요인에 집중되는 경우 회전이 성공적으로 수행되었음을 의미한다.

적재량 도표에서 적재량 도표는 요인과 변수들 간의 관계를 시각적으로 표현하는 데 사용한다. 적재량 도표를 통해 각 변수가 특정 요인에 얼마나 기여하는지를 확인할 수 있으며, 요인들의 의미를 더욱 정확하게 해석하는 데 도움이 된다.

5) 수렴 조건

수렴에서 요인 회전 과정은 요인 적재량의 변화가 일정 수준 이하로 줄어들 때까지 반복된다. 일반적으로 수렴 조건은 최대 반복 횟수와 최소 변화량으로 설정된다. 최대 반복 횟수에서 요인 회전 과정을 반복하는 최대 횟수를 의미한다. 일반적으로 20~25회 정도로 설정한다. 최소 변화량에서 요인 적재량의 변화가 이 수준 이하로 줄어들면 회전 과정을 종료한다는 의미이다. 일반적으로 0.01~0.05 정도로 설정한다.

요약하면, 요인 분석 요인 회전은 요인 분석 결과를 더욱 정확하고 의미 있게 해석하는 데 중요한 역할을 한다. 연구 목적과 데이터 특성에 맞는 적절한 요인 회전 방법을 선택하고, 회전 결과를 신중하게 해석하여 유용한 정보를 얻도록 노력해야 한다.

일반적으로 위의 설명처럼, 요인분석 요인회전에서 방법 항목에서 지정않음, 쿼티맥스, 베리맥스, 이쿼맥스, 직접 오블라민, 프로맥스 등이 있다. 표시 항목에는 회전 해법과 적재량 도표가 있다. 수렴을 위한 최대 반복 25회가 기본이다. 일반적으로 베리맥스를 선정한다.

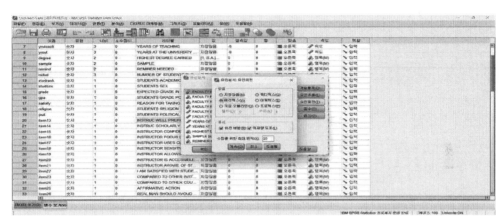

[그림 26] 요인분석 요인회전

8.2.9. 요인 분석 요인 점수

요인 분석에서 요인 점수는 추출된 요인들을 각 응답자에게 할당하는 값으로, 개인이 각 요인에 얼마나 속하는지를 나타낸다. 요인 점수는 다양한 방식으로 활용될 수 있으며, 연구 결과 해석에 중요한 역할을 한다.

1) 요인 점수 저장 방법

요인 점수를 저장하는 방법에는 크게 두 가지가 있다.

(1) 회귀를 이용한다. 이 방법은 회귀 분석을 통해 요인 점수를 계산한다. 즉, 각 요인에 대한 회귀 방정식을 추정하고, 이를 통해 각 응답자의 요인 점수를 예측한다. 일반적으로 최소 제곱 회귀를 사용하며, 척도 수준의 변수를 사용할 수 있다는 장점이 있다. 장점으로는 계산이 간편하고 해석이 용이하다는 점이 있으며, 척도 수준의 변수를 사용할 수 있다는 점이 있다. 단점으로는 회귀 분석의 가정이 충족되지 않을 경우 오차가 발생할 수 있다는 점, 즉 회귀 분석의 가정이 충족되지 않을 경우(예: 다중 공선성, 비선형성), 오차가 발생하여 요인 점수의 정확성이 떨어질 수 있다. 변수들 간의 상관 관계가 강한 경우 요인 점수의 해석이 어려울 수 있다는 점이 있다. 회귀 모델의 적합성을 평가하기

위해 잔차 분석을 수행해야 한다.

아래 그림에서 처럼 회귀 등의 방식을 선택한다. 요인분석 요인 점수에서 변수로 저장 항목에는 방법에 회귀, Bartlett Anderson Rubin 방법 등이 있다. 요인 점수 개별행렬 표시 선택 항이 존재한다.

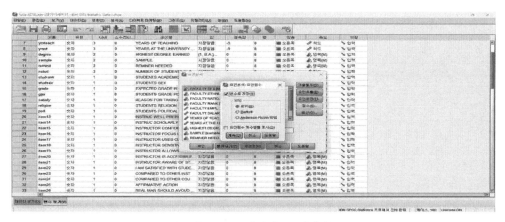

[그림 27] 요인분석 요인점수

(2) 공분산 행렬 기반 방식

공분산 행렬 기반 방식은 공분산 행렬을 이용하여 각 요인에 대한 가중치를 계산하고, 이를 통해 각 응답자의 요인 점수를 추정하는 방식이다. 대표적인 방법으로는 Bartlett 방법과 Anderson-Rubin 방법이 있다.

Bartlett 방법은 공분산 행렬의 역행렬을 이용하여 요인 점수를 계산한다. 장점으로 회귀 분석의 가정이 충족되지 않아도 사용할 수 있으며, 변수들 간의 상관 관계가 강한 경우에도 적용 가능하다. 단점으로 계산이 다소 복잡하고, 해석이 어려울 수 있다. 활용 상황으로 회귀 분석의 가정이 충족되지 않는 경우, 변수들 간의 상관 관계가 강한 경우에 활용한다.

Anderson-Rubin 방법은 Bartlett 방법을 수정한 방법으로, 요인 점수의 평균을 0, 표준 편차를 1로 변환한다. 장점으로 Bartlett 방법보다 해석이 용이하고, 요인 점수의 비교가 용이하다. 단점으로 계산이 다소 복잡하고, 척도 수준의 변수를 사용해야 한다. 활용 상황으로 Bartlett 방법과 유사하며, 특히 요인 점수의 비교 분석이 필요한 경우에 사용한다.

변수 간 상관 관계에서 변수들 간의 상관 관계가 약한 경우 회귀 방식, 강한 경우 공분산 행렬 기반 방식을 사용하는 것이 일반적이다.

회귀 분석에 대한 지식이 있다면 회귀 방식을 사용하는 것이 용이하지만, 공분산 행렬 기반 방식도 활용할 수 있다.

해석 용이성에서 Anderson-Rubin 방법은 다른 방법들에 비해 해석이 용이하다.

2) 요인 점수 개별 행렬 표시

이 방법은 각 응답자별 요인 점수를 표 형식으로 나타낸다. 이를 통해 각 응답자가 각 요인에 얼마나 속하는지를 직접 확인할 수 있으며, 요인 점수의 분포를 파악하는 데 도움이 된다.

요인 점수는 다음과 같은 다양한 방식으로 활용될 수 있다.

집단 비교에서 집단 간의 요인 점수 차이를 비교하여 집단 간의 특징을 파악하는 데 사용할 수 있다. 예측 분석에서 요인 점수를 독립 변수로 사용하여 다른 변수를 예측하는 데 사용할 수 있다. 분류 분석에서 요인 점수를 기준으로 응답자를 분류하는 데 사용할 수 있다. 개인 맞춤형 분석에서 개인의 요인 점수에 따라 맞춤형 분석을 제공한다.

3) 해석시 주의 사항

요인 점수를 해석할 때는 사용된 요인 회전 방법, 요인 점수 저장 방법, 연구 대상의 특성 등을 고려해야 한다. 또한, 요인 점수는 척도 수준의 데이터이며, 절대적인 값보다는 상대적인 비교를 통해 해석해야 한다.

요인 점수는 추출된 요인들을 기반으로 계산되는 값이며, 요인 모델 자체의 타당성 및 신뢰성에 따라 요인 점수의 해석도 달라질 수 있다. 따라서 요인 분석 결과를 해석하기 전에 요인 모델의 적합성을 평가하고, 연구의 제한점을 고려해야 한다.

8.2.10. 요인 분석 결측값

요인 분석에서 결측값 처리 방법은 분석 결과에 영향을 미칠 수 있으므로 신중하게 선택해야 한다. 요인 분석 옵션에서 제공되는 세 가지 결측값 처리 방법은 다음과 같다.

요인분석 옵션에서 결측값 항목에는 목록별 결측값 제외, 대응별 결측값 제외, 평균으로 바꾸기 선택항이 존재한다. 계수표시 형식 항목에는 크기순정렬과 작은 계수 표시 안함 을 선정할 수 있다.

1) 목록별 결측값 제외

이 방법은 결측값이 있는 케이스를 분석에서 제외하고, 나머지 케이스만을 사용하여 요인 분석을 수행한다. 장점은 간단하고 직관적인 방법이다. 단점은 정보 손실이 발생할 수 있으며, 분석 결과의 편향성이 발생할 수 있다. 특히, 결측값이 있는 케이스가 전체 케이스의 상당한 비율을 차지하는 경우 문제가 심각하다.

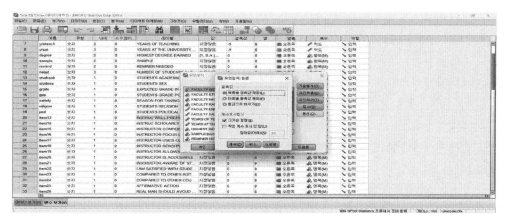

[그림 28] 요인분석 옵션

2) 대응별 결측값 제외
이 방법은 각 변수별로 결측값이 있는 케이스를 제외하고, 나머지 케이스만을 사용하여 요인 분석을 수행한다. 즉, 특정 변수의 값이 누락된 경우 해당 변수는 분석에서 제외되지만, 다른 변수의 값은 분석에 활용된다.
장점은 목록별 결측값 제외 방식에 비해 정보 손실을 줄일 수 있다. 단점은 분석 결과의 정확성이 떨어질 수 있으며, 해석이 어려울 수 있다. 특히, 결측값 패턴이 시스템적일 경우 문제가 심각해진다.

3) 결측값 평균으로 바꾸기
이 방법은 결측값을 각 변수의 평균값으로 대체하고, 그 후 요인 분석을 수행한다. 장점은 정보 손실을 최소화할 수 있다. 단점은 분석 결과의 정확성이 떨어질 수 있으며, 해석이 어려울 수 있다. 특히, 결측값이 많거나 결측값 패턴이 시스템적일 경우 문제가 심각해진다.

다음으로 계수 표시 형식을 보면, 다음과 같다.
1) 크기순 정렬
이 옵션을 선택하면 요인 적재량 값을 크기순으로 정렬하여 표시한다. 즉, 각 변수가 각 요인에 얼마나 기여하는지를 쉽게 확인할 수 있다.
장점은 해석이 용이하다.

2) 작은 계수 표시 안함

이 옵션을 선택하면 절대값이 작은 요인 적재량 값을 표시하지 않는다. 즉, 분석 결과에 중요한 영향을 미치는 변수들에만 집중할 수 있다.

장점은 해석을 간결하게 만들 수 있다. 단점은 중요한 정보가 누락될 수 있다.

요약하면, 적절한 옵션을 선택해야 한다. 일반적으로 결측값이 없는 경우가 가장 좋지만, 결측값이 존재하는 경우에는 정보 손실과 분석 결과의 정확성 사이에서 균형을 맞추는 것이 중요하다. 결측값이 많은 경우 또는 결측값 패턴이 시스템적인 경우에는 평균으로 바꾸기보다는 목록별 결측값 제외 또는 대응별 결측값 제외를 사용하는 것이 좋다. 계수 표시 형식에서 크기순 정렬은 일반적으로 사용되는 기본적인 옵션이며, 작은 계수 표시 안함은 중요한 변수들에만 집중하고 싶을 때 사용할 수 있다.

8.3. 요인 분석 해석

요인 분석은 데이터 축소 방법이다. 관찰 변수(명백한 변수)에 반영된 기본 관찰 불가능한(잠재적) 변수를 찾아 이를 수행한다. 요인 분석을 수행하는 데 사용할 수 있는 다양한 방법이 있다. 예를 들면, 주축 요인, 최대 우도, 일반화 최소 제곱, 비가중 최소 제곱 등이 있다. 요인을 처음 추출한 후에 수행할 수 있는 다양한 유형의 회전도 있다. 여기에는 요인이 상관관계를 가질 수 없다는 제한을 가하는 varimax 및 equimax와 같은 직교 회전과 요인이 서로 상관관계를 가질 수 있도록 하는 promax와 같은 사선 회전이 포함된다.

또한 추출하려는 요인의 수를 결정해야 한다. 요인 분석 기술과 옵션의 수를 감안할 때 서로 다른 분석가가 동일한 데이터 세트를 분석해도 매우 다른 결과에 도달할 수 있다는 것은 놀라운 일이 아니다. 그러나 모든 분석가는 간단한 구조를 찾고 있다. 간단한 구조는 각 변수가 단 하나의 요인에 크게 로드되는 결과 패턴이다.

8.3.1. 요인 분석 명령문

주어진 요인 분석 명령어를 통해 각 단계별 설정을 설명하고, 주성분 분석(PCA) 대신 주축 요인 분석(PAF)을 사용하고, Varimax 회전을 적용하여 요인 구조를 해석하는 방법이다.

1) 변수 지정 (`/variables`)

명령어: `/variables item13 item14 item15 item16 item17 item18 item19 item20 item21 item22 item23 item24`

요인 분석에 사용할 변수들을 지정한다. 분석 목적에 맞는 변수들을 선택한다. 변수는 보통 동일한 척도로 측정된 값이어야 한다.

```
factor
 /variables item13 item14 item15 item16 item17 item18 item19 item20
item21 item22 item23 item24
 /print initial det kmo repr extraction rotation fscore univariate
 /format blank(.30)
 /plot eigen rotation
 /criteria factors(3)
 /extraction paf
 /rotation varimax
 /method = correlation.
```

2) 출력 옵션 (`/print`)

명령어: `/print initial det kmo repr extraction rotation fscore univariate`

요인 분석의 다양한 중간 및 최종 결과를 출력한다. `initial`는 초기 상관행렬을 출력하고, `det`는 상관행렬의 행렬식을 출력한다. `kmo`는 KMO(카이저-마이어-올킨) 샘플링 적절성 측정을 출력하고, `repr`는 재연된 상관행렬을 출력한다. `extraction`은 추출된 요인에 대한 정보를 출력한다. `rotation`은 회전된 요인 적재량을 출력한다. `fscore`는 요인 점수를 출력한다. `univariate`는 각 변수의 단변량 통계를 출력한다.

3) 출력 형식 (`/format`)

명령어: `/format blank(.30)`

요인 적재량 매트릭스의 출력 형식을 설정한다. 요인 적재량의 절대값이 0.30 미만인 경우 빈칸으로 표시한다. 이는 중요한 적재량에만 집중할 수 있게 한다. 일반적으로 0.30은 작은 요인 적재량을 걸러내기 위한 기준으로 적합하다.

4) 그래프 옵션 (`/plot`)

명령어: `/plot eigen rotation`

요인 분석 결과를 시각적으로 평가한다. `eigen`은 고유값의 스크리 도표를 생성한다. `rotation`은 회전된 요인 구조의 그래프를 생성한다. 시각적 평가를 통해 요인 수 결정과 회전 결과 해석을 돕는다.

5) 기준 (`/criteria`)
명령어: `/criteria factors(3)`
추출할 요인의 수를 설정한다. 추출할 요인의 수를 3으로 설정한다. 연구 목적이나 스크리 도표 등의 결과를 기반으로 추출할 요인 수를 결정한다.

6) 추출 방법 (`/extraction`)
명령어: `/extraction paf`
요인 분석에서 사용할 추출 방법을 지정한다. 주축 요인 분석(PAF)을 사용하여 요인을 추출한다. PAF는 공통성 추정에 기반하여 요인을 추출하는 방법으로, 주성분 분석(PCA)과 다르게 요인 구조의 해석에 더 적합할 수 있다.

7) 회전 방법 (`/rotation`)
명령어: `/rotation varimax`
추출된 요인을 회전하여 해석을 용이하게 한다. Varimax 회전을 사용하여 요인 적재량을 직교 회전한다. Varimax 회전은 요인 간의 상관이 없다고 가정하며, 해석을 더 명확하게 만든다.

8) 상관 방법 (`/method`)
명령어: `/method = correlation`
상관행렬을 기반으로 요인 분석을 수행한다. 상관행렬을 사용하여 요인 분석을 수행한다. 이는 데이터가 표준화된 상태에서 분석이 이루어짐을 의미한다. 변수들이 다른 단위를 가지거나 표준화가 필요할 때 상관행렬을 사용한다.
요약하면, 이 명령어 세트는 변수 간의 상관 관계를 바탕으로 주축 요인 분석(PAF)을 수행하고, Varimax 회전을 통해 요인 구조를 명확히 한다. 추출된 요인은 3개로 설정되며, 다양한 중간 및 최종 결과를 출력하여 요인 분석의 적합성과 해석을 돕는다.
아래 예에서는 다소 "평범한" 요인 분석을 수행하였다. 추출 방법으로 세 가지 요소가 포함된 반복 주축 요소(varimax 회전)를 사용하고, 비교를 위해 promax 경사 솔루션도 보여준다. 추출할 요인 수의 결정은 이론에 따라 결정되어야 하지만, 다양한 수의 요인을 추출하는 분석을 실행하고 가장 해석 가능한 결과를 산출하는 요인 수를 확인함으로써 정보를 얻을 수도 있다.
이 예에서 원본 및 재생산된 상관 행렬, 스크리 플롯, 회전된 요인 플롯을 포함한 많은 옵션을 포함했다. 이러한 모든 옵션을 사용하고 싶지 않을 수도 있지만, 분석에 대한 설명을 돕기 위해 여기에 포함했다. 또한 이 분석과 유사한 주성분 분석에 대한 주석이 달린 출력 페이지를 만들었다.

8.3.2. 베리맥스 회전 기술통계

직교 배리 맥스회전부터 시작하면, 다음과 같다. 이전 주성분 분석에서 사용한 부분과 동일하다. 설명은 생략한다.

[표 50] 베리맥스 회전 기술통계량

기술통계량			
	평균	표준편차	분석수
INSTRUC WELL PREPARED	4.46	.729	1365
INSTRUC SCHOLARLY GRASP	4.53	.700	1365
INSTRUCTOR CONFIDENCE	4.45	.732	1365
INSTRUCTOR FOCUS LECTURES	4.28	.829	1365
INSTRUCTOR USES CLEAR RELEVANT EXAMPLES	4.17	.895	1365
INSTRUCTOR SENSITIVE TO STUDENTS	3.93	1.035	1365
INSTRUCTOR ALLOWS ME TO ASK QUESTIONS	4.08	.964	1365
INSTRUCTOR IS ACCESSIBLE TO STUDENTS OUTSIDE CLASS	3.78	.909	1365
INSTRUCTOR AWARE OF STUDENTS UNDERSTANDING	3.77	.984	1365
I AM SATISFIED WITH STUDENT PERFORMANCE EVALUATION	3.61	1.116	1365
COMPARED TO OTHER INSTRUCTORS, THIS INSTRUCTOR IS	3.81	.957	1365
COMPARED TO OTHER COURSES THIS COURSE WAS	3.67	.926	1365

위의 표는 /print 하위 명령에 일변량옵션을 사용했기 때문에 출력되었다. 요인 분석에 실제로 사용된 사례 수를 확인하는 유일한 방법은 /print 하위 명령에 일변량옵션을 포함하는 것이다.

요인 분석에 사용된 변수에 누락된 값이 있는 경우 분석에 사용된 케이스 수는 데이터 파일의 총 케이스 수보다 적다. 기본적으로 SPSS는 불완전한 케이스를 목록별로 삭제하기 때문이다.

요인 분석이 상관관계(공분산과 반대)에 대해 수행되는 경우 변수의 평균 또는 표준 편차가 매우 다르다는 것은 그다지 중요하지 않다. 왜냐면, 변수가 서로 다른 척도에서 측정되는 경우가 종종 발생하기 때문이다.

각 항목을 설명하면, 평균 항은 요인 분석에 사용되는 변수의 평균이다. 표준편차 항에서 이는 요인 분석에 사용된 변수의 표준 편차다. 분석 N 항에서 이는 요인 분석에 사용된 사례 수다.

8.3.3. 베리맥스 회전 상관행렬

베리 맥스 회전 상관행렬의 표는 /print 하위 명령에 det옵션을 사용했기 때문에 출력에 포함된다. 이 표에서 보고 싶은 것은 행렬식이 0이 아니라는 것이다. 행렬식이 0이면 요인 분석에 계산 문제가 발생하고 SPSS가 경고 메시지를 표시하거나 요인 분석을 완료하지 못할 수 있다.

[표 51] 베리맥스 회전 상관행렬

상관행렬a
a. 행렬식 = .002

8.3.4. 베리맥스 회전 KMO와 Bartlett의 검정

요인 분석은 여러 변수들 간의 상관 관계를 분석하여 잠재된 공통 요인을 발견하고, 이를 통해 변수들을 그룹화하는 통계 분석 기법으로 요인 분석 결과 해석에 있어 KMO와 Bartlett 검정은 매우 중요한 역할을 하며, 이를 통해 연구 결과의 신뢰성과 타당성을 평가할 수 있다.

[표 52] 베리맥스 회전 KMO와 Bartlett의 검정

KMO와 Bartlett의 검정		
표본 적절성의 Kaiser-Meyer-Olkin 측도.		.934
Bartlett의 구형성 검정	근사 카이제곱	8676.712
	자유도	66
	유의확률	.000

1) KMO 검정

KMO 검정은 표본 데이터가 요인 분석에 적합한지 여부를 판단하는 지표이다. KMO 값은 0에서 1 사이의 값을 가지며, 일반적으로 0.5 이상을 기준으로 판단한다. KMO 값이 0.5 이상이면, 표본 데이터가 요인 분석에 적합하다는 것을 의미한다. KMO 값이 0.5 미만이면, 표본 데이터가 요인 분석에 적합하지 않다는 것을 의미하며, 요인 분석 결과의 신뢰성이 낮을 수 있다. KMO 값은 0.934로 매우 높아 표본 데이터가 요인 분석에 매우 적합하다는 것을 나타낸다.

2) Bartlett 검정

Bartlett 검정은 표본 데이터의 공분산 행렬이 구형성을 만족하는지 여부를 검정하는 통계 검정으로 구형성이란 변수들 간의 상관 관계가 서로 유사하다는 것을 의미하며, 요인 분석의 중요한 가정 중 하나이다.

Bartlett 검정의 귀무가설은 표본 데이터의 공분산 행렬은 구형성을 만족한다. 유의확률은 귀무가설이 기각될 경우 (p < 0.05) 표본 데이터의 공분산 행렬이 구형성을 만족하지 않는다는 것을 의미하며, 요인 분석 결과의 신뢰성이 낮아질 수 있다. Bartlett 검정의 유의확률은 0.000으로 매우 작아 귀무가설을 기각한다. 즉, 표본 데이터의 공분산 행렬이 구형성을 만족하지 않는다는 것을 의

미한다.

일반적으로 샘플링 적절성의 Kaiser-Meyer-Olkin 측정 항에서 이 측정은 0과 1 사이에서 다양하며 1에 가까울수록 더 좋다. 권장되는 최소값은 0.6이다. Bartlett의 구형성 검정 항에서 이것은 상관 행렬이 단위 행렬이라는 귀무가설을 검정한다. 단위 행렬은 모든 대각선 요소가 1이고 모든 비대각선 요소가 0인 행렬이다. 이 귀무가설을 기각한다. 그러므로 KMO 값이 높고 Bartlett 검정의 유의확률이 낮아, 표본 데이터가 요인 분석에 적합하다는 것을 의미한다. 근사 카이제곱 값이 8676.712, 자유도는 66, 유의확률은 0.000으로 나타나, 상관 행렬이 단위 행렬과 유의하게 다르며 요인 분석이 적합하다. 이러한 테스트는 요인 분석 또는 주성분 분석을 수행하기 전에 통과해야 하는 최소 표준을 제공한다.

8.3.5. 베리맥스 회전 공통성

공통성(communalities)은 각 변수가 요인 모델에 의해 설명되는 분산의 비율을 나타내며, 초기와 추출된 공통성 값이 제공된 데이터는 요인 분석의 적합성을 평가하는 데 중요하다. 주축 요인 분석(PAF, Principal Axis Factoring) 방법을 사용한 경우, 초기 공통성과 추출된 공통성을 해석하여 요인 분석 결과를 평가한다.

[표 53] 베리맥스 회전 공통성

공통성		
	초기	추출
INSTRUC WELL PREPARED	.564	.676
INSTRUC SCHOLARLY GRASP	.551	.619
INSTRUCTOR CONFIDENCE	.538	.592
INSTRUCTOR FOCUS LECTURES	.447	.468
INSTRUCTOR USES CLEAR RELEVANT EXAMPLES	.585	.623
INSTRUCTOR SENSITIVE TO STUDENTS	.572	.679
INSTRUCTOR ALLOWS ME TO ASK QUESTIONS	.456	.576
INSTRUCTOR IS ACCESSIBLE TO STUDENTS OUTSIDE CLASS	.326	.369
INSTRUCTOR AWARE OF STUDENTS UNDERSTANDING	.516	.549
I AM SATISFIED WITH STUDENT PERFORMANCE EVALUATION	.397	.444
COMPARED TO OTHER INSTRUCTORS, THIS INSTRUCTOR IS	.662	.791
COMPARED TO OTHER COURSES THIS COURSE WAS	.526	.632
추출 방법: 주축요인추출.		

공통성 해석에는 먼저, 초기 공통성 (Initial Communalities)을 활용한다. 초기 공통성 값은 각 변수가 요인 분석 전에 가지고 있는 분산의 추정치를 나타낸다. 모든 초기 값이 1 또는 고유값의 합으로 설정될 수 있다. 둘째, 추출된 공통성 (Extracted Communalities)을 활용한다. 추출된 공통성 값은 각 변수가 추

출된 요인들에 의해 설명되는 분산의 비율을 나타낸다. 이 값이 높을수록 해당 변수가 요인 모델에 의해 잘 설명됨을 의미한다.

각 항목에 따른 설명을 첨가하면, 공통성 항목에서 이는 요인(예: 기본 잠재 연속체)에 의해 설명될 수 있는 각 변수의 분산의 비율이다. h2로도 표시되며 변수의 제곱 요인 로딩의 합으로 정의할 수 있다.

초기값 항목에서 주 요인 축 인수 분해를 사용하면 상관 행렬의 대각선에 있는 초기값은 변수와 다른 변수의 제곱 다중 상관관계에 의해 결정된다. 예를 들어, 항목 1에서 항목 2~12를 회귀시키면 제곱 다중 상관 계수는 .564가 된다.

추출 항에서 이 열의 값은 유지된 요인으로 설명할 수 있는 각 변수의 분산 비율을 나타낸다. 높은 값을 갖는 변수는 공통 인자 공간에서 잘 표현되는 반면, 낮은 값을 갖는 변수는 잘 표현되지 않는다. 이 예에서는 특별히 낮은 값이 없다. 이는 추출한 요인에서 재현된 분산이다. 재현된 상관 행렬의 대각선에서 이러한 값을 찾을 수 있다.

대체로 추출된 공통성 값이 초기 공통성 값보다 높거나 비슷하게 나타나며, 이는 주축 요인 분석을 통해 변수들이 요인 모델에 의해 잘 설명된다는 것을 의미한다. 일부 변수(예: INSTRUCTOR IS ACCESSIBLE TO STUDENTS OUTSIDE CLASS)의 경우, 추출된 공통성 값이 상대적으로 낮지만, 대부분의 변수들이 높은 공통성 값을 가지므로 요인 분석이 적절하게 수행되었음을 알 수 있다. 기준점은 일반적으로 추출된 공통성 값이 0.4 이상이면 요인 모델이 해당 변수를 잘 설명한다. 여기서 대부분의 값이 이 기준을 충족하므로 분석이 적절하다고 판단할 수 있다. 이 결과를 바탕으로 요인 분석이 적합하게 수행되었으며, 대부분의 변수들이 요인 모델에 의해 잘 설명된다는 결론을 내릴 수 있다.

8.3.6. 베리맥스 회전 설명된 총분산

제공된 설명된 총분산 표는 요인 분석에서 각 요인이 데이터의 총분산을 얼마나 설명하는지를 보여준다. 이 표는 초기 고유값, 추출된 제곱합 적재량, 그리고 회전된 제곱합 적재량을 포함하고 있다.

1) 초기 고유값 (Initial Eigenvalues)

고유값은 각 요인이 설명하는 총 분산의 양을 나타낸다. 초기 고유값 열에는 데이터의 상관 행렬을 기반으로 계산된 고유값이 포함된다. 고유값은 요인의 분산이다. 상관 행렬에서 요인 분석을 수행했기 때문에 변수는 표준화되어 있으며, 즉, 각 변수의 분산은 1이고 총 분산은 분석에 사용된 변수의 수와 같으며, 이 경우 12이다.

[표 54] 베리맥스 회전 설명된 총분산

	설명된 총분산								
	초기 고유값			추출 제곱합 적재량			회전 제곱합 적재량		
요인	전체	% 분산	누적 %	전체	% 분산	누적 %	전체	% 분산	누적 %
1	6.249	52.076	52.076	5.851	48.759	48.759	2.950	24.583	24.583
2	1.229	10.246	62.322	.806	6.719	55.478	2.655	22.127	46.710
3	.719	5.992	68.313	.360	3.000	58.478	1.412	11.769	58.478
4	.613	5.109	73.423						
5	.561	4.676	78.099						
6	.503	4.192	82.291						
7	.471	3.927	86.218						
8	.389	3.240	89.458						
9	.368	3.066	92.524						
10	.328	2.735	95.259						
11	.317	2.645	97.904						
12	.252	2.096	100.000						
추출 방법: 주축요인추출.									

2) 추출된 제곱합 적재량 (Extraction Sums of Squared Loadings)

주축 요인 추출(PAF) 방법을 사용하여 추출된 요인이 설명하는 분산의 양을 나타낸다. 이 열은 요인 분석에서 실제로 사용된 요인들에 의해 설명된 분산의 양을 나타낸다. 이 표의 패널에 있는 행의 수는 유지된 요인의 수에 해당한다. 이 예에서 세 개의 요인을 유지하도록 요청했으므로, 유지된 요인마다 하나씩, 총 세 개의 행이 있다. 이 표의 패널에 있는 값은 왼쪽 패널에 있는 값과 같은 방식으로 계산되지만, 여기서 값은 공통 분산을 기반으로 한다. 이 표의 패널에 있는 값은 항상 전체 분산보다 작은 공통 분산을 기반으로 하기 때문에 항상 표의 왼쪽 패널에 있는 값보다 낮다.

3) 회전된 제곱합 적재량 (Rotation Sums of Squared Loadings)

Varimax 회전을 사용하여 회전된 후 각 요인이 설명하는 분산의 양을 나타낸다. 회전 후에도 설명된 총분산은 동일하지만, 각 요인에 대한 분산의 분포가 변동된다. 표의 이 패널에 있는 값은 varimax 회전 후 분산 분포를 나타낸다. Varimax 회전은 각 요인의 분산을 최대화하려고 시도하므로 설명된 전체 분산량이 추출된 세 가지 요인에 재분배된다.

4) 요인

요인 항에서 요인의 초기 수는 요인 분석에 사용된 변수의 수와 같다. 그러나 12개의 요인이 모두 유지되는 것은 아니다. 이 예에서는 요청한 대로 처음 세 개의 요인만 유지된다.

5) 합계

합계 항에서 이 열에는 고유값이 포함된다. 첫 번째 요소는 항상 가장 큰 분산을 설명하고, 따라서 가장 높은 고유값을 가진다. 다음 요소는 남은 분산을 최대한 많이 설명하는 식이다. 따라서 각 연속 요인은 점점 더 적은 분산을 설명한다.

6) 분산 %

분산 % 항에서 이 열은 각 요인이 설명하는 총 분산의 백분율이 포함된다.

7) 누적 %

누적 % 항에서 이 열는 현재 및 모든 이전 요인이 차지하는 분산의 누적 백분율이 포함된다. 예를 들어, 세 번째 행은 68.313의 값을 보여준다. 이는 처음 세 요인이 합쳐서 총 분산의 68.313%를 차지한다는 것을 의미한다.

요약하면, 초기 고유값에서 고유값이 1 이상인 요인은 2개로, Kaiser 기준에 따라 2개 이상의 요인을 선택하는 것이 적절함을 시사한다.

추출된 제곱합 적재량에서 3개의 요인이 선택되어 누적 분산의 58.478%를 설명한다. 이는 데이터의 상당 부분을 설명할 수 있음을 의미한다.

회전된 제곱합 적재량에서 회전 후에도 3개의 요인이 선택되었고, 누적 분산은 동일하지만 각 요인이 설명하는 분산의 비율이 더 균등해졌다. Varimax 회전은 해석을 용이하게 하여 요인 적재량의 분포를 더 명확히 한다.

이 결과를 바탕으로 3개의 요인이 데이터의 상당 부분을 설명하며, 요인 회전을 통해 요인 구조가 더욱 명확해졌음을 알 수 있다. 요인 분석이 적절히 수행되었고, 선택된 요인들이 데이터를 잘 설명하는 것으로 판단된다.

8.3.7. 베리맥스 회전 스크리 도표

스크리 도표(Scree Plot)는 요인 분석에서 추출된 요인들의 중요도를 시각적으로 나타내는 도표로, 'Scree'는 절벽을 의미하는 영어 단어이며, 도표의 모양이 절벽과 유사하기 때문에 이러한 명칭이 붙었다.

스크리 도표는 1966년 영국의 심리학자 Raymond Cattell에 의해 처음 소개되었다. Cattell은 요인 분석 결과 해석에 있어서 각 요인의 중요도를 파악하는 것이 중요하다고 생각했으며, 이를 위해 스크리 도표를 개발했다.

스크리 도표는 각 요인의 고유치(eigenvalue)를 크기순으로 배열하여 나타낸다. 고유치는 요인이 설명하는 분산량을 나타내는 지표이며, 일반적으로 고유치가 높을수록 중요한 요인으로 간주한다.

스크리 도표를 해석할 때는 먼저, 곡선의 모양으로 곡선이 처음에는 급격히 감소하고 그 후 완만하게 감소하는 경우, 곡선의 변곡점까지 포함된 요인들을 중요한 요인으로 간주한다. 둘째, 고유치 값으로 일반적으로 고유치 1 이상을 기준으로 중요한 요인을 선정한다. 셋째, 연구 목적으로 연구 목적에 따라 중요한 요인의 기준을 달리할 수 있다.

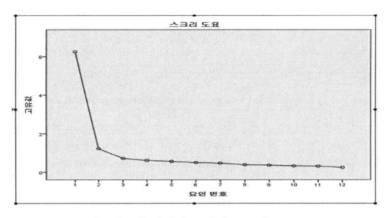

[그림 29] 베리맥스 회전 스크리 도표

스크리 도표는 요인 분석 결과 해석에 있어서 유용한 도구이지만, 단독으로 사용하기보다는 다른 적합성 지표들과 함께 고려하여 사용하는 것이 좋다. 또한, 스크리 도표의 해석은 연구자의 판단에 따라 달라질 수 있으므로, 주의가 필요하다.

스크리 도표는 이미지의 객체 수를 보여주는 선 그래프를 보여준다. 선 그래프는 시간의 함수로서 이미지의 객체 수를 보여준다. 그래프의 x축은 시간을 나타내고 y축은 객체의 수를 나타낸다. 선 그래프는 이미지의 객체 수가 시간이 지남에 따라 증가함을 보여준다.

그래프는 "고유값 지수에 기반한 추출된 요인에 대한 스크리 플롯"이라는 라벨이 붙어 있다. 이는 그래프가 요인 분석에서 추출된 요인의 고유값에 대한 스크리 플롯을 보여주고 있다. 스크리 플롯은 요인 분석에서 추출된 요인의 고유값을 그래픽으로 표현한 것으로 고유값은 분석에서 유지할 요인의 수를 결정하는 데 사용하며, 고유값이 가장 높은 요인이 가장 중요하다.

스크리 플롯은 일반적으로 요인의 고유값을 내림차순으로 보여주는 선 그래프로, 선이 평평해지기 시작하는 지점은 일반적으로 유지할 요인의 수로 간주한다.

위 이미지의 그래프의 경우, 스크리 플롯은 고유값이 1보다 큰 요인이 3개 있다. 이는 분석에서 3개의 요인을 유지해야 한다. 요인은 "요인 1", "요인 2", "요인 3"으로 레이블이 지정되고, 요인의 고유값은 2.00 , 1.50 , 1.00 이다 .

x축은 "고유값 지수"로 이는 x축이 고유값의 지수를 표시하고 있다. 지수는 일반적으로 1에서 요인 수까지의 숫자다. y축은 "고유값"으로 이는 y축이 고유값의 값을 표시하고 있다. 고유값은 요인의 중요도를 측정하는 것이다. 선 그래프는 로그 스케일로 그려진다. 즉, y축은 로그 스케일로 조정된다. 이는 스크리 플롯을 그리는 일반적인 방법으로, 고유값이 크기가 크게 다르더라도 단일 그래프에 표시할 수 있다.

전반적으로, 그림은 요인 분석에서 추출된 요인의 고유값에 대한 스크리 플롯으로, 위의 그림에서 스크리 플롯은 분석에서 세 가지 요인을 유지해야 한다. 요인은 1보다 큰 고유값을 가지고 있으며, 이는 의미 있는 요인이다. 즉, Scree 플롯은 요인 번호에 대한 고유값을 그래프로, 세 번째 요인부터 선이 거의 평평하다는 것을 알 수 있다. 즉, 각 연속 요인이 전체 분산의 점점 더 작은 양을 설명한다는 의미이다.

8.3.8. 베리맥스 회전 요인행렬

아래의 표는 요인 분석 결과의 일부이며, 특히 요인 행렬이다. 요인 행렬은 요인 분석 과정을 통해 추출된 요인들과 변수들 간의 관계를 나타내는 행렬이다. 요인 행렬에서 변수 항은 변수를 나타낸다. 열 항은 첫 세 열 (요인 1, 요인 2, 요인 3)은 추출된 요인들을 나타낸다.

[표 55] 베리맥스 회전 요인행렬

요인행렬a			
변수	요인		
	1	2	3
INSTRUC WELL PREPARED	.713	-.398	
INSTRUC SCHOLARLY GRASP	.703	-.339	
INSTRUCTOR CONFIDENCE	.721		
INSTRUCTOR FOCUS LECTURES	.648		
INSTRUCTOR USES CLEAR RELEVANT EXAMPLES	.783		
INSTRUCTOR SENSITIVE TO STUDENTS	.740	.345	
INSTRUCTOR ALLOWS ME TO ASK QUESTIONS	.616	.415	
INSTRUCTOR IS ACCESSIBLE TO STUDENTS OUTSIDE CLASS	.550		
INSTRUCTOR AWARE OF STUDENTS UNDERSTANDING	.732		
I AM SATISFIED WITH STUDENT PERFORMANCE EVALUATION	.613		
COMPARED TO OTHER INSTRUCTORS, THIS INSTRUCTOR IS	.819		-.345
COMPARED TO OTHER COURSES THIS COURSE WAS	.695		-.386
추출 방법: 주축 요인추출.			
a. 추출된 3 요인 7의 반복계산이 요구됩니다.			

값 항에서 각 셀의 값은 요인 적재량 (factor loading)이라고 하며, 변수가

해당 요인을 얼마나 잘 설명하는지 나타내는 지표이다. 절대값이 클수록 변수가 해당 요인과 더 강한 관련이 있다. 양의 값은 변수가 해당 요인과 긍정적인 관련이 있고, 음의 값은 변수가 해당 요인과 부정적인 관련이 있음을 나타낸다.

해석하면, INSTRUC WELL PREPARED 이 변수는 요인 1과 0.713의 양의 값을 가지고 있으며, 요인 2와는 -0.398의 음의 값을 가지고 있다. 이는 "강의 준비가 잘 되었음"을 나타내는 이 변수는 요인 1과 강하게 긍정적인 관련이 있고, 요인 2와는 약하게 부정적인 관련이 있다.

INSTRUCTOR CONFIDENCE 이 변수는 요인 1과 0.721의 값을 가지고 있으며, 나머지 요인들과는 값이 없다. 이는 "강사의 자신감"을 나타내는 이 변수는 주로 요인 1과만 강한 관련이 있다.

3 요인 7의 반복 계산에서 추출 방법이 주축 요인 추출 (Principal Component Analysis)이라고 언급되어 있으며, 3개의 요인이 추출되었음에도 불구하고 7번의 반복 계산이 요구되었다.

먼저, 수렴성(convergence) 문제로 반복 계산 과정에서 요인 적재량의 변화가 미미해져 더 이상의 계산이 필요하지 않은 상태 (수렴)에 도달하지 못하는 경우가 발생한다. 이런 경우에는 최대 반복 횟수를 설정하여 계산을 종료해야 하며, 이때 설정된 최대 반복 횟수가 7일 수도 있다.

둘째, 초기 요인 축 선택에서 주축 요인 추출에서는 초기 요인 축을 임의로 선택한다. 이러한 초기 선택에 따라 해가 달라질 수 있으며, 따라서 여러 번의 반복 계산을 통해 안정적인 해를 찾는 과정이 필요하다.

각 항목별로 설명을 추가하면, 다음과 같다.

요인 행렬 항에서 이 표에는 변수와 요인 간의 상관 관계인 회전되지 않은 요인 로딩이 들어 있다. 이것들은 상관 관계이므로 가능한 값의 범위는 -1에서 +1입니다. /format 하위 명령에서 SPSS에 .3 이하의 상관 관계를 출력하지 말라고 알려주는 옵션 blank(.30)을 사용했다. 이렇게 하면 어차피 의미가 없을 가능성이 높은 낮은 상관 관계의 혼란을 제거하여 출력을 읽기 쉽게 만들 수 있다.

요인 항에서 이 제목 아래의 열은 추출된 회전되지 않은 요인이다. SPSS에서 제공하는 각주(a.)에서 볼 수 있듯이 3가지 요인, 요청한 3가지 요인이 추출되었다.

8.3.9. 베리맥스 회전 상관행렬

재연된 상관계수 행렬에서 제시된 정보는 요인 분석 결과의 일부이며, 특히 재연된 상관계수 행렬을 보여준다. 재연된 상관계수 행렬은 요인 분석 과정을 통해 추출된 요인들을 기반으로 재구성된 변수들 간의 상관 관계를 나타내는 행렬이다.

재연된 상관계수의 해석에서 대각 행렬 항에서 대각선에는 1이 표시되어 있으며, 이는 변수 자체와의 상관 관계는 항상 1이다. 상/하단 삼각 행렬 항에서 상단 삼각 행렬과 하단 삼각 행렬은 대칭적이며, 변수들 간의 재연된 상관 관계를 나타낸다.

값의 해석은 일반적인 상관 관계 행렬과 동일하며, 양의 값은 변수들 간의 긍정적인 관련을 나타낸다. 음의 값은 변수들 간의 부정적인 관련을 나타낸다.

a 항에서 대각선을 제외한 셀에 표시된 값은 재연된 공통성 (communality)을 나타낸다. 재연된 공통성은 변수의 분산 중에서 요인 분석을 통해 설명된 분산의 비율을 나타내며, 일반적으로 0.5 이상의 값을 기준으로 해석한다.

잔차 (b) 항에서 행렬 하단에는 재연된 상관 관계와 관측된 상관 관계 간의 잔차 값이 제시되어 있다. 절대값이 0.05보다 큰 값이 1개 (1%) 존재하며, 이는 관측된 상관 관계와 재연된 상관 관계 사이에 약간의 차이가 있다.

[표 56] 베리맥스 회전 재연된 상관계수

		1	2	3	4	5	6	7	8	9	10	11	12
							재연된 상관계수						
재연된 상관계수	1	.676a	.646	.622	.548	.594	.400	.289	.306	.475	.331	.563	.453
	2	.646	.619a	.601	.531	.582	.414	.308	.315	.475	.340	.551	.445
	3	.622	.601	.592a	.525	.590	.461	.359	.348	.499	.376	.561	.456
	4	.548	.531	.525	.468a	.529	.426	.338	.322	.452	.345	.497	.404
	5	.594	.582	.590	.529	.623a	.561	.462	.419	.565	.459	.620	.517
	6	.400	.414	.461	.426	.561	.679a	.616	.500	.582	.541	.558	.477
	7	.289	.308	.359	.338	.462	.616	.576a	.453	.500	.483	.441	.376
	8	.306	.315	.348	.322	.419	.500	.453	.369a	.431	.398	.412	.351
	9	.475	.475	.499	.452	.565	.582	.500	.431	.549a	.479	.596	.511
	10	.331	.340	.376	.345	.459	.541	.483	.398	.479	.444a	.503	.440
	11	.563	.551	.561	.497	.620	.558	.441	.412	.596	.503	.791a	.702
	12	.453	.445	.456	.404	.517	.477	.376	.351	.511	.440	.702	.632a
잔차b	1		.016	-.022	.019	-.017	.009	-.002	-.001	.000	.001	.001	.001
	2	.016		.034	-.031	-.031	.019	.013	1.187E-5	-.026	-.007	.013	-.002
	3	-.022	.034		-.020	-.003	-.004	.000	.008	.010	-.007	.022	-.021
	4	.019	-.031	-.020		.058	-.022	-.003	-.005	.000	.017	-.038	.026
	5	-.017	-.031	-.003	.058		-.007	-.013	-.003	.031	-.009	-.007	.003
	6	.009	.019	-.004	-.022	-.007		.010	.021	-.027	-.005	.012	-.003
	7	-.002	.013	.000	-.003	-.013	.010		-.006	.000	.002	.003	-.002
	8	-.001	1.187E-5	.008	-.005	-.003	.021	-.006		-.006	-.015	-.003	.007
	9	.000	-.026	.010	.000	.031	-.027	.000	-.006		.027	.001	-.011
	10	.001	-.007	-.007	.017	-.009	-.005	.002	-.015	.027		-.010	.005
	11	.001	.013	.022	-.038	-.007	.012	.003	-.003	.001	-.010		.003
	12	.001	-.002	-.021	.026	.003	-.003	-.002	.007	-.011	.005	.003	

추출 방법: 주축요인추출.
a. 재연된 공통성
b. 관측된 상관계수와 재연된 상관계수 간의 잔차가 계산되었습니다. 절대값이 0.05보다 큰 1 (1.0%) 비중복 잔차가 있습니다.

그러므로, 재연된 상관 관계 행렬을 통해 요인 분석을 통해 추출된 요인들이 변수들 간의 상관 관계를 얼마나 잘 설명하는지 파악할 수 있다. 대부분의 변수들의 재연된 공통성이 0.5 이상이라면 요인 분석 결과가 적절하다. 잔차 값이 매우 작으면 요인 분석 모델이 변수들 간의 상관 관계를 잘 설명하고 있다. 하지만 이번 경우에는 1개의 변수에서 0.05보다 큰 잔차 값이 존재하여 모델이 완벽하지는 않았다.

각 항목별로 의미를 추가하면, 재현된 상관 관계 항에서 이 테이블에는 두 개의 테이블이 포함되어 있다. 테이블 상단 부분의 재현 상관 관계와 테이블 하단 부분의 잔차다.

재생산 상관관계 항에서 재생산 상관관계 행렬은 추출된 요인을 기반으로 하는 상관관계 행렬이고, 재생산 행렬의 값이 가능한 한 원래 상관관계 행렬의 값에 가깝기를 원한다. 즉, 원래 행렬과 재생산 행렬의 차이를 포함하는 잔차 행렬이 0에 가까워야 하며, 재생산 행렬이 원래 상관관계 행렬과 매우 유사하다면 추출된 요인이 원래 상관관계 행렬의 분산의 상당 부분을 차지한다는 것을 알 수 있으며, 이러한 몇 가지 요인은 원래 데이터를 잘 나타낸다. 재생산 상관관계 행렬의 대각선에 있는 숫자는 공통성 표에서 추출됨이라는 열에 표시되어 있다.

잔차 항에서 SPSS에서 제공한 첫 번째 각주(a.)에서 언급했듯이, 이 표의 이 부분에 있는 값은 원래 상관관계 또는 출력 시작 부분의 상관관계 표에 표시됨과 같이 이 표의 상단에 표시된 재생산된 상관관계 간의 차이를 나타낸다. 예를 들어, 1 변수와 2번 변수 간의 원래 상관관계는 .661이고, 이 두 변수 간의 재생산된 상관관계는 .646이고, 잔차는 .016 = .661 - .646로 약간의 반올림 오차 포함 것이다.

8.3.10. 베리맥스 회전 회전된 요인행렬

회전된 요인 행렬은 각 변수와 추출된 요인들 간의 상관 관계를 나타낸다. 주축 요인 분석(PAF) 방법과 Varimax 회전을 사용하여 얻은 결과로, 이 행렬을 해석하여 각 변수가 어떤 요인에 가장 강하게 관련되어 있는지 파악할 수 있다.

요인 1에서 강한 적재값(0.4 이상)을 가지는 변수들로는 `INSTRUC WELL PREPARED` (.771), `INSTRUC SCHOLARLY GRASP` (.726), `INSTRUCTOR CONFIDENCE` (.676), `INSTRUCTOR FOCUS LECTURES` (.591), `INSTRUCTOR USES CLEAR RELEVANT EXAMPLES` (.587), `INSTRUCTOR AWARE OF STUDENTS UNDERSTANDING` (.402), `COMPARED TO OTHER INSTRUCTORS, THIS INSTRUCTOR IS` (.449) 등이다. 요인 1은 강의 준비, 학문적 이해, 강의 집중 등 강의의 질과 관련된 변수들을 잘 설명한다.

요인 2에서 강한 적재값(0.4 이상)을 가지는 변수들로는 `INSTRUCTOR SENSITIVE TO STUDENTS` (.739), `INSTRUCTOR ALLOWS ME TO ASK QUESTIONS` (.727), `INSTRUCTOR IS ACCESSIBLE TO STUDENTS OUTSIDE CLASS` (.540), `INSTRUCTOR AWARE OF STUDENTS UNDERSTANDING` (.533), `I AM SATISFIED WITH STUDENT PERFORMANCE EVALUATION` (.559) 등이다. 요인 2는 학생과의 상호작용과 접근성, 그리고 평가 만족도와 관련된 변수들을 잘 설명한다.

요인 3에서 강한 적재값(0.4 이상)을 가지는 변수들로는 `COMPARED TO OTHER INSTRUCTORS, THIS INSTRUCTOR IS` (.668), `COMPARED TO OTHER COURSES THIS COURSE WAS` (.652) 등이다. 요인 3은 다른 강사 및 강의와의 비교에 관련된 변수들을 잘 설명한다.

[표 57] 베리맥스 회전 회전된 요인행렬

회전된 요인행렬a	요인		
	1	2	3
INSTRUC WELL PREPARED	.771		
INSTRUC SCHOLARLY GRASP	.726		
INSTRUCTOR CONFIDENCE	.676		
INSTRUCTOR FOCUS LECTURES	.591		
INSTRUCTOR USES CLEAR RELEVANT EXAMPLES	.587	.446	
INSTRUCTOR SENSITIVE TO STUDENTS		.739	
INSTRUCTOR ALLOWS ME TO ASK QUESTIONS		.727	
INSTRUCTOR IS ACCESSIBLE TO STUDENTS OUTSIDE CLASS		.540	
INSTRUCTOR AWARE OF STUDENTS UNDERSTANDING	.402	.533	.321
I AM SATISFIED WITH STUDENT PERFORMANCE EVALUATION		.559	
COMPARED TO OTHER INSTRUCTORS, THIS INSTRUCTOR IS	.449	.377	.668
COMPARED TO OTHER COURSES THIS COURSE WAS	.324	.321	.652
추출 방법: 주축 요인추출.			
회전 방법: Kaiser 정규화가 있는 베리맥스.			
a. 4 반복계산에서 요인회전이 수렴되었습니다.			

회전된 요인 행렬을 통해 변수들이 세 가지 주요 요인으로 잘 분류되었음을 알 수 있고, 요인 1은 강의의 질에 대한 평가와 관련이 있으며, 요인 2는 학생과의 상호작용과 접근성에 대한 평가와 관련이 있다. 요인 3은 다른 강사 및 강의와의 비교에 대한 평가와 관련이 있다. 이러한 결과는 요인 분석을 통해 변수들이 의미 있는 요인으로 그룹화되었음을 보여준다. 각 요인은 특정한 주제를 반영하며, 이를 통해 데이터를 더욱 이해하기 쉽고 해석할 수 있게 된다.

세부 항목별 목적을 설명하면, 다음과 같다.

회전 요인 매트릭스 항에서 이 테이블에는 각 요인에 대해 변수에 가중치가 부여되는 방식과 변수와 요인 간의 상관 관계를 나타내는 회전 요인 로딩이 포함된다. 이는 상관관계이므로 가능한 값의 범위는 -1에서 +1까지이다. /format 하위 명령에서 공백(.30) 옵션을 사용했다. 이 옵션은 SPSS에 .3 이하인 상관관계를 인쇄하지 않도록 지시한다. 이렇게 하면 어쨌든 의미가 없을 수도 있는 낮은 상관관계를 제거하여 출력을 더 쉽게 읽을 수 있다. varimax와 같은 직교 회전의 경우 요인 패턴과 요인 구조 행렬은 동일하다.

요인 항에서 이 제목 아래의 열은 추출된 회전된 요인이다. SPSS에서 제공한 각주(a.)에서 볼 수 있듯이, 세 가지 요인이 추출되었다. 요청한 세 가지 요인이다. 이는 분석가가 가장 관심을 갖고 명명하려고 하는 요인이다. 예를 들어, 첫 번째 요인은 "강사의 준비성"이라고 할 수 있는데, "강사의 준비성"과 "강사의 역량"과 같은 항목이 높게 부과되기 때문이다. 두 번째 요인은 "강사가 학생에게 민감하다"와 "강사가 내가 질문하도록 허용한다"와 같은 항목이 높게 부과되기 때문에 "학생과 관련됨"이라고 할 수 있다. 세 번째 요인은 다른 강사 및 과정과의 비교와 관련이 있다.

8.3.11. 베리맥스 회전 요인 변환행렬

요인 변환 행렬 분석 (Factor Transformation Matrix Analysis)에서 제시된 표는 요인 변환 행렬을 나타낸다. 이 행렬은 주축 요인 분석을 통해 추출된 요인들을 회전하여 최종적으로 사용될 요인 구조를 결정하는 과정에서 사용된다. 행/열 항에서 각 행과 열은 회전 전 요인을 나타낸다. 예를 들면, Factor 1, Factor 2, Factor 3 등이다. 값 항에서 각 셀의 값은 회전 후 요인에서 원래 요인의 변화량을 나타낸다. 예를 들면, .659는 회전 후 Factor 1이 회전 전 Factor 1로부터 .659만큼 변화되었음을 의미한다. 회전 방법으로 Kaiser 정규화가 있는 베리맥스 회전 (Kaiser Normalization Varimax Rotation)을 하였다.

[표 58] 베리맥스 회전 요인 변환행렬

요인 변환행렬			
요인	1	2	3
1	.659	.612	.438
2	-.684	.729	.009
3	.314	.305	-.899
추출 방법: 주축 요인추출.			
회전 방법: Kaiser 정규화가 있는 베리맥스.			

회전 효과를 해석하면, 요인 변환 행렬을 통해 각 요인이 회전 과정에서 어떻게 변화했는지 파악할 수 있다.

변화량을 해석하면, 높은 변화량 (|값| > 0.5)이면, 해당 요인은 회전 과정에서 크게 변화했다. 회전 전과 후의 의미가 다를 수 있다. 낮은 변화량 (|값| < 0.4)이면, 해당 요인은 회전 과정에서 크게 변화하지 않았다. 회전 전과 후의 의미가 비슷할 수 있다.

변화 방향을 해석하면, 양의 값이면, 회전 후 요인이 회전 전 요인 방향으로 더 가까워졌다. 음의 값이면, 회전 후 요인이 회전 전 요인 방향과 반대 방향으로 이동했다. 그러나, 요인 변환 행렬은 회전 과정을 보여주는 하나의 지표일 뿐이다. 실제 요인 해석은 요인 적재값, 고유값, 누적 설명 분산량 등을 함께 고려해야 한다.

Factor 1은 회전 후 Factor 1 자체로부터 .659만큼 변화했다. 높은 변화량과 양의 값이다. 즉, 회전 후 Factor 1은 회전 전 Factor 1과 더욱 유사해졌다.

Factor 2는 회전 후 Factor 2 자체로부터 .729만큼 변화했다. 높은 변화량과 양의 값이다. 즉, 회전 후 Factor 2는 회전 전 Factor 2와 더욱 유사해졌다.

Factor 3은 회전 후 Factor 3 자체로부터 -.899만큼 변화했다. 높은 변화량과 음의 값이다. 즉, 회전 후 Factor 3은 회전 전 Factor 3과 반대 방향으로 크게 이동했다. 하지만 이는 단순한 예시이며, 실제 해석은 연구 목적과 전체 데이터를 고려하여 이루어져야 한다.

8.3.12. 베리맥스 회전 요인 도표

회전된 요인 행렬 분석 (Rotated Factor Matrix Analysis)에서 제시된 이미지는 회전된 요인 행렬을 나타낸다. 회전된 요인 행렬은 요인 분석 과정에서 추출된 요인들을 회전하여 최종적으로 사용될 요인 구조를 결정하는 데 사용된다.

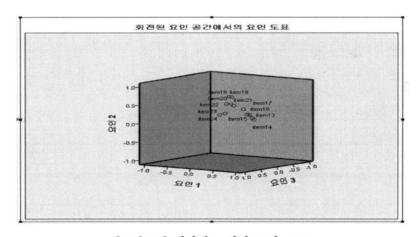

[그림 30] 베리맥스 회전 요인 도표

행 항에서 각 행은 변수(question items)를 나타낸다. 예를 들면, INSTRUC WELL PREPARED 등이다. 열 항에서 각 열은 추출된 요인(factor)을 나타낸다. Factor 1, Factor 2, Factor 3 등이 있다. 값 항에서 각 셀의 값은 해당 변수가 해당 요인과 얼마나 관련이 있는지를 나타내는 요인 적재값(factor loading)이다. 예를 들면, INSTRUC WELL PREPARED의 Factor 1 적재값은 .771이다.

추출 방법은 주축 요인 분석 (Principal Component Analysis)이고, 회전 방법은 Kaiser 정규화가 있는 베리멕스 회전 (Kaiser Normalization Varimax Rotation)이고, 반복 계산의 요인 회전은 4번의 반복 계산 후 수렴되었다.

요인 적재값을 해석하면, 높은 값 (|적재값| > 0.5)이면, 변수는 해당 요인과 강한 관련이 있다. 해석 시 주요 고려 사항이 된다. 중간 값 (0.4 < |적재값| < 0.5)이면, 변수는 해당 요인과 약간의 관련이 있다. 낮은 값 (|적재값| < 0.4)이면, 변수는 해당 요인과 별다른 관련이 없을 수 있다.

요인을 해석하면, 각 요인에 높은 적재값을 가지는 변수들을 살펴보고 해당 요인이 어떤 개념을 나타내는지 해석해야 한다.

예를 들면, Factor 1에서 INSTRUC WELL PREPARED, INSTRUC SCHOLARLY GRASP, INSTRUCTOR CONFIDENCE 등의 변수들이 높은 적재값을 가지고 있고, 이 요인은 "강사의 지식과 전달 능력"을 나타낼 수 있다.

Factor 2에서 INSTRUCTOR USES CLEAR RELEVANT EXAMPLES, INSTRUCTOR SENSITIVE TO STUDENTS 등의 변수들이 높은 적재값을 가지고 있고, Factor 1의 변수들과는 적재값이 낮은 편이므로 이 요인은 "강의 스타일과 학생 배려"를 나타낼 수 있다.

Factor 3 I AM SATISFIED WITH STUDENT PERFORMANCE EVALUATION, COMPARED TO OTHER INSTRUCTORS, THIS INSTRUCTOR IS, COMPARED TO OTHER COURSES THIS COURSE WAS 등의 변수들이 높은 적재값을 가지고 있고, 이 요인은 "수업 만족도"를 나타낼 수 있다.

하지만 이는 단순한 예시이며, 실제 해석은 연구 목적과 전체 데이터를 고려하여 이루어져야 한다. 회전된 요인 행렬만으로는 모든 요인을 완벽하게 해석하기 어려울 수 있다. 보통은 고유값(eigenvalue), 누적 설명 분산량(cumulative explained variance) 등의 추가 정보도 함께 활용한다.

8.3.13. 베리맥스 회전 요인점수 계수행렬

요인 점수 계수 행렬 분석 (Factor Score Coefficients Matrix)에서 제시된 표는 요인 점수 계수 행렬이다. 요인 점수 계수 행렬은 회전된 요인 행렬과 요인 변환 행렬을 이용하여 계산된 값이며, 각 변수의 값을 이용하여 해당 변수의 요인 점수를 추정하는 데 사용한다.

요인 점수 계수 행렬은 다음과 같다. 요인 점수 계수 행렬 = 요인 적재 행렬 * 요인 변환 행렬이다.

해석하면, 요인 점수 계수 행렬의 각 값은 해당 변수의 값을 이용하여 예측할 수 있는 요인 점수를 계산하는 데 필요한 가중치다. 예를 들어, "INSTRUC WELL PREPARED" 변수의 요인 점수 계수는 [0.409, -0.155, -0.102]다. 이는 "INSTRUC WELL PREPARED" 변수의 값에 0.409를 가중치로, Factor 1의 값에 -0.155를 가중치로, Factor 3의 값에 -0.102를 가중치로 하여 합산하면 해당 변수의 요인 점수를 추정할 수 있다.

[표 59] 베리맥스 회전 요인점수 계수행렬

요인점수 계수행렬			
	요인		
	1	2	3
INSTRUC WELL PREPARED	.409	-.155	-.102
INSTRUC SCHOLARLY GRASP	.309	-.095	-.096
INSTRUCTOR CONFIDENCE	.248	-.021	-.106
INSTRUCTOR FOCUS LECTURES	.152	.004	-.051
INSTRUCTOR USES CLEAR RELEVANT EXAMPLES	.171	.072	-.055
INSTRUCTOR SENSITIVE TO STUDENTS	-.093	.431	-.126
INSTRUCTOR ALLOWS ME TO ASK QUESTIONS	-.097	.358	-.130
INSTRUCTOR IS ACCESSIBLE TO STUDENTS OUTSIDE CLASS	-.023	.150	-.047
INSTRUCTOR AWARE OF STUDENTS UNDERSTANDING	.006	.147	.015
I AM SATISFIED WITH STUDENT PERFORMANCE EVALUATION	-.063	.157	.034
COMPARED TO OTHER INSTRUCTORS, THIS INSTRUCTOR IS	-.076	-.107	.715
COMPARED TO OTHER COURSES THIS COURSE WAS	-.093	-.056	.436
추출 방법: 주축 요인추출.			
회전 방법: Kaiser 정규화가 있는 베리맥스.			

주의할 사항으로 요인 점수 계수 행렬은 추정된 값이며, 실제 요인 점수와는 차이가 있을 수 있다. 요인 점수 계수 행렬의 해석은 절대적인 값보다는 상대적인 값의 비교를 통해 이루어진다. 요인 점수 계수 행렬은 변수의 중요도를 나타내는 지표가 아니다.

8.3.14. 베리맥스 회전 요인점수 공분산행렬

요인 점수 공분산 행렬 분석 (Factor Score Covariance Matrix)에서 제시된 표는 요인 점수 공분산 행렬이다. 요인 점수 공분산 행렬은 각 요인 점수 간의 공분산 관계를 나타내는 행렬이며, 요인 점수의 변동성과 상관관계를 분석하는 데 사용한다.

요인 점수 공분산 행렬은 다음과 같은 식을 통해 계산한다.

요인 점수 공분산 행렬 = 요인 변환 행렬 * 요인 적재 행렬 * 요인 적재 행렬^T(요인 적재 행렬의 전치 행렬) * 요인 변환 행렬^T(요인 변환 행렬의 전치 행렬)

해석하면, 대각선 값은 각 요인 점수의 변동성을 나타낸다. 값이 클수록 해당 요인 점수의 변동성이 크고, 값이 작을수록 변동성이 작다는 것을 의미한다. 비대각선 값은 두 요인 점수 간의 공분산을 나타낸다. 값이 양수이면 두 요인 점수가 함께 증가하거나 감소하는 경향이 있음을 의미하고, 값이 음수이면 두 요인 점수가 반대 방향으로 변화하는 경향이 있음을 의미한다. 공분산 값의 절대적인 크기는 두 요인 점수 간의 관계의 강도를 나타낸다. 값이 클수록 두 요인 점수 간의 관계가 강하고, 값이 작을수록 관계가 약하다는 것을 의미한다.

[표 60] 베리맥스 회전 요인점수 공분산행렬

요인점수 공분산행렬			
요인	1	2	3
1	.773	.088	.124
2	.088	.747	.114
3	.124	.114	.632
추출 방법: 주축 요인추출/ 회전 방법: Kaiser 정규화가 있는 베리맥스.			

요인 점수 공분산 행렬은 추정된 값이며, 실제 요인 점수 간의 공분산 관계와는 차이가 있을 수 있다. 요인 점수 공분산 행렬의 해석은 절대적인 값보다는 상대적인 값의 비교를 통해 이루어진다. 요인 점수 공분산 행렬은 변수의 중요도를 나타내는 지표가 아니다.

8.4. 사선(Promax) 회전 해석

요인 분석에서 회전은 추출된 요인들의 해석을 용이하게 하기 위해 요인들을 새로운 공간으로 변환하는 과정입으로 Promax 회전, Varimax 회전, Equimax 회전은 가장 많이 사용되는 세 가지 회전 방법이며, 각각 장단점을 가지고 있다.

1) Promax 회전
장점은 요인 간 상관관계 허용으로 요인 간 상관관계가 존재하는 경우에도 자연스러운 해석을 가능하게 한다. 실제 세계에서 요인들은 서로 독립적인 경우가 드물기 때문에 Promax 회전은 현실적인 요인 구조를 반영하는 데 유용하다.
특정 요인 간의 관계 강조가 가능하므로, 연구자가 특정 요인 간의 관계를 강조하고 싶은 경우 해당 요인들을 서로 가까이 배치하도록 회전시킬 수 있다. 이는 연구 가설이나 기존 이론을 검증하는 데 도움이 될 수 있다.
단점은 회전된 요인 해석 어려움으로 요인 간 상관관계를 허용하기 때문에 회전된 요인들의 해석이 어려울 수 있다. 특히, 높은 상관관계를 가진 요인들을 구분하기 어려울 수 있다.

지나친 회전 가능성으로 연구자가 원하는 요인 구조를 얻기 위해 지나치게 회전할 수 있으며, 이는 결과의 신뢰성을 떨어뜨릴 수 있다.

적합한 경우로는 요인 간 상관관계가 존재하는 경우, 특정 요인 간의 관계를 강조하고 싶은 경우, 탐색적 요인 분석 (Exploratory Factor Analysis) 등에 사용한다.

2) Varimax 회전

장점은 단순 해석으로 요인들을 서로 직교하도록 회전시키기 때문에 해석이 가장 단순하고 직관적이다. 각 요인은 서로 독립적인 개념을 나타내며, 변수들은 하나의 요인에만 높은 적재값을 가지게 된다.

회전 결과 안정성으로 다른 회전 방법에 비해 회전 결과가 안정적이며, 반복 계산을 통해 일관된 결과를 얻을 가능성이 높다.

단점은 요인 간 상관관계 무시로 요인 간 상관관계를 무시하기 때문에 실제 세계에서 존재하는 요인 간의 관계를 반영하지 못할 수 있다. 이는 결과의 타당성을 떨어뜨릴 수 있다.

비자연스러운 요인 구조로 실제 세계에서 요인들은 서로 독립적인 경우가 드물기 때문에 Varimax 회전은 비자연스러운 요인 구조를 만들어낼 수 있다.

적합한 경우는 요인 간 독립성이 중요한 경우, 변수들이 하나의 요인에만 높은 적재값을 가지는 경우, 확인적 요인 분석 (Confirmatory Factor Analysis) 등에 사용한다.

3) Equimax 회전

장점은 Promax 회전과 Varimax 회전의 장점 조화로 요인 간 상관관계를 허용하면서도 회전된 요인들의 단순성을 유지하려는 목표를 가지고 있다. Promax 회전만큼 요인 간 상관관계를 잘 반영하고, Varimax 회전만큼 단순하고 직관적인 해석을 가능하게 한다.

균형 잡힌 회전으로 요인 적재값과 요인 간 상관관계를 모두 고려하여 회전하기 때문에 균형 잡힌 결과를 얻을 수 있다.

단점은 계산 복잡성으로 Promax 회전이나 Varimax 회전에 비해 계산이 더 복잡하다. 해석 어려움으로 Promax 회전만큼 해석이 어렵지는 않지만, Varimax 회전만큼 단순하기도 하지 않다.

적합한 경우는 요인 간 상관관계가 존재하지만, 단순하고 직관적인 해석도 필요한 경우, 균형 잡힌 요인 구조를 얻고 싶은 경우 등에 사용한다.

8.4.1. Promax 회전 명령문

아래 모든 표는 promax 회전을 제외하고 위에 표시된 요인 분석 프로그램을 다시 실행한 것이다. 회전된 솔루션이 얼마나 다른지 보여주고 간단한 구조가 무엇을 의미하는지를 알기 위해서 사용하였다.

```
factor
  /variables item13 item14 item15 item16 item17 item18 item19 item20
item21 item22 item23 item24
  /print initial det kmo repr extraction rotation fscore univariate
  /format blank(.30)
  /plot eigen rotation
  /criteria factors(3)
  /extraction paf
  /rotation promax
  /method = correlation.
```

promax 회전과 같은 경사 회전에서 볼 수 있듯이 요인은 서로 상관되는 것이 허용한다. 위에 표시된 varimax와 같은 직교 회전을 사용하면 요인이 상관되는 것이 허용되지 않는다(서로 직교함). promax와 같은 경사 회전은 요인 패턴과 요인 구조 행렬을 모두 생성한다.

varimax 및 Equimax와 같은 직교 회전의 경우 요인 구조와 요인 패턴 행렬은 동일하다. 요인 구조 행렬은 변수와 요인 간의 상관 관계를 나타낸다. 요인 패턴 행렬에는 변수의 선형 결합에 대한 계수가 포함된다.

8.4.2. Promax 회전 기술통계량과 상관행렬

기술통계량과 상관 행렬식을 분석하면, 대체적으로 모든 문항의 평균은 4에 가까우며, 강사의 지식 전달 능력, 강의 스타일, 학생 배려 등에 대한 학생들의 평가는 다소 긍정적인 것으로 해석될 수 있다. "INSTRUCTOR SENSITIVE TO STUDENTS" (평균: 3.93)와 "INSTRUCTOR AWARE OF STUDENTS UNDERSTANDING" (평균: 3.77)의 경우 평균이 다소 낮은 편이므로 학생들이 이 부분에 대한 만족도가 조금 낮은 것으로 해석될 수 있다.

표준편차에서 각 문항의 점수가 평균으로부터 얼마나 넓게 퍼져 있는지를 나타낸다. 표준편차가 클수록 학생들의 평가가 분포되어 있음을 의미하며, 반대로 표준편차가 작을수록 학생들의 평가가 비슷하다는 것을 의미한다. 제시된 데이터에서 대부분의 문항들은 표준편차가 상대적으로 크며, 학생들의 평가가 다양하다는 것을 알 수 있다.

[표 61] Promax 회전 기술통계량과 상관행렬

기술통계량			
	평균	표준편차	분석수
INSTRUC WELL PREPARED	4.46	.729	1365
INSTRUC SCHOLARLY GRASP	4.53	.700	1365
INSTRUCTOR CONFIDENCE	4.45	.732	1365
INSTRUCTOR FOCUS LECTURES	4.28	.829	1365
INSTRUCTOR USES CLEAR RELEVANT EXAMPLES	4.17	.895	1365
INSTRUCTOR SENSITIVE TO STUDENTS	3.93	1.035	1365
INSTRUCTOR ALLOWS ME TO ASK QUESTIONS	4.08	.964	1365
INSTRUCTOR IS ACCESSIBLE TO STUDENTS OUTSIDE CLASS	3.78	.909	1365
INSTRUCTOR AWARE OF STUDENTS UNDERSTANDING	3.77	.984	1365
I AM SATISFIED WITH STUDENT PERFORMANCE EVALUATION	3.61	1.116	1365
COMPARED TO OTHER INSTRUCTORS, THIS INSTRUCTOR IS	3.81	.957	1365
COMPARED TO OTHER COURSES THIS COURSE WAS	3.67	.926	1365
상관행렬a			
a. 행렬식 = .002			

분석수에서 설문 조사에 참여한 학생 수로, 본 데이터 세트에는 1365명의 학생들이 참여하였다. 상관 행렬의 행렬식이 0.002이다.

8.4.3. Promax 회전 KMO와 Bartlett의 검정과 공통성

1) KMO와 Bartlett의 검정 결과를 분석하면, 다음과 같다.

KMO (Kaiser-Meyer-Olkin) 측도로 KMO 값은 .934 이다. 일반적으로 KMO 값이 0.8 이상이면 요인 분석에 적합한 표본 크기라고 판단한다. .934라는 값은 매우 높은 수치이며, 요인 분석을 실시하기에 표본 크기가 매우 적합하다는 것을 의미한다.

Bartlett의 구형성 검정의 유의 확률 (p-value)은 .000 이다. Bartlett의 구형성 검정은 변수들이 서로 독립적이라는 귀무 가설을 검정하는 검정 방법이다. 유의 확률이 .05보다 작으면 귀무 가설 기각, 즉 변수들 간에 상관 관계가 존재한다는 결론을 내린다. 이 경우 유의 확률이 .000으로 매우 낮으므로 변수들 간에 상관 관계가 존재한다는 결론을 내릴 수 있다.

2) 공통성

초기 공통성은 변수가 얼마나 요인 분석에 적합한지를 나타내는 지표다. 일반적으로 0.5 이상이면 요인 분석에 적합하다.

추출된 공통성은 요인 분석 과정을 통해 얻어진 값이며, 초기 공통성보다 높은 값을 가져야 한다.

대부분의 변수들의 초기 공통성이 0.5 이상이며, 일부 변수들은 낮은 편이지만 (.326, .397) 요인 분석을 수행하는 데 큰 문제는 없을 것으로 예상한다.

추출된 공통성은 전반적으로 초기 공통성보다 높아졌으며, 요인 분석 과정을 통해 유용한 정보가 추출되었음을 시사한다.

[표 62] Promax 회전 KMO와 Bartlett의 검정과 공통성

KMO와 Bartlett의 검정		
표본 적절성의 Kaiser-Meyer-Olkin 측도.		.934
Bartlett의 구형성 검정	근사 카이제곱	8676.712
	자유도	66
	유의확률	.000

공통성		
	초기	추출
INSTRUC WELL PREPARED	.564	.676
INSTRUC SCHOLARLY GRASP	.551	.619
INSTRUCTOR CONFIDENCE	.538	.592
INSTRUCTOR FOCUS LECTURES	.447	.468
INSTRUCTOR USES CLEAR RELEVANT EXAMPLES	.585	.623
INSTRUCTOR SENSITIVE TO STUDENTS	.572	.679
INSTRUCTOR ALLOWS ME TO ASK QUESTIONS	.456	.576
INSTRUCTOR IS ACCESSIBLE TO STUDENTS OUTSIDE CLASS	.326	.369
INSTRUCTOR AWARE OF STUDENTS UNDERSTANDING	.516	.549
I AM SATISFIED WITH STUDENT PERFORMANCE EVALUATION	.397	.444
COMPARED TO OTHER INSTRUCTORS, THIS INSTRUCTOR IS	.662	.791
COMPARED TO OTHER COURSES THIS COURSE WAS	.526	.632
추출 방법: 주축요인추출.		

KMO 값이 매우 높고, Bartlett의 검정 결과도 요인 분석에 적합하였다. 공통성 값 또한 대부분의 변수들이 요인 분석에 적합하며, 추출된 공통성 또한 높아졌다. 따라서 제시된 결과를 바탕으로 볼 때 요인 분석을 실시하기 위한 표본의 적절성은 매우 높다고 판단된다.

8.4.4. Promax 회전 설명된 총분산과 요인행렬

설명된 총분산 및 요인 행렬 분석에서 제시된 결과는 요인 분석 과정에서 얻어진 설명된 총분산과 요인 행렬을 보여준다.

1) 설명된 총분산에서 초기 고유값은 요인 분석 과정에서 추출된 각 요인의 고유값을 나타낸다. 고유값이 높을수록 해당 요인이 설명하는 분산이 크다는 것을 의미한다.

추출 제곱합 적재량은 각 요인이 변수들의 공분산에 얼마나 기여하는지를 나타낸다.

회전 제곱합 적재량은 요인 회전 후 각 요인이 변수들의 공분산에 얼마나 기여하는지를 나타낸다.

전체는 회전 후 각 요인이 설명하는 분산의 비율을 백분율로 나타낸다.

누적 %는 지금까지 추출된 모든 요인들이 설명하는 분산의 누적 비율을 백분율로 나타낸다.

[표 63] Promax 회전 설명된 총분산과 요인행렬

요인	초기 고유값			추출 제곱합 적재량			회전 제곱합 적재량a
	전체	% 분산	누적 %	전체	% 분산	누적 %	전체
1	6.249	52.076	52.076	5.851	48.759	48.759	5.050
2	1.229	10.246	62.322	.806	6.719	55.478	4.776
3	.719	5.992	68.313	.360	3.000	58.478	4.664
4	.613	5.109	73.423				
5	.561	4.676	78.099				
6	.503	4.192	82.291				
7	.471	3.927	86.218				
8	.389	3.240	89.458				
9	.368	3.066	92.524				
10	.328	2.735	95.259				
11	.317	2.645	97.904				
12	.252	2.096	100.000				

설명된 총분산

추출 방법: 주축요인추출.

a. 요인이 상관된 경우 전체 분산을 구할 때 제곱합 적재량이 추가될 수 없습니다.

요인행렬a

	요인		
	1	2	3
INSTRUC WELL PREPARED	.713	-.398	
INSTRUC SCHOLARLY GRASP	.703	-.339	
INSTRUCTOR CONFIDENCE	.721		
INSTRUCTOR FOCUS LECTURES	.648		
INSTRUCTOR USES CLEAR RELEVANT EXAMPLES	.783		
INSTRUCTOR SENSITIVE TO STUDENTS	.740	.345	
INSTRUCTOR ALLOWS ME TO ASK QUESTIONS	.616	.415	
INSTRUCTOR IS ACCESSIBLE TO STUDENTS OUTSIDE CLASS	.550		
INSTRUCTOR AWARE OF STUDENTS UNDERSTANDING	.732		
I AM SATISFIED WITH STUDENT PERFORMANCE EVALUATION	.613		
COMPARED TO OTHER INSTRUCTORS, THIS INSTRUCTOR IS	.819		-.345
COMPARED TO OTHER COURSES THIS COURSE WAS	.695		-.386

추출 방법: 주축 요인추출.

a. 추출된 3 요인 7의 반복계산이 요구됩니다.

2) 요인의 수

총 12개의 요인이 추출되었지만, 누적 설명 분산을 살펴보면 첫 번째 3개의 요인만으로도 95% 이상의 분산을 설명하고 있다. 일반적으로 누적 설명 분산이 70% 이상이면 요인 분석 결과가 양호하다고 판단한다. 따라서 본 연구에서는 첫 번째 3개의 요인만을 주요 요인으로 해석하는 것이 타당할 것으로 판단한다.

각 요인의 특징을 보면, 첫 번째 요인은 강의 내용 관련 요인으로 명명될 수 있다. 높은 적재량을 가진 변수들은 "강사의 지식 전달 능력", "강사의 학문적 이해", "강사가 명확하고 관련성 있는 예시를 사용하는지 여부"와 같은 강의 내용에 대한 학생들의 평가와 관련이 있다.

두 번째 요인은 강사-학생 소통 관련 요인으로 명명될 수 있다. 높은 적재량을 가진 변수들은 "강사가 학생들의 질문에 응답하는지 여부", "강사가 수업 밖에서도 학생들을 만나는지 여부", "강사가 학생들의 이해도를 파악하는지 여부"와 같은 강사와 학생 간의 소통 및 상호 작용에 대한 학생들의 평가와 관련이 있다.

세 번째 요인은 강의 평가 관련 요인으로 명명될 수 있다. 높은 적재량을 가진 변수들은 "전반적으로 강사가 어떠했는지", "이 과목을 다른 과목과 비교했을 때 어떠했는지", "수강생이 자신의 학습 성과에 만족하는지 여부"와 같은 강의 전반적인 평가와 학생들의 만족도와 관련이 있다.

3) 요인 회전

결과에서는 요인 회전을 실시했지만, 회전 전후의 적재량 차이가 크지 않았다. 이는 추출된 요인들이 비교적 명확하고 해석하기 쉬운 것을 의미한다. 추출 방법은 주축 요인추출 방법이고, 추출된 3 요인 7의 반복계산을 하여 수렴하였음을 알 수 있다.

8.4.5. Promax 회전 패턴 행렬과 구조행렬

패턴 행렬과 구조 행렬 분석에서 제시된 결과는 요인 회전 후의 정보를 보여주고 있으며, 두 가지 행렬을 통해 요인과 변수 간의 관계를 파악할 수 있다.

1) 패턴 행렬

패턴 행렬은 각 변수가 각 요인에 얼마나 기여하는지 보여준다. 절대값이 큰 값 (.7 이상)을 높은 적재량이라고 부르며, 해당 변수는 그 요인을 잘 설명하는 변수라고 해석할 수 있다.

첫 번째 요인에서 "INSTRUC WELL PREPARED", "INSTRUC SCHOLARLY GRASP", "INSTRUCTOR CONFIDENCE", "INSTRUCTOR FOCUS LECTURES", "INSTRUCTOR USES CLEAR RELEVANT EXAMPLES"와 같은 변수들이 높은 적재량을 가지고 있다. 이는 첫 번째 요인이 강사의 지식 전달 능력, 학문적 이해, 강의 스타일, 예시 사용 등 강의 내용 전반과 관련된 요인임을 의미한다.

두 번째 요인에서 "INSTRUCTOR SENSITIVE TO STUDENTS", "INSTRUCTOR ALLOWS ME TO ASK QUESTIONS", "INSTRUCTOR IS ACCESSIBLE TO STUDENTS OUTSIDE CLASS"와 같은 변수들이 높은 적재량을 가지고 있다. 이는 두 번째 요인이 강사의 학생 친화도, 질문 응답, 수업 외부 소통 등 강사-학생 간의 소통 및 상호 작용과 관련된 요인임을 의미한다.

세 번째 요인에서 "COMPARED TO OTHER INSTRUCTORS, THIS INSTRUCTOR IS", "COMPARED TO OTHER COURSES THIS COURSE WAS", "I AM SATISFIED WITH STUDENT

PERFORMANCE EVALUATION"와 같은 변수들이 높은 적재량을 가지고 있다. 이는 세 번째 요인이 학생들이 인식하는 전반적인 강사 평가, 과목 평가, 학습 성과 만족도와 관련된 요인임을 의미한다.

[표 64] Promax 회전 패턴 행렬과 구조행렬

패턴 행렬a			
	요인		
	1	2	3
INSTRUC WELL PREPARED	.900		
INSTRUC SCHOLARLY GRASP	.829		
INSTRUCTOR CONFIDENCE	.730		
INSTRUCTOR FOCUS LECTURES	.632		
INSTRUCTOR USES CLEAR RELEVANT EXAMPLES	.516		
INSTRUCTOR SENSITIVE TO STUDENTS		.807	
INSTRUCTOR ALLOWS ME TO ASK QUESTIONS		.877	
INSTRUCTOR IS ACCESSIBLE TO STUDENTS OUTSIDE CLASS		.586	
INSTRUCTOR AWARE OF STUDENTS UNDERSTANDING		.435	
I AM SATISFIED WITH STUDENT PERFORMANCE EVALUATION		.547	
COMPARED TO OTHER INSTRUCTORS, THIS INSTRUCTOR IS			.781
COMPARED TO OTHER COURSES THIS COURSE WAS			.821
추출 방법: 주축 요인추출/ 회전 방법: Kaiser 정규화가 있는 프로멕스.			
a. 4 반복계산에서 요인회전이 수렴되었습니다.			
구조행렬			
	요인		
	1	2	3
INSTRUC WELL PREPARED	.816	.471	.585
INSTRUC SCHOLARLY GRASP	.786	.488	.574
INSTRUCTOR CONFIDENCE	.768	.547	.587
INSTRUCTOR FOCUS LECTURES	.680	.507	.520
INSTRUCTOR USES CLEAR RELEVANT EXAMPLES	.755	.672	.662
INSTRUCTOR SENSITIVE TO STUDENTS	.564	.824	.605
INSTRUCTOR ALLOWS ME TO ASK QUESTIONS	.430	.751	.478
INSTRUCTOR IS ACCESSIBLE TO STUDENTS OUTSIDE CLASS	.427	.606	.446
INSTRUCTOR AWARE OF STUDENTS UNDERSTANDING	.628	.701	.649
I AM SATISFIED WITH STUDENT PERFORMANCE EVALUATION	.462	.656	.556
COMPARED TO OTHER INSTRUCTORS, THIS INSTRUCTOR IS	.718	.669	.885
COMPARED TO OTHER COURSES THIS COURSE WAS	.582	.573	.795
추출 방법: 주축 요인추출 / 회전 방법: Kaiser 정규화가 있는 프로멕스.			

2) 구조 행렬

구조 행렬은 요인 간의 상관 관계를 나타낸다. 절대값이 0.3 이상인 값은 상관 관계가 존재한다고 해석할 수 있으며, 양수(+)는 양의 상관 관계, 음수(-)는 음의 상관 관계를 나타낸다.

세 요인 간에는 모두 상관 관계가 존재한다. 첫 번째 요인과 세 번째 요인, 두 번째 요인과 세 번째 요인은 양의 상관 관계를 가지고 있다. 즉, 강의 내용이 좋을수록 (1), 강사-학생 소통이 원활할수록 (2) 전반적인 강사 평가와 학생 만족도가 높아지는 경향 (3)이 있음을 의미한다.

첫 번째 요인과 두 번째 요인은 상관 관계의 크기가 다소 작지만 양의 상관

관계를 가지고 있다. 즉, 강의 내용이 좋을수록 (1) 강사-학생 소통도 원활해지는 경향 (2)이 있음을 의미한다.

요인 분석 결과를 통해 설문 조사 결과를 세 가지 요인으로 단순화하고 각 요인의 특징을 파악했다. 또한, 요인 간의 상관 관계를 통해 강의 질, 강사-학생 소통, 학생 만족도 간의 연관성을 확인했다.

< 요인 분석 발견 에피소드의 예>

고객 세그먼트 식별 - 마케팅 회사는 PCA를 사용하여 구매 내역, 인구 통계 및 온라인 행동 과 같은 고객 데이터를 분석한다. PCA를 적용하면 유사한 특성을 가진 기본 고객 세그먼트를 식별할 수 있다. 이를 통해 타겟팅 마케팅 캠페인과 개인화된 제품 추천이 가능 해져 고객 참여와 판매가 증가한다.

금융 거래에서의 이상 탐지 - 금융 기관은 PCA를 사용하여 거래 데이터의 기준 패턴을 확립한다. PCA를 통해 식별된 이러한 확립된 패턴과의 편차는 잠재적인 사기 활동을 나타낼 수 있다. 이 접근 방식은 이상을 더 빠르고 효율적으로 감지하여 재정적 손실을 방지하는 데 도움이 된다.

기후 데이터의 기본 추세 식별 - 기후 과학자들은 PCA를 사용하여 온도, 강수량, 바람 패턴 과 같은 방대한 기후 측정 데이터 세트를 분석한다. PCA를 적용하면 기후 데이터의 기본 추세와 패턴을 식별하여 자연적 기후 변동성과 온실 가스 배출과 같은 인간 활동의 영향을 구별하는 데 도움이 된다.

이러한 예는 복잡한 데이터 세트 내의 숨겨진 구조를 발견하는 데 있어 요인 분석과 PCA의 다양한 응용 프로그램을 보여준다. 데이터를 단순화하고 기본 패턴을 밝혀냄으로써 요인 분석과 PCA는 다양한 분야의 연구자와 데이터 과학자가 더 깊은 통찰력을 얻고, 프로세스를 최적화 하고, 궁극적으로 사회에 도움이 되는 정보에 입각한 결정을 내릴 수 있도록 지원한다.

9. 일원 MANOVA

일원 MANOVA (One-way MANOVA) 또는 일방향 다변량 분산 분석(MANOVA, Multivariate Analysis of Variance)은 여러 종속 변수를 동시에 고려하여 독립 변수(그룹)에 따른 평균 차이를 분석하는 통계 기법이다. 이 분석은 단일 독립 변수의 여러 수준이 여러 종속 변수에 미치는 영향을 한꺼번에 평가한다.

일원 다변량 분산 분석(일원 MANOVA)은 두 개 이상의 연속 종속 변수에 대해 독립 그룹 간에 차이가 있는지 확인하는 데 사용한다. 이 점에서 종속 변수 하나만 측정하는 일원 ANOVA와 다르다.

예를 들어, 일방향 MANOVA를 사용하여 영화 속 약물 사용자의 매력과 지능에 대한 인식에 차이가 있는지 파악할 수 있다. 즉, 두 종속 변수는 "매력에 대한 인식"과 "지능에 대한 인식"이고, 독립 변수는 "영화 속 약물 사용자"로 여기에는 "비사용자", "실험자" 및 "일반 사용자"의 세 가지 독립 그룹이 있다.

또는 일방향 MANOVA를 사용하여 세 가지 길이의 강의에 따라 학생들의 단기 및 장기 사실 회상에 차이가 있는지 파악할 수 있다. 즉, 두 종속 변수는 "단기 기억 회상"과 "장기 기억 회상"이고, 독립 변수는 "강의 기간"으로, 여기에는 "30분", "60분", "90분" 및 "120분"의 네 가지 독립 그룹이 있다.

독립 변수가 하나가 아닌 두 개인 경우, 대신 2방향 MANOVA를 실행할 수 있다. 또는 독립 변수가 하나이고 연속 공변량이 있는 경우, 단방향 MANCOVA를 실행할 수 있다. 또한, 독립 변수가 반복 측정으로 구성된 경우, 단방향 반복 측정 MANOVA를 사용할 수 있다.

일원배치 MANOVA는 옴니버스 검정 통계량이며 어떤 특정 그룹이 서로 유의하게 달랐는지 알려줄 수 없다는 것을 아는 것이 중요하다. 단지 두 그룹 이상이 달랐다는 것만 알려준다. 연구 설계에 그룹이 3개, 4개, 5개 이상 있을 수 있으므로 이러한 그룹 중 어느 그룹이 서로 다른지 파악하는 것이 중요하다. 사후 검정을 사용하여 이를 수행할 수 있다.

9.1. 일방향 MANOVA 개념

1) 일원 MANOVA 역사

MANOVA는 ANOVA(분산 분석)의 확장된 형태로, 여러 종속 변수를 동시에 분석하기 위해 개발되었다. 20세기 중반에 다변량 통계 기법의 발전과 함께 MANOVA

도 발전하였으며, R.A. Fisher와 같은 통계학자들의 공헌으로 널리 사용되게 되었다.

MANOVA는 심리학, 사회과학, 생물학 등 여러 분야에서 데이터를 다변량적으로 해석하는 데 필수적인 도구로 자리잡았다.

2) 일원 MANOVA 목적

먼저, 그룹 간 차이 분석으로 여러 종속 변수에서 그룹 간 평균의 차이를 분석한다. 둘째, 상호작용 효과 분석으로 여러 종속 변수 간의 상호작용 효과를 동시에 평가한다. 셋째, 데이터 차원 축소로 고유값과 판별 함수(canonical functions)를 통해 데이터의 주요 패턴을 찾고 차원을 축소한다. 넷째, 데이터 해석 강화로 단일 ANOVA보다 더 많은 정보를 제공하여 데이터 해석을 강화한다.

3) 일원 MANOVA 방법

먼저, 데이터 준비로 종속 변수와 독립 변수를 정의한다. 예를 들면, 종속 변수로 `useful`, `difficulty`, `importance`을, 독립 변수로 `group` (여러 수준을 가져야 함. 예를 들면, 그룹 1, 그룹 2, 그룹 3을 가진다. 둘째, 가정 확인으로 MANOVA를 수행하기 전에 몇 가지 가정을 확인해야 한다. 정규성 확인으로 종속 변수들은 정규 분포를 따라야 한다. 등분산성으로 각 그룹의 공분산 행렬이 동일해야 한다. 독립성으로 관측치들은 독립적이어야 한다. 셋째, 분석 수행으로 MANOVA 분석을 수행하여 다음과 같은 결과를 도출한다. 고유값 (Eigenvalues)으로 각 판별 함수의 설명력을 나타낸다. 정준 상관 (Canonical Correlations) 계수로 판별 함수와 종속 변수 간의 상관 관계를 나타낸다. 유의성 검정 (Significance Tests)으로 그룹 간 차이가 통계적으로 유의한지 평가한다. 예를 들면, Pillai's Trace, Wilks' Lambda, Hotelling's Trace, Roy's Largest Root 등을 사용한다.[10]

---

10) Pillai's Trace, Wilks' Lambda, Hotelling's Trace, Roy's Largest Root는 모두 다변량 분산 분석(MANOVA)에서 그룹 간의 평균 차이를 평가하기 위해 사용되는 통계량이다. 각 통계량은 데이터를 다르게 해석하며, 이를 통해 종속 변수와 독립 변수 간의 관계를 평가한다. 아래에 각각의 통계량을 설명하면, 다음과 같은 특징이 있다. 1) Pillai's Trace - Pillai-Bartlett Trace라고도 불리는 이 통계량은 MANOVA에서 널리 사용한다. 여러 다변량 테스트 중에서 가장 안정적이며, 다변량 가정이 완전히 충족되지 않을 때도 비교적 잘 작동한다. 계산 방법은 각 판별 함수의 고유값을 사용하여 계산한다. 해석은 값이 클수록 그룹 간의 차이가 크다는 것을 의미한다. 장점은 다른 테스트에 비해 다변량 정규성의 가정이 덜 엄격하다. 단점은 고차원에서는 Wilks' Lambda에 비해 덜 강력할 수 있다. 2) Wilks' Lambda - Wilks' Lambda는 MANOVA에서 가장 많이 사용되는 통계량 중 하나다. 그룹 간의 차이를 나타내는 주요 통계량으로, 다른 다변량 통계량보다 더 많이 사용한다. 계산 방법은 각 판별 함수의 고유값을 사용하여 1에서 고유값의 곱을 빼는 방식으로 계산한다. 해석은 값이 0에 가까울수록 그룹 간의 차이가 크다

4) 일원 MANOVA 결과 해석

각 검정 통계량과 고유값, 정준 상관 등을 해석하여 그룹 간 차이가 있는지, 어떤 종속 변수가 주요한 영향을 받는지 평가한다.

9.1.1. 일방향 MANOVA 기본개념

1) 기본 개념

종속 변수는 분석 대상이 되는 변수들이다. 여기서는 `useful` (유용성), `difficulty` (난이도), `importance` (중요성) 등이다. 독립 변수는 그룹을 정의하는 변수이다. 여기서는 `group`이다. 고유값 (Eigenvalues)은 각 판별 함수가 설명하는 분산의 양을 나타낸다. 고유값이 클수록 해당 함수가 데이터를 잘 설명한다.

정준 상관 (Canonical Correlations)은 판별 함수와 종속 변수 간의 상관 관계를 나타내며, 이 값이 높을수록 판별 함수가 종속 변수를 잘 설명한다.

유의성 검정 (Significance Tests)은 그룹 간 평균 차이가 통계적으로 유의한지 평가하는 검정으로, p-value가 0.05 이하일 경우, 그룹 간 차이가 유의하다고 판단한다.

예를 들면, useful, difficulty, importance, group을 이용한 MANOVA 분석을 실시하면, 목적은 `useful` (유용성), `difficulty` (난이도), `importance` (중요성)이라는 세 가지 종속 변수에 대해 그룹(`group`) 간의 차이를 분석한다. 각 그룹이 이 세 변수에서 통계적으로 유의한 차이를 보이는지 평가한다.

는 것을 의미한다. 값이 1에 가까울수록 그룹 간의 차이가 없음을 나타낸다. 장점은 여러 판별 함수의 효과를 결합하여 하나의 통계량으로 요약한다. 단점은 다변량 정규성이 위배될 경우 안정성이 떨어질 수 있다. 3) Hotelling's Trace - Hotelling's Trace는 Hotelling-Lawley Trace라고도 한다. 그룹 간의 차이를 나타내는 또 다른 다변량 통계량다. 계산 방법은 각 판별 함수의 고유값을 합산하여 계산한다. 해석은 값이 클수록 그룹 간의 차이가 크다는 것을 의미한다. 장점은 Pillai's Trace와 마찬가지로 다변량 정규성의 가정이 덜 엄격하다. 단점은 고차원 데이터에서는 덜 강력할 수 있다. 4) Roy's Largest Root - Roy's Largest Root는 가장 큰 고유값에 기반한 통계량이다. 여러 판별 함수 중에서 가장 큰 고유값을 사용하여 그룹 간 차이를 평가한다. 계산 방법은 가장 큰 고유값을 사용하여 계산한다. 해석은 값이 클수록 그룹 간의 차이가 크다는 것을 의미한다. 장점은 가장 강력한 판별 함수를 강조한다. 단점은 다른 판별 함수의 영향을 무시할 수 있으며, 따라서 데이터의 일부 측면만 반영될 수 있다. 다변량 정규성의 가정을 위배할 경우 안정성이 떨어질 수 있다. 요약하면, Pillai's Trace는 안정적이며 다변량 가정이 충족되지 않아도 잘 작동하고, 값이 클수록 차이가 크다. Wilks' Lambda는 가장 많이 사용되는 통계량으로 값이 0에 가까울수록 차이가 크다. Hotelling's Trace는 고유값의 합을 사용하고, 값이 클수록 차이가 크다. Roy's Largest Root는 가장 큰 고유값을 사용하고, 값이 클수록 차이가 크다. 이러한 통계량들은 각기 다른 방식으로 그룹 간의 차이를 평가하며, 종합적으로 해석할 때 MANOVA 결과의 신뢰성을 높일 수 있다.

방법으로 데이터를 준비한다. 각 변수와 그룹 데이터를 수집하여 MANOVA 분석을 위한 데이터셋을 구성한다. 기본 가정을 확인한다. 종속 변수의 정규성, 공분산 행렬의 등분산성, 관측치의 독립성을 확인한다. 다음으로 MANOVA 분석을 수행한다. 다변량 분석을 통해 그룹 간 차이를 분석한다.

결과를 해석할 때, 고유값과 정준 상관을 확인한다. 각 판별 함수의 고유값과 정준 상관을 확인하여 데이터의 설명력을 평가한다. 유의성 검정 결과를 확인한다. 그룹 간 차이가 유의한지 p-value를 통해 판단한다.

9.1.2. 일방향 MANOVA 명령어

```
manova useful difficulty importance by group(1,3)
/print=sig(eigen).
```

주어진 명령어는 다변량 분산 분석(MANOVA)을 수행하여 변수 `useful`, `difficulty`, `importance`에 대해 `group`이라는 독립 변수를 사용하여 그룹 간의 차이를 분석하는 것을 의미한다. 여기서 출력 옵션으로 고유값 (eigenvalues)의 유의성을 지정하였다. 이 명령어가 실행되면 각 그룹 간의 평균 차이가 있는지, 그리고 그 차이가 통계적으로 유의한지를 알 수 있다. 또한, 고유값을 통해 각 함수의 설명력을 평가할 수 있다.

명령어를 설명하면, 다음과 같다.

MANOVA useful difficulty importance by group(1,3)에서 MANOVA 명령어를 사용한다. useful, difficulty, importance 등은 종속 변수들, group(1,3)은 독립 변수 `group`의 범주 1과 3을 비교한다. /print=sig(eigen)에서 sig는 유의성 검정 결과 출력, eigen은 고유값 출력을 지정한다.

출력 결과를 해석하면, 다음과 같다.

1) 고유값 (Eigenvalues)

각 요인의 중요성을 나타낸다. 고유값이 클수록 해당 요인이 설명하는 분산이 크다. MANOVA에서는 각 변수들의 조합으로 생성된 판별 함수(discriminant functions)가 생성되며, 고유값은 이 함수의 설명력을 나타낸다.

2) 유의성 검정 (Significance Tests)

Pillai's Trace, Wilks' Lambda, Hotelling's Trace, Roy's Largest Root 등 여러 유의성 검정 통계량이 제공한다. 각 검정 통계량은 다변량 가설 검정에서 그룹 간 차이가 유의한지 평가한다. 일반적으로 p-value가 0.05 이하일 경우, 그룹 간의 차이가 유의하다.

Multivariate Tests of Significance에서 Pillai's Trace, Wilks' Lambda, Hotelling's Trace, Roy's Largest Root 등의 네 가지 테스트 모두 유의수준 0.05 이하에서 유의한 결과를 보였다 (p = .032). 이는 그룹 1과 3 사이에 유의한 차이가 있다는 것을 의미한다.

Eigenvalues and Canonical Correlations에서 첫 번째 고유값은 1.768, 설명력 67.2%, 정준 상관 0.805이다. 첫 번째 판별 함수가 데이터의 67.2%를 설명하며, 정준 상관이 0.805로 매우 높다.

두 번째 고유값은 0.863, 설명력 32.8%, 정준 상관 0.678이고, 두 번째 판별 함수는 나머지 32.8%를 설명하며, 정준 상관이 0.678로 높다.

누적 설명력은 두 함수가 함께 데이터의 100%를 설명한다.

다변량 분산 분석 결과, 그룹 1과 3 간에 `useful`, `difficulty`, `importance` 변수에서 유의한 차이가 있음을 알 수 있다. 고유값과 정준 상관을 통해 판별 함수가 데이터를 잘 설명하고 있음을 확인할 수 있다. 이러한 결과는 그룹 1과 3이 `useful`, `difficulty`, `importance` 변수에서 명확히 구분된다는 것을 시사한다.

9.2. 일방향 MANOVA 데이터

여기에서 출력을 설명하는 각주와 함께 SPSS의 다변량 분산 분석(manova)의 예를 보여주는 데이터를 설명한다. 본 예시에 사용된 데이터는 다음 실험에서 나온 것이다.

연구자는 33명의 피험자를 세 그룹 중 하나에 무작위로 할당한다. 첫 번째 그룹은 온라인 웹사이트로부터 대화식으로 기술적인 식이요법 정보를 받는다. 그룹 2는 전문 간호사로부터 동일한 정보를 받는 반면, 그룹 3은 동일한 전문 간호사가 만든 비디오 테이프에서 정보를 받는다. 그런 다음 각 주제는 프레젠테이션 정보의 난이도, 유용성, 중요성이라는 세 가지 등급을 매겼다.

연구자는 프레젠테이션의 세 가지 등급(난이도, 유용성, 중요도)을 살펴보고 프레젠테이션 방식에 차이가 있는지 확인한다. 특히, 연구자는 정보를 전달하는 가장 비용 효과적인 방법인 인터랙티브 웹사이트가 우수한지 여부에 관심이 있다. 데이터세트에서 평점은 유용성, 난이도, 중요도 변수로 표시한다. 변수 그룹은 주제가 할당된 그룹을 나타낸다.

세 등급의 변동성이 피험자 그룹에 의해 어떻게 설명될 수 있는지에 관심이 있다. 그룹은 1, 2 또는 3의 세 가지 가능한 값을 갖는 범주형 변수다. 결합할 수 없는 종속 변수가 여러 개 있으므로 manova를 사용하도록 선택해야 한다.

이 분석에서 귀무가설은 피험자의 그룹이 세 가지 등급 중 어느 것에도 영향을 미치지 않는다는 것이며, 데이터 세트 manova.sav에서 이 가설을 테스트할 수 있다[11].

9.2.1. 일방향 MANOVA 기술통계

표에 대한 전반적인 해석을 하면, 이 표는 33개의 표본에 대한 기술 통계량을 나타내고, 변수는 총 4개이며, 각 변수에 대한 최소값, 최대값, 평균, 표준 편차, 분산, 왜도, 첨도, 유효 표본 수가 제시되어 있다.

```
DESCRIPTIVES VARIABLES=GROUP USEFUL DIFFICULTY IMPORTANCE
    /STATISTICS=MEAN STDDEV VARIANCE MIN MAX KURTOSIS SKEWNESS.
```

[표 65] 일방향 MANOVA 기술통계량

	N	최소값	최대값	평균	표준편차	분산	왜도		첨도	
	통계량	통계량	통계량	통계량	통계량	통계량	통계량	표준오차	통계량	표준오차
GROUP	33	1.00	3.00	2.0000	.82916	.688	.000	.409	-1.548	.798
USEFUL	33	11.90	24.30	16.3303	3.29246	10.840	.619	.409	-.262	.798
DIFFICULTY	33	2.40	10.25	5.7152	2.01760	4.071	.513	.409	-.174	.798
IMPORTANCE	33	.20	18.80	6.4758	3.98513	15.881	1.155	.409	2.378	.798
유효 N(목록별)	33									

변수별 해석에서 GROUP의 N에는 33개의 표본이 분석에 포함되었다. 최소값 1.00, 최대값 3.00, 평균 2.0000이다. USEFUL에도 33개의 표본에 대한 유효 값이 분석에 사용되었다. 최소값 11.90, 최대값 24.30, 평균 16.3303, 표준 편차 3.29246이다. DIFFICULTY에도 33개의 표본에 대한 유효 값이 분석에 사용되었다. 최소값 2.40, 최대값 10.25, 평균 5.7152, 표준 편차 2.01760이다. IMPORTANCE에도 33개의 표본에 대한 유효 값이 분석에 사용되었다. 최소값 0.20, 최대값 18.80, 평균 6.4758, 표준 편차 3.98513이다. 왜도와 첨도는 데이터 분포의 정규성을 나타내는 지표다. 왜도가 0에 가까울수록, 첨도가 3에 가까울수록 정규 분포에 가까운 것을 의미한다. 유효 표본 수(N)는 분석에 사용된 데이터의 개수를 나타내며, 결측치가 있는 경우 유효 표본 수는 실제 표본 수보다 작을 수 있다.

---

11) https://stats.oarc.ucla.edu/spss/output/one-waymanova/

9.2.2. 일방향 MANOVA 빈도분석

SPSS 출력 결과를 해석하면, 다음과 같다.

이 표는 'GROUP' 변수의 빈도 분포를 나타낸다. 총 33개의 표본 중 11개 (33.3%)는 '1.00', 11개(33.3%)는 '2.00', 11개(33.3%)는 '3.00'의 값을 가지고 있다.

그룹별 빈도 및 비율을 보면, 1.00에는 11개의 표본 (33.3%)이 이 그룹에 속하고, 2.00에는 11개의 표본 (33.3%)이 이 그룹에 속하고, 3.00에도 11개의 표본 (33.3%)이 이 그룹에 속한다.

FREQUENCIES VARIABLES=group.

[표 66] 일방향 MANOVA 통계량과 GROUP

통계량					
GROUP					
N	유효	33			
	결측	0			

GROUP					
		빈도	퍼센트	유효 퍼센트	누적 퍼센트
유효	1.00	11	33.3	33.3	33.3
	2.00	11	33.3	33.3	66.7
	3.00	11	33.3	33.3	100.0
	전체	33	100.0	100.0	

누적 퍼센트는 'GROUP' 변수 값이 특정 값 이하인 표본의 비율을 나타내며, 예를 들어, '1.00' 그룹의 누적 퍼센트는 33.3%이며, 이는 'GROUP' 변수 값이 1.00 이하인 표본의 비율이 33.3%임을 의미한다.

이 표는 'GROUP' 변수의 빈도 분포만을 나타냅니다. 변수 간의 관계나 차이를 분석하기 위해서는 추가적인 분석이 필요할 수 있다. 위와 같은 빈도 분포 분석은 범주형 변수에만 적용 가능하다. 측정척도 변수의 경우, 기술 통계량 또는 평균, 표준 편차 등을 사용하여 데이터를 요약해야 한다.

추가 분석으로 그룹 간 평균 비교를 할 수 있다. 'GROUP' 변수가 종속 변수이고, 다른 변수가 독립 변수인 경우, 그룹 간 변수의 평균 차이를 검증하기 위해 t 검정이나 ANOVA를 사용할 수 있다. 또한, 카이제곱 검정을 활용하여, 두 변수 간의 독립성을 검증할 수 있다. 상관 분석을 통해, 두 변수 간의 선형적 관계를 확인할 수 있다.

9.2.3. 일방향 MANOVA 평균분석

케이스 처리 요약을 해석하면, 모든 변수(USEFUL, DIFFICULTY, IMPORTANCE)에서 모든 그룹(1.00, 2.00, 3.00)에 대한 데이터가 모두 포함되어 있으며, 제외된 케이스는 없다. 따라서 모든 그룹에 대해 33개의 유효한 케이스가 분석에 사용되었음을 확인할 수 있다.

MEANS TABLES=useful difficulty importance BY group.

[표 67] 일방향 MANOVA 케이스 처리 요약과 보고서

	케이스 처리 요약					
	케이스					
	포함		제외		전체	
	N	퍼센트	N	퍼센트	N	퍼센트
USEFUL * GROUP	33	100.0%	0	0.0%	33	100.0%
DIFFICULTY * GROUP	33	100.0%	0	0.0%	33	100.0%
IMPORTANCE * GROUP	33	100.0%	0	0.0%	33	100.0%

	보고서			
GROUP		USEFUL	DIFFICULTY	IMPORTANCE
1.00	평균	18.1182	6.1909	8.6818
	N	11	11	11
	표준편차	3.90380	1.89971	4.86309
2.00	평균	15.5273	5.5818	5.1091
	N	11	11	11
	표준편차	2.07562	2.43426	2.53119
3.00	평균	15.3455	5.3727	5.6364
	N	11	11	11
	표준편차	3.13827	1.75903	3.54691
전체	평균	16.3303	5.7152	6.4758
	N	33	33	33
	표준편차	3.29246	2.01760	3.98513

보고서 부분을 해석하면, GROUP 1에서 USEFUL의 평균은 18.1182, 표준편차는 3.90380이다. DIFFICULTY의 평균은 6.1909, 표준편차는 1.89971이다. IMPORTANCE의 평균은 8.6818, 표준편차는 4.86309이다. USEFUL의 전체 평균은 16.3303, 표준편차는 3.29246이고, DIFFICULTY의 전체 평균은 5.7152, 표준편차는 2.01760이고, IMPORTANCE의 전체 평균은 6.4758, 표준편차는 3.98513이다.

그러므로, 일방향 MANOVA 분석을 통해 그룹 간 USEFUL, DIFFICULTY, IMPORTANCE 변수가 어떻게 다른지 평가할 수 있다. 각 그룹의 평균과 표준편차를 통해 그룹 간 차이를 시각적으로 확인할 수 있으며, 추후 유의성 검정을 통해 이 차이가 통계적으로 유의한지 평가할 수 있다.

Group 1은 USEFUL과 IMPORTANCE에서 높은 평균을 보이는 반면, DIFFICULTY는 상대적으로 높았다. Group 2와 Group 3은 USEFUL과 IMPORTANCE에서 낮은 평균을 보이며, DIFFICULTY도 상대적으로 낮았다. 전체적으로 USEFUL의 평균이 가장 높고, DIFFICULTY와 IMPORTANCE는 중간 정도의 평균을 가진다.

9.2.4. 일방향 MANOVA 분산분석표과 연관성 측도

1) 분산분석표

분산분석표(ANOVA Table)는 그룹 간 차이를 평가하는 데 사용되며, 각 변수에 대해 그룹 간 및 그룹 내 변동을 보여준다. 각 변수(USEFUL, DIFFICULTY, IMPORTANCE)에 대한 분산분석 결과를 해석하면, 다음과 같다.

```
MEANS TABLES=USEFUL DIFFICULTY IMPORTANCE BY GROUP
  /CELLS=MEAN COUNT SEMEAN
  /STATISTICS ANOVA LINEARITY.
```

[표 68] 분산분석표과 연관성 측도

분산분석표				제곱합	자유도	평균제곱	F	유의확률
USEFUL * GROUP	집단-간		(결합)	52.924	2	26.462	2.701	.083
			선형성	42.284	1	42.284	4.315	.046
			선형성의 편차	10.640	1	10.640	1.086	.306
	집단-내			293.965	30	9.799		
	전체			346.890	32			
DIFFICULTY * GROUP	집단-간		(결합)	3.975	2	1.988	.472	.628
			선형성	3.682	1	3.682	.875	.357
			선형성의 편차	.293	1	.293	.070	.794
	집단-내			126.287	30	4.210		
	전체			130.262	32			
IMPORTANCE * GROUP	집단-간		(결합)	81.830	2	40.915	2.879	.072
			선형성	51.011	1	51.011	3.589	.068
			선형성의 편차	30.818	1	30.818	2.168	.151
	집단-내			426.371	30	14.212		
	전체			508.201	32			
연관성 측도		R	R 제곱	에타		에타 제곱		
USEFUL * GROUP		-.349	.122	.391		.153		
DIFFICULTY * GROUP		-.168	.028	.175		.031		
IMPORTANCE * GROUP		-.317	.100	.401		.161		

USEFUL * GROUP에서 집단-간 (결합) 제곱합 52.924, 자유도 2, 평균제곱 26.462, F값 2.701, 유의확률 .083으로 유의확률(p-value) .083은 일반적으로 유의수준 0.05보다 크므로, USEFUL 변수에 대해 그룹 간의 차이가 통계적으로 유의하지 않았다. 그러나 유의수준 0.1에서는 유의한 차이가 있을 수 있다. 선형성에서 제곱합 42.284, 자유도 1, 평균제곱 42.284, F값 4.315, 유의확률 .046으로 선형성의 유의확률 .046은 유의수준 0.05보다 작으므로, USEFUL 변수에 대해 그룹의 선형적 변화가 유의하다. 선형성의 편차에서 제곱합 10.640, 자유도 1, 평균제곱 10.640, F값 1.086, 유의확률 .306으로, 선형성의 편차는 유의하지 않으므로, 선형성을 넘어서는 패턴은 존재하지 않는다고 볼 수 있다. 집

단-내에서 제곱합 293.965, 자유도 30, 평균제곱 9.799로 집단 내 변동이 집단 간 변동보다 훨씬 크다.

DIFFICULTY * GROUP에서 집단-간 (결합)은 유의확률 .628은 유의수준 0.05보다 크므로, DIFFICULTY 변수에 대해 그룹 간의 차이가 통계적으로 유의하지 않았다. 선형성에서 선형성의 유의확률 .357은 유의수준 0.05보다 크므로, DIFFICULTY 변수에 대해 그룹의 선형적 변화가 유의하지 않았다. 선형성의 편차에서 선형성의 편차는 유의하지 않으므로, 선형성을 넘어서는 패턴은 존재하지 않았다. 집단-내에서 집단 내 변동이 집단 간 변동보다 훨씬 크다.

IMPORTANCE * GROUP에서 집단-간 (결합)은 유의확률 .072는 유의수준 0.05보다 크므로, IMPORTANCE 변수에 대해 그룹 간의 차이가 통계적으로 유의하지 않았다. 그러나 유의수준 0.1에서는 유의한 차이가 있을 수 있다. 선형성에서 선형성의 유의확률 .068은 유의수준 0.05보다 크므로, IMPORTANCE 변수에 대해 그룹의 선형적 변화가 유의하지 않았다. 그러나 유의수준 0.1에서는 유의한 차이가 있을 수 있다. 선형성의 편차에서 선형성의 편차는 유의하지 않으므로, 선형성을 넘어서는 패턴은 존재하지 않았다. 집단-내에서 집단 내 변동이 집단 간 변동보다 훨씬 크다.

요약하면, USEFUL 변수에서는 그룹 간 선형적 차이가 유의수준 0.05에서 유의하지만, 전체 차이는 유의하지 않았다. DIFFICULTY 변수에서는 그룹 간 차이가 유의하지 않았다. IMPORTANCE 변수에서는 그룹 간 차이가 유의하지 않지만, 유의수준 0.1에서는 유의할 가능성이 있다. 이를 통해 그룹 간의 차이가 USEFUL 변수에서 약간의 차이가 있음을 알 수 있지만, 다른 변수에서는 유의한 차이가 없음을 알 수 있다. 추가적인 분석을 통해 각 그룹의 특성을 더 면밀히 살펴보는 것이 필요하다.

2) 연관성 측도

연관성 측도는 변수들 간의 관계를 평가하는 데 사용한다. R, R 제곱, 에타 (η), 에타 제곱(η^2)은 각각의 변수와 그룹 간의 관계를 나타낸다.

USEFUL * GROUP에서 R -0.349로 USEFUL과 GROUP 간의 피어슨 상관계수는 -0.349로 이는 두 변수 간에 음의 상관관계가 있음을 나타내며, 상관관계가 중간 정도의 강도를 가지고 있다. R 제곱 0.122로 R 제곱 값은 0.122로, USEFUL 변수의 변동 중 12.2%가 GROUP에 의해 설명됨을 나타낸다. 에타(η) 0.391로 USEFUL과 GROUP 간의 비모수적 상관계수는 0.391로, 이는 두 변수 간의 연관성이 중간 정도임을 의미한다. 에타 제곱(η^2) 0.153로 에타 제곱 값은 0.153으로, USEFUL 변수의 변동 중 15.3%가 GROUP에 의해 설명됨을 나타낸다.

DIFFICULTY * GROUP에서 R -0.168로 DIFFICULTY와 GROUP 간의 피어슨 상관계

수는 -0.168로, 두 변수 간에 약한 음의 상관관계가 있다. R 제곱 0.028로 R 제곱 값은 0.028로, DIFFICULTY 변수의 변동 중 2.8%가 GROUP에 의해 설명됨을 나타낸다. 에타(η) 0.175로 DIFFICULTY와 GROUP 간의 비모수적 상관계수는 0.175로, 이는 두 변수 간의 연관성이 약함을 의미한다. 에타 제곱(η^2) 0.031으로 에타 제곱 값은 0.031로, DIFFICULTY 변수의 변동 중 3.1%가 GROUP에 의해 설명됨을 나타낸다.

IMPORTANCE * GROUP에서 IMPORTANCE와 GROUP 간의 피어슨 상관계수는 -0.317로, 두 변수 간에 중간 정도의 음의 상관관계가 있다. R 제곱 값은 0.100으로, IMPORTANCE 변수의 변동 중 10%가 GROUP에 의해 설명된다. IMPORTANCE와 GROUP 간의 비모수적 상관계수는 0.401로, 이는 두 변수 간의 연관성이 중간 정도였다. 에타 제곱 값은 0.161로, IMPORTANCE 변수의 변동 중 16.1%가 GROUP에 의해 설명되었다.

요약하면, USEFUL과 IMPORTANCE는 GROUP과의 중간 정도의 연관성을 보였다. 이는 두 변수의 변동성이 각각 15.3%, 16.1%로 그룹에 의해 설명되었다. DIFFICULTY는 GROUP과 약한 연관성을 보인다. 이는 이 변수의 변동성이 3.1%로 그룹에 의해 설명됨을 의미한다. 이러한 연관성 측도를 통해 그룹 간의 차이를 더 명확히 이해할 수 있다. 이는 그룹이 변수의 중요한 차이를 야기하는지를 평가하는 데 도움이 된다.

9.3. 일방향 MANOVA 결과해석

9.3.1. 일방향 MANOVA GLM분석

다음으로, manova 명령 구문을 사용하여 처리할 수 있다. SPSS에서 manova는 일반화 선형 모델 함수인 GLM을 통해 수행할 수 있다. manova 명령에서 먼저 결과 변수를 나열한 다음 "by" 뒤에 범주형 요인을 표시하고 "with" 뒤에 공변량을 표시한다. 여기서 group은 범주형 요인이다.

또한 group에서 발견된 가장 낮은 값과 가장 높은 값도 표시해야 한다. 또한 SPSS에 생성된 고유값을 인쇄하도록 요청하고 있다. 이는 검정 통계가 어떻게 계산되는지 확인하는 데 유용하다.

```
manova useful difficulty importance by group(1,3)
/print=sig(eigen).
```

* A n a l y s i s o f V a r i a n c e * * * * * * * * * * * * * * * * * * *

MANOVA의 기본값 오차항이 WITHIN CELLS에서 WITHIN+RESIDUAL로 변경되었습니다 . 모든 완전요인계획에서 동일합니다.

* * * * * * * * * * * * * * * * * *A n a l y s i s   o f   V a r i a n c e* * * * * * * * * * * * * * * * * *

       33 cases accepted.
        0 cases rejected because of out-of-range factor values.
        0 cases rejected because of missing data.
        3 non-empty cells.

        1 design will be processed.

- -

* * * * * * * * * * * * *A n a l y s i s   o f   V a r i a n c e — Design 1* * * * * * * * * * * * * *

EFFECT .. GROUP
Multivariate Tests of Significance (S = 2, M = 0, N = 13)

Test Name	Value	Approx. F	Hypoth. DF	Error DF	Sig. of F
Pillais	.47667	3.02483	6.00	58.00	.012
Hotellings	.89723	4.03753	6.00	54.00	.002
Wilks	.52579	3.53823	6.00	56.00	.005
Roys	.47146				

Note.. F statistic for WILKS' Lambda is exact.

- -

Eigenvalues and Canonical Correlations

Root No.	Eigenvalue	Pct.	Cum. Pct.	Canon Cor.
1	.89199	99.41575	99.41575	.68663
2	.00524	.58425	100.00000	.07221

- -

EFFECT .. GROUP (Cont.)
Univariate F-tests with (2,30) D. F.

Variable	Hypoth. SS	Error SS	Hypoth. MS	Error MS	F	Sig. of F
USEFUL	52.92424	293.96544	26.46212	9.79885	2.70053	.083
DIFFICUL	3.97515	126.28728	1.98758	4.20958	.47216	.628
IMPORTAN	81.82969	426.37090	40.91485	14.21236	2.87882	.072

- -

Abbreviated Name	Extended Name
DIFFICUL	DIFFICULTY
IMPORTAN	IMPORTANCE

항목별로 결과를 설명하면, 다음과 같다. 사례 요약 항에서 Manova에 포함될 관측치의 개수와 누락된 데이터 또는 범위를 벗어난 데이터로 인해 삭제될 관측치의 개수를 제공한다. 예를 들어, 그룹의 최대값을 3으로 지정한 후 그룹의 값이 4인 레코드는 범위를 벗어난 것으로 간주한다.

효과 항에서 이는 문제의 예측 변수를 나타낸다. 우리 모델에서는 그룹의 효과를 살펴본다. 값 항에서 이는 주어진 효과에 대한 검정 통계량이며 이전 열에 나열된 다변량 통계량이다. SPSS는 각 예측 변수에 대해 4개의 검정 통계량을 계산한다. 이러한 모든 검정 통계량은 모델의 고유값을 사용하여 계산한다. 대략. F(Approx. F) 항에서 주어진 효과 및 검정 통계량에 대한 대략적인 F 통계량이다. 가설. DF(Hypoth. DF) 항에서 이는 모델의 자유도이다. 오류 DF 항에서 이는 모델 오류와 관련된 자유도 수다. Manova에는 자유도가 정수가 아닐 수 있는 경우가 있다.

시그.F 항에서 이는 F 통계와 연관된 p-값이며 주어진 효과 및 검정 통계의 가설 및 오류 자유도다. 주어진 예측 변수가 결과 중 하나에 영향을 미치지 않는다는 귀무가설은 이 p-값과 관련하여 평가한다. 주어진 알파 수준에 대해 p-값이 알파보다 작으면 귀무가설이 기각한다. 그렇지 않다면 귀무가설을 기각할 수 없다. 이 예에서는 p-값이 모두 .05보다 작기 때문에 그룹이 알파 수준 .05에서 세 가지 다른 등급에 영향을 미치지 않는다는 귀무가설을 기각한다.

9.3.2. 일방향 MANOVA GLM분석 해석

다변량 검정 통계량인 MANOVA 분석 결과를 설명하면, 다음과 같다.

1) Pillai's Trace

Pillai's Trace .47667, Approx. F = 3.02483, Hypoth. DF = 6, Error DF = 58, Sig. = .012로 Pillai's Trace 값이 0.47667로, GROUP에 따라 종속변수들의 평균 벡터에 유의미한 차이가 있다. 유의수준 .05에서 p값이 .012이므로, GROUP이 USEFUL, DIFFICULTY, IMPORTANCE에 유의미한 영향을 미친다고 볼 수 있다.

또한, Pillais 항에서 이것은 Manova에서 사용된 4가지 다변량 기준 검정 통계량 중 하나인 Pillai의 추적이다. 생성된 고유값을 사용하여 Pillai의 추적을 계산할 수 있다. 각 고유값을 (1 + 고유값)으로 나눈 다음 이러한 비율을 합한다. 따라서 이 예에서 먼저 0.89198790 / (1 + 0.89198790) = 0.471455394, 0.00524207/ (1 + 0.00524207) = 0.005214734, 0/ (1 + 0) = 0을 계산한다. 이것들을 더하면 Pillai의 추적에 도달한다. (0.471455394 + 0.005214734 + 0) = .47667.

2) Hotelling's Trace

Hotelling's Trace .89723, Approx. F = 4.03753, Hypoth. DF = 6, Error DF = 54, Sig. = .002로 Hotelling's Trace 값이 0.89723로, 유의미한 차이가 있다. 유의수준 .05에서 p값이 .002이므로, GROUP이 종속변수에 유의미한 영향을 미친다고 할 수 있다.

또한, Hotellings 항에서 이것은 Lawley-Hotelling의 추적이다. Pillai의 추적과 매우 유사하다. 고유값의 합이며 ANOVA에서 F 통계량의 직접 일반화이다.

출력에 나열된 특성 루트를 합산하여 Hotelling-Lawley 추적을 계산할 수 있다. 0.8919879 + 0.00524207 + 0 = 0.89723.

3) Wilks' Lambda

Wilks' Lambda .52579, Approx. F = 3.53823, Hypoth. DF = 6, Error DF = 56, Sig. = .005로 Wilks' Lambda 값이 0.52579로, 유의미한 차이가 있다. 유의수준 .05에서 p값이 .005이므로, GROUP이 종속변수에 유의미한 영향을 미친다고 할 수 있다.

또한, Wilks 항에서 이것은 Wilk의 람다다. 이는 효과에 의해 설명되지 않는 결과의 분산 비율로 해석될 수 있다. Wilks' Lambda를 계산하려면 각 고유값에 대해 1 / (1 + 고유값)을 계산한 다음 이들 비율의 곱을 계산한다. 따라서 이 예에서는 먼저 1 / (1 + 0.8919879) = 0.5285446, 1 / (1 + 0.00524207) = 0.9947853, 1 / (1 + 0) = 1을 계산한다. 그런 다음 0.5285446 * 0.9947853 * 1 = 0.52579를 곱한다.

4) Roy's Largest Root

Roy's Largest Root .47146로 Roy's Largest Root 값이 0.47146으로, 이 역시 GROUP이 종속변수들에 유의미한 영향을 미친다는 것을 나타낸다.

또한, Roys 항에서 이것은 Roy의 가장 큰 루트다. SPSS MANOVA 또는 SPSS GLM을 사용하는지 여부에 따라 Roy의 최대 루트에 대한 두 가지 정의가 있다. MANOVA에서 계산은 0.8919879 / (1 + 0.8919879) = 0.4714544다. GLM에서 Roy의 가장 큰 루트는 가장 큰 고유값(0.8919879)으로 정의한다. 이 정의에 따라 Roy의 최대 루트는 다른 세 가지 테스트 통계와 다르게 동작할 수 있다. 다른 세 가지가 중요하지 않고 Roy가 유의한 경우에는 효과가 중요하지 않은 것으로 간주한다.

참고 항에서 이는 Wilk의 람다에 대한 F 통계가 정확하게 계산되었음을 나타낸다. 다른 테스트 통계의 경우 F 값은 대략적인 값이다.

5) 고유값과 표준 상관관계

고유값과 표준 상관관계 항에서 이 출력 섹션은 모델의 제곱합 행렬과 오차 제곱합 행렬의 곱에서 고유값을 제공한다. 모델 제곱합 행렬과 오차 제곱합 행렬의 곱인 3×3 행렬의 세 고유 벡터 각각에 대해 고유값이 하나씩 있다. 여기에는 두 개만 나열되어 있으므로 세 번째 고유값은 0이라고 가정할 수 있다. 이러한 값은 네 가지 다변량 검정 통계량을 계산하는 데 사용할 수 있다.

세부적으로 설명하면, 첫 번째 근 (Root No. 1) Eigenvalue = .89199,

Canonical Correlation = .68663로 첫 번째 근의 고유값이 0.89199로, 정준 상관계수는 0.68663이다. 이는 두 변수 세트 간의 강한 상관을 나타낸다.

두 번째 근 (Root No. 2) Eigenvalue = .00524, Canonical Correlation = .07221로 두 번째 근의 고유값이 0.00524로, 정준 상관계수는 0.07221이다. 이는 두 변수 세트 간의 약한 상관을 나타낸다.

6) 일변량 F-검정

일변량 F-검정 항에서 manova 절차는 일변량 및 다변량 결과를 모두 제공한다. 이 출력 섹션은 manova의 각 결과에 대한 일원 분산 분석의 요약된 출력을 제공한다. 각 행은 manova의 각 종속 변수에 대해 하나씩 다른 일원 분산 분석에 해당한다. manova가 단일 가설을 테스트하는 동안 이 출력의 각 줄은 다른 가설의 테스트에 해당한다. 일반적으로 manova에서 효과가 중요하다고 제안하는 경우 이러한 일원 분산 분석 테스트 중 하나 이상이 단일 결과에 대한 효과가 중요함을 나타낼 것으로 예상할 수 있다.

세부적으로 기술하면, USEFUL F = 2.70053, Sig. = .083으로 USEFUL 변수에서 그룹 간 차이는 유의미하지 않았다 (p > .05).

DIFFICULTY F = .47216, Sig. = .628로 DIFFICULTY 변수에서 그룹 간 차이는 유의미하지 않았다 (p > .05).

IMPORTANCE F = 2.87882, Sig. = .072로 IMPORTANCE 변수에서 그룹 간 차이는 유의미하지 않았다 (p > .05).

요약하면, 다변량 검정에서는 GROUP이 종속변수들에 유의미한 영향을 미치는 것으로 나타났다. 그러나 각 변수별 단변량 F-검정에서는 USEFUL, DIFFICULTY, IMPORTANCE 모두 그룹 간의 차이가 유의미하지 않은 것으로 나타났다. 이는 다변량 검정에서는 변수들의 결합된 효과가 유의미했지만, 개별 변수들의 효과는 유의미하지 않았음을 시사한다.